EL LIBRO NEGRO DE LAS MARCAS

El lado oscuro de las empresas globales

Diseño de tapa: María L. de Chimondeguy / Isabel Rodrigué

KLAUS WERNER - HANS WEISS

EL LIBRO NEGRO DE
LAS MARCAS

El lado oscuro de las empresas globales

Traducción de
MARIANO GRYNSZPAN y ALEJANDRA OBERMEIER

EDITORIAL SUDAMERICANA
BUENOS AIRES

070.44 Werner, Klaus
WER   El libro negro de las marcas / Klaus Werner y Hans
          Weiss.- 1ª. ed. - Buenos Aires : Sudamericana, 2003.

          ISBN 950-07-2383-2

          Traducción de: Alejandra Obermeier y Mariano
          Grynszpan

          I. Weiss, Hans II. Título – 1. Investigación Periodística

IMPRESO EN U.S.A.

ISBN 950-07-2383-2

© 2001, Frank Deuticke Verlagsgesellschaft, m. b. H., Viena-Francfort del Meno

Título del original en alemán:
Schwarzbuch Markenfirmen.
Die Machenschaften der Weltkonzerne

Agradecemos a todos los que brindaron su contribución para la aparición de este libro, especialmente a Krista Federspiel y Pasquale Rotter.

PRÓLOGO

"¡**N**estlé mata a los bebés!" "McDonald's destruye la selva tropical!""¡Tu calzado deportivo se fabrica con mano de obra infantil!" ¿Son ciertas estas afirmaciones? ¿Es cierto que mi marca preferida se produce en condiciones infrahumanas? ¿Hay alguna cosa que pueda seguir comprando sin recibir como "vuelto" una violación de los derechos humanos o la destrucción del medio ambiente? ¿O será que estas objeciones son demasiado exageradas y ya han pasado de moda...?

Las grandes marcas dicen: no hay ningún problema. McDonald's, por ejemplo, entrega sus hamburguesas en cajitas reciclables no contaminantes. Nike ("Just Do It!") hace algo contra el trabajo infantil. E incluso la compañía petrolera Shell se declara comprometida y pregona su responsabilidad social y ecológica. ¿Qué más se puede pedir?

Nosotros quisimos investigar más a fondo y pusimos a las marcas famosas bajo la lupa. Porque si en el mundo hay doce millones de niños que se desloman para fabricar artículos de exportación baratos, sin duda hay alguien que está sacando provecho de ello. Y porque cuando se dice que los grupos multinacionales promueven la explotación, la venta de armas, la destrucción ambiental y el maltrato a los animales, es necesario que a esas multinacionales se les ponga nombre y apellido.

Una gran cantidad de entidades de derechos humanos, sindicatos, organizaciones religiosas y periodistas críticos de todo el mundo observan con atención los manejos de firmas inescrupulosas y sacan a la luz las irregularidades. Nosotros hemos recopilado las imputaciones más generalizadas, para después revisarlas y actualizarlas. Asimismo, por medio de Internet, pudimos obtener documentos de Hong Kong que hasta el momento habían pasado inadvertidos, artículos de periódicos nigerianos regionales e incluso informes comerciales de las propias multinacionales, cuyo contenido fue analizado y chequeado para controlar su veracidad.

Finalmente clasificamos los resultados en rubros de consumo, a través de los cuales mostramos que el desprecio por los derechos elementales en el comercio internacional es sistemático: en el primer capítulo, Klaus Werner se dedica a las relaciones globales de explotación por parte de las multinacionales. Allí exhibe las numerosas formas que adopta la despiadada búsqueda de lucro en las áreas correspondientes a alimentos, indumentaria, aparatos electrónicos y combustibles, así como también en los bancos y las grandes industrias. Hans Weiss, experto en medicamentos desde hace muchos años, apunta a las anomalías en la industria farmacéutica y nos demuestra que aun los juguetes de los niños suelen producirse en condiciones inhumanas.

En dos países —en Hungría y en el Congo— logramos descubrir por nuestra propia cuenta cómo se benefician de las violaciones a los derechos humanos empresas que son grandes y conocidas. Debimos hacernos pasar por negociantes inescrupulosos para llevar a cabo nuestras investigaciones: Klaus Werner se transformó en un traficante "virtual" de materias primas, a fin de averiguar qué papel desempeña la multinacional alemana Bayer en el financiamiento de una guerra que ya se ha cobrado más de 2,5 millones de vidas en el corazón de África. En un viaje a la zona del conflicto, comprobó que muchos de los afectados saben perfectamente que están sumidos en la miseria, en parte, "gracias" a la codicia de compañías occidentales. Mientras tanto, Hans Weiss se convirtió de la noche a la mañana en manager de la industria farmacéutica. Directores de diversas clínicas de Budapest le dieron la aprobación vía e-mail para someter a sus pacientes a ensayos clínicos prohibidos (a cambio de elevados honorarios). El reporte explica por qué las compañías farmacéuticas internacionales testean sus nuevos medicamentos de manera creciente en Europa Oriental y en países del denominado Tercer Mundo. Del mismo modo, revela las prácticas no éticas de las multinacionales y la complicidad de los médicos involucrados.

La segunda parte del libro brinda informes comerciales especiales acerca de cincuenta empresas seleccionadas, que atentan contra los valores éticos en forma reiterada y generalizada. Nos hemos concentrado en marcas conocidas que dominan gran parte del mercado en Alemania, Austria y Suiza. Sus delitos son tan diversos como los productos que comercializan: Adidas, fabricante de artículos deportivos, se encuentra en la picota a causa de las desastrosas condiciones laborales que imperan en las plantas de sus proveedores; la marca de bananas Chiquita, debido a la explotación de los trabajadores en las plantaciones y al uso de herbicidas extremadamente peligrosos; la empresa de ropa interior Triumph recibe críticas a raíz de su cooperación con el brutal régimen militar de Myanmar (ex Birmania); mientras que a Siemens se la acusa de participar en peligrosas centrales nucleares y en proyectos de represas, para cuya concreción fue necesario expulsar a millones de personas de sus hogares y despojarlas de su sustento vital.

Dentro de nuestra "lista de los malvados", los tres que ocupan el podio son Bayer, TotalFinaElf y McDonald's. La lista de imputaciones a las multinacionales alemanas que operan en el sector químico y farmacéutico es casi interminable. Bayer expone a los pacientes a ensayos clínicos no éticos, a sabiendas de los graves daños de salud que pueden provocarles, Bayer pone en circulación peligrosas sustancias tóxicas, Bayer lucha para que no haya medicamentos baratos contra el sida en los países más pobres del mundo y Bayer, por último, es uno de los pilares que financian el comercio de materias primas dentro de un Congo azotado por la guerra civil.

La multinacional de estaciones de servicio TotalFinaElf desarrolla su actividad prácticamente en todos los lugares donde convergen la violación de derechos humanos y la extracción de petróleo: en Myanmar, en Sudán, en Angola y en Nigeria. Y McDonald's no sólo es criticada por las consecuencias que ocasiona su consumo industrial de carnes en el medio ambiente y en la ganadería: los juguetes con los cuales la empresa de hamburguesas atrae a los niños europeos hacia sus restaurantes fueron fabricados gracias a la explotación de niños chinos.

En Europa, hasta el momento, esto pareció importarles a muy pocos.

Durante la realización de este libro, comprobamos con frecuencia que el maltrato a los animales y la destrucción de la naturaleza generan reacciones más enérgicas que la violación de los derechos humanos. ¿No es curioso que millones de automovilistas hayan boicoteado a la compañía Shell en 1995 porque ésta planeaba sumergir una plataforma petrolífera en el Mar del Norte y que no lo hicieran, en cambio, por su vinculación con el atropello a los derechos humanos en Nigeria? También desde Internet, los llamados a boicotear a firmas que efectúan experimentaciones con animales superan largamente a las condenas contra las multinacionales que sacan provecho de la explotación humana.

De todos modos, el tema del boicot es un arma de doble filo. En la mayoría de los casos no nos parece conveniente, ya que a menudo los boicots no hacen más que poner en peligro los puestos de trabajo sin modificar en absoluto la miseria de la gente. Las excepciones a la regla (es decir, los casos en los que los mismos involucrados convocan al boicot) las presentamos en este libro. En el caso de muchos productos —en especial, los alimentos— el Comercio Justo ofrece alternativas buenas y económicas. Si se hallan disponibles, se puede dar prioridad a los bienes regionales o a los que se fabrican según criterios ecológicos. En el ámbito de la inversión de capitales, los fondos éticos tienden a promover un enriquecimiento políticamente correcto. Mientras tanto, en el área de los combustibles, la única alternativa consiste en evitar todo lo posible el uso del automóvil y el avión.

Pero de lo que se trata, en primer término, es de exigir a viva voz que las grandes empresas realicen cambios. Ese poder está en manos de los consumidores. Las casas matrices de las multinacionales tienen muy en cuenta esas protestas, tal como se desprende de una serie de campañas exitosas. Cuanto más se extienda esa protesta y cuanto más clara se torne, más se verán forzados los responsables a efectuar cambios que superen lo meramente cosmético.

En resumen, este libro no busca eliminar el placer del consumo. Al contrario: pretende actuar como estímulo para que usted se convierta en un consumidor atento e incluso activo. Porque cada vez es más la gente que combina su placer con la exigencia de estándares de vida dignos en el otro extremo de la cadena de producción.

Más allá de cada caso particular, sean cuales fueren sus exigencias, de una cosa estamos seguros: al leer este libro, usted se pondrá furioso.

Klaus Werner y Hans Weiss
Berlín/Viena, agosto de 2001

PD: Por supuesto que nuestra lista no está completa. En algunos rubros, las violaciones a los derechos humanos están tan extendidas que es imposible incluir a todos los responsables. Asimismo hay empresas a las que (aún) no se les puede demostrar fehacientemente sus abusos desde el punto de vista jurídico. Si usted cree que se ha omitido mencionar a alguna firma "malvada" o quiere brindarnos datos concretos, háganos llegar su inquietud a través de la dirección de Internet (http://www.markenfirmen.com).

INESCRUPULOSO & CÍA.

Las multinacionales invierten sumas millonarias para cuidar la imagen de sus marcas. En donde ahorran es en las condiciones de producción. Como consecuencia, surgen relaciones laborales deplorables, pobreza y violaciones a los derechos humanos. En estos casos, el compromiso social no es más que un truco publicitario.

La compañía petrolera Shell constituye una de las principales fuentes de financiamiento de los proyectos sociales en el delta del Níger (África occidental). Esta corporación destina casi 60 millones de euros anuales a escuelas e instituciones sanitarias en la empobrecida región del sur de Nigeria.[1] En Europa y Japón, Shell se cuenta entre los mayores promotores de la energía solar: allí la multinacional construye equipos generadores. Un folleto publicitario reza: "Estamos convencidos de que solamente pueden ser exitosas aquellas empresas que persiguen tres objetivos: competitividad, responsabilidad social y orientación ecológica."

A todo esto, la compañía representó durante largo tiempo la imagen del enemigo para las agrupaciones ambientales y de derechos humanos. Cuando en 1995 Shell quiso sumergir la plataforma petrolífera Brent Spar en el Mar del Norte, millones de automovilistas boicotearon las gasolineras con el logo amarillo del molusco hasta que la empresa revió su posición. Ese mismo año, la imagen de la firma se vio afectada por segunda vez a causa del asesinato del escritor Ken Saro Wiwa. A Shell, principal productor de petróleo de Nigeria, se la acusa de haber cooperado con el anterior régimen militar de ese país, que simplemente se deshizo de este molesto opositor a la industria petrolera.

Ahora ya se sabe que una violación demasiado evidente de

15

los intereses humanitarios y ambientales perjudica el negocio. "Shell se esfuerza por garantizar que su actividad no conduzca a violaciones de derechos humanos", dice incluso Arwind Ganesan, de la prestigiosa organización Human Rights Watch. Según su opinión, los informes ambientales y de derechos humanos publicados por la compañía son hasta un modelo para otras firmas.[2]

Por cierto, la gente de Nigeria tiene una opinión muy diferente: Shell fue y sigue siendo responsable de la destrucción del sustento vital de miles de familias. Quienes protestan contra esta multinacional continúan sufriendo intimidaciones aún hoy. Y la empresa, pese a su inescrupulosa explotación de los recursos autóctonos, sigue negándose a pagar un resarcimiento económico adecuado a las víctimas: los afectados del pueblo de los ogoni estiman que, desde el inicio de sus actividades en Nigeria, Shell ha extraído petróleo de su suelo por un valor aproximado de 35.000 millones de euros.[3] Ya en el año 1992 se calculaba que los daños ambientales ocasionados por la explotación ascendían a unos 4.000 millones de euros.

Los 60 millones, otorgados según datos de la empresa para el compromiso social, adquieren de pronto un cariz diferente: se transforman en un gasto comparativamente pequeño, pero tanto más eficaz, dentro del presupuesto de publicidad. En efecto, la acción caritativa de Shell es reconocida en los medios internacionales como un clásico ejemplo de responsabilidad empresarial.

La imagen es todo

Las multinacionales aprendieron su lección. Aproximadamente desde los años '70, muchas firmas conocidas pasaron a ser el blanco de los ecologistas y los activistas de derechos humanos. Los llamamientos para boicotear a Nestlé, McDonald's, Siemens y Shell concitaron gran atención. Hoy prácticamente ni se recuerda cuál era entonces el origen de la crítica. Pero en cierta forma se sabe: esas empresas estuvieron involucradas en negocios *non sanctae* (ver retratos de las firmas en la parte final del libro).

Entretanto, casi todas las grandes corporaciones publican en forma periódica voluminosos informes ambientales y sociales.

Contratan encargados de derechos humanos y han establecido "códigos de conducta"; mediante estas normas de comportamiento, las empresas se autoimponen reglas (a veces más estrictas, a veces menos) tendientes a respetar los principios ecológicos y sociales. Nuevos conceptos hacen su ingreso en las asambleas de juntas directivas y en las respectivas páginas web. Además del *shareholder value* (el valor bursátil de una empresa, tan importante para los accionistas), ahora se incorpora el *stakeholder value*: según esta filosofía, sólo podrá tener éxito en la economía de mercado aquel que actúe en forma correcta frente a todos los grupos afectados por un negocio. Entre esos diferentes grupos se encuentran los trabajadores y los clientes, así como también el medio ambiente y los países en los que opera una empresa. Lo mismo se transmite a través de otros conceptos en boga, tales como *corporate responsibility* y *corporate citizenship*: el accionar comercial de una firma no se limita sólo a criterios económicos, comprende también una responsabilidad social; sí, las firmas incluso quieren ser "buenos ciudadanos" de un país o de todo el planeta.

De este modo, en octubre de 2000, unos 120 directivos de Siemens se abocaron de manera voluntaria y ad honórem a la construcción de un campo de veraneo para niños huérfanos de Alemania y la República Checa. Tal como informó el semanario económico *Wirtschaftswoche*, construyeron seis cabañas de madera, una cabaña sanitaria y una de depósito, dos galerías techadas, dos trepadoras y una cancha de beach voley y acarrearon durante la obra 13 toneladas de madera, 50 metros cúbicos de arena y media tonelada de hormigón: "Ahora 24 niños y asistentes sociales pueden pasar allí sus vacaciones libres de toda preocupación."[4] El semanario comenta que la acción no sólo ayuda a los más débiles de la sociedad, sino que además fortalece el espíritu de equipo. Y (no menos importante) también es buena para la imagen.

Por cierto, Siemens no sólo demuestra el espíritu de equipo en la construcción de campamentos vacacionales, sino también a través de sus numerosas participaciones en proyectos más que cuestionables. Gracias al aporte de la multinacional con sede en Munich, se construyen numerosas y gigantescas represas en países del Tercer Mundo; como consecuencia, millones de personas son desplazadas a otros lugares (en parte, mediante el uso de la fuerza) y pierden su sustento vital sin recibir a cambio una indemnización adecuada. Además, Siemens continúa siendo líder en la construcción de peligrosas centrales nucleares en todo el mundo. Según ha podido verificarse, muchos de estos reactores no son rentables y constituyen una carga para el presupuesto de Estados altamente endeudados. Mientras tanto, la empresa registra con ellos pingües ganancias.

¿Fabrican minas terrestres por el compromiso social?

"El valor de una empresa puede incrementarse cuando se está dispuesto a asumir también una responsabilidad social en la empresa y en la sociedad", reveló el mandamás de Mercedes, Jürgen Schrempp, a la *Wirtschaftswoche*. Lo que no dijo el directivo es si la fabricación de armas también formaba parte de esta responsabilidad. DaimlerChrysler, o, mejor dicho, una filial de la corporación automotriz, se encuentra abocada al desarrollo de armas nucleares. Y no sólo eso: la empresa también produce minas terrestres. En el plano internacional, las minas antipersonales están prohibidas debido a sus atroces consecuencias. A menudo también hay civiles entre las víctimas de su uso.

Para promocionar la "mina antitanque" PARM 2, la filial Deutsche Aerospace recurrió a las revistas especializadas del ramo, utilizando eslóganes tales como "moderna y efectiva". Hubo oficiales de las Fuerzas Armadas que alabaron las bondades de la PARM: "Las minas modernas tienen un efecto demoledor. Pueden combatir al enemigo aun detrás de una defensa y en espacios muertos."[5] Sólo tras las protestas masivas encabezadas por la asociación Accionistas Críticos, Jürgen Schrempp anunció a fines de 1998 que se suspendería la producción de minas PARM.

De todas maneras, según datos de los Accionistas Críticos, la paleta de productos aún cuenta con la "Mine-Flach-Flach" (MIFF) y la "Mine-Multi-Splitter-Passiv" (MUSPA). Cabe señalar que ambos artefactos, a diferencia de lo ocurrido en Alemania, fueron incluidos por la Secretaría de Defensa norteamericana dentro de la categoría de minas antipersonales. Por eso, algunos países como Italia (integrante de la OTAN) desecharon este tipo de minas y destruyeron las existencias.[6]

"Podemos aniquilarte"

Uno de los que tienen que ponerse al día en el cuidado de la imagen es Nike, la firma norteamericana de indumentaria deportiva. A mediados de la década del 90, medios estadounidenses filmaron a niños paquistaníes cosiendo el logo de Nike —la "pipa"— en balones de fútbol. Desde entonces, se mantiene la ola de indignación por las condiciones laborales en los denominados *sweatshops* (las factorías situadas en Asia y América latina, patios traseros donde se confeccionan los productos de esta multinacional). Y una y otra vez salen a la luz nuevos casos de explotación y maltrato (ver capítulo "Deporte e indumentaria").

En EE.UU., estos informes se han convertido en una seria amenaza para la imagen de la empresa. El famoso eslogan de Nike "Just Do It!" (Simplemente hazlo) fue reformulado para convertirse en "Just Boycott It" (Simplemente boicotéala). Cada vez más jóvenes le dan la espalda a la que otrora fuera su marca preferida. Para la empresa, la pérdida de confianza registrada en este *target* resulta particularmente dolorosa.

En 1997 se produjo en Nueva York una verdadera catástrofe para las relaciones públicas de Nike. El asistente social Mike Gitelson, quien tenía a su cargo a jóvenes del Bronx, le expresó a la periodista canadiense Naomi Klein que estaba "harto de ver correr por ahí a los muchachitos con zapatillas que ni ellos ni sus padres pueden darse el lujo de comprar".[7] Gitelson les dijo que los trabajadores de Indonesia ganaban solamente 2 dólares por día y que a Nike le costaba solamente 5 dólares fabricar ese calzado, por el que ellos pagaban entre 100 y 180 dólares. Les contó además que Nike no fabrica ni una sola zapatilla en EE.UU. Y que ése era uno de los motivos por los cuales a sus padres les resultaba tan difícil encontrar trabajo. "Es así, amigo, te chupan la sangre. Si aquí en el barrio alguien te hiciera eso, ya sabes cómo terminaría." Funcionó. Primero los jóvenes enviaron cartas al director de Nike, Phil Knight, solicitándole que les devolviera el dinero. La empresa respondió con cartas estándar que no decían absolutamente nada. "Ahí sí que nos pusimos furiosos y decidimos organizar una manifestación", dijo Gitelson.

Seguidamente, doscientos jovencitos de entre once y trece

años se dirigieron hacia "Nike-Town", una especie de supermercado vivencial que la empresa posee en Nueva York. Gritan-
do y vociferando, los chicos arrojaron a los pies del personal de
seguridad bolsas de residuos llenas de viejas zapatillas
malolientes, todo bajo la atenta mirada de los medios de comunicación. Rodeados por las cámaras, los niños —en su mayoría,
negros y latinoamericanos— parecieron cobrar mayor estatura.
Uno de los activistas, de trece años de edad y oriundo del Bronx,
miró directamente a la cámara de una importante cadena
televisiva y dirigió un mensaje a la empresa, cuyo contenido
hizo transpirar a los gerentes de publicidad: "Nike, nosotros te
hicimos. Y también podemos aniquilarte."[8]

Dudosas mejoras

Los dueños de la empresa sabían lo que eso significaba: si
sus clientes más mimados se valían de los medios para dañar
una imagen creada con tanto esfuerzo y con miles de millones,
entonces el agua les llegaría al cuello. Con un solo golpe, una
banda de adolescentes del Bronx logró lo que no habían podido
cientos de organizaciones de derechos humanos, que apenas
habían accedido a una pequeña franja de "buena gente". Tras
cartón, Nike emprendió una ofensiva, reconoció muchas de las
imputaciones y juró que implementaría mejoras. En algunos lugares, esas reformas efectivamente se realizaron: numerosas factorías recibieron por fin los correspondientes dispositivos de
seguridad (tales como matafuegos y salidas de emergencia), los
lugares de trabajo se mejoraron y además se realizaron controles
más estrictos contra el trabajo infantil. Pero en cuanto al núcleo
del problema, poco ha cambiado: ni Nike ni las otras multinacionales que fabrican sus productos en los países más pobres
están dispuestas a pagar salarios adecuados. Por el contrario:
desde que los proveedores independientes deben atenerse a los
estándares exigidos por Nike y compañía, el dinero que queda
para abonar salarios es aún más reducido (ver capítulo "Deporte
e indumentaria").

En Europa, las protestas contra la actitud explotadora de las
grandes marcas aún parecen estar bajo control. Las empresas
tienen armas para defenderse: De tanto en tanto, Nike-Town

Berlín pone a disposición a sus empleados para que desarrollen actividades de bien público en los puntos más conflictivos de los barrios de Kreuzberg, Friedrichshain, Lichtenberg y Neukölln. Con la colaboración de trabajadores de la calle y asistentes sociales, allí se organizan partidos de fútbol, voley y básquet para niños y jóvenes inmigrantes y alemanes.[9]

Esta iniciativa es patrocinada por una agencia profesional de relaciones públicas, la Sociedad agens27 para el Arte, los Medios y la Comunicación. Sin embargo, parecería que no se quiere dar demasiada divulgación al compromiso social. El director de la agencia, Elmar Kirsch, atribuye esto a la mentalidad de ciertos grupos que se empeñan en buscarle el pelo al huevo: "Las entidades sociales presumen rápidamente que las firmas involucradas sólo quieren vender sus productos."[10] ¡Pero de dónde sacarán semejante idea!

También Ikea, la fábrica de muebles sueca, siente la necesidad imperiosa de señalar en su catálogo que "el trabajo infantil es una parte inaceptable de la realidad actual y lamentablemente está difundido incluso en algunos de nuestros países productores".[11] De todos modos, Ikea también recibió críticas por la explotación infantil registrada en sus empresas proveedoras.[12]

Entretanto, Ikea alega que trabaja en forma conjunta con UNICEF (Fondo de las Naciones Unidas para la Infancia) para prevenir el trabajo infantil. Consultado al respecto, Dietrich Garlichs, director de UNICEF Alemania, explica: "Sí, Ikea financia proyectos de UNICEF. Pero eso no significa automáticamente que ya no haya más niños trabajando en la fabricación de productos Ikea."[13] Garlichs dice que eso es difícil de controlar. Por lo tanto Urban Jonsson, director regional de UNICEF para el Este y el Sur de África, también se muestra "bastante reticente", y no quiere que la empresa se engalane con el nombre de este organismo de las Naciones Unidas: "Aun si Ikea hubiera dejado de utilizar trabajo infantil en su producción... ¿Qué cambiaría? Yo no le agradezco a un ladrón porque haya dejado de robarme."[14]

Trabajo infantil

Según estimaciones de la Organización Internacional del Trabajo (International Labour Organization, ILO), tomando en cuenta sólo los países en vías de desarrollo, hay alrededor de 250 millones de niños de entre cinco y catorce años que son forzados a trabajar. 153 millones de esos niños viven en Asia, 80 millones en África y 17 millones en Latinoamérica. "Muchos de ellos trabajan en condiciones que hacen peligrar su desarrollo corporal, espiritual o emocional."[15]

Las formas más terribles de trabajo infantil son la explotación sexual y la esclavitud. La primera de ellas incluye la prostitución y la producción de pornografía infantil. La segunda comprende incluso el peonaje, que obliga a los niños a trabajar hasta cancelar compromisos reales o ficticios de sus padres.

La mayoría de los niños trabaja sin un empleo formal: algunos lo hacen con la propia familia (en el campo, en la propia empresa), otros en casas ajenas o en la calle (por ejemplo, como lustrabotas). Sólo una pequeña parte trabaja en la industria y en la agricultura. Se estima que en total hay unos 12 millones de niños menores de catorce años produciendo para el mercado mundial. De acuerdo con sus principios, la OIT define al trabajo infantil como la actividad asalariada desarrollada hasta la edad de dieciocho años. Pero según la exigencia, la prohibición general de trabajo rige sólo para los niños de hasta trece años. Durante la edad comprendida entre los trece y los quince años, o bien hasta completar la educación obligatoria, los niños sólo pueden ser empleados en trabajos livianos, de manera tal que no se vea afectada su formación. Antes de alcanzarse los 18 años, rigen normas estrictas en relación con el horario y las condiciones laborales; por ejemplo, el trabajo nocturno está prohibido.

Información: http://www.ilo.org

Protestas contra el poder de las corporaciones

Desde hace un largo tiempo, grupos sociales y ecologistas denuncian las prácticas inescrupulosas de empresas como Nestlé, Shell y Siemens. Sin embargo, hasta el momento, las protestas proceden de un escenario relativamente acotado, de alguna gente comprometida cuyos éxitos se han registrado sólo a nivel nacional. En Europa, las empresas hoy deben cumplir normas ambientales y sociales mucho más estrictas que en los países del sur e incluso que en EE.UU. No obstante, desde una perspectiva crítica, esto sólo logró que muchas firmas trasladaran sus centros de producción hacia regiones con estándares más bajos. De ese modo, Europa ha exportado sus problemas ambientales a los países más pobres y ahora se ve confrontada con los despidos masivos y la pérdida de derechos sociales.

A medida que caen las barreras en el intercambio económico mundial, comienza a advertirse con mayor nitidez un movimiento de reacción frente al creciente poder de las multinacionales. En diciembre de 1999, decenas de miles de manifestantes impidieron la realización de un congreso de la Organización Mundial del Comercio (OMC) en Seattle. La masiva y furibunda demanda de reglas éticas en la economía global de mercado logró tener así, por primera vez, una repercusión de alcance mundial.

En septiembre de 2000, la "batalla de Seattle" halló imitadores en el Viejo Mundo: durante una conferencia organizada por el Banco Mundial y el Fondo Monetario Internacional (FMI) en Praga, los movimientos antiglobalización, formados principalmente por jóvenes de toda Europa, se enfrentaron con la policía en la capital checa. A fines de enero de 2001, miles de manifestantes volvieron a hacerse presentes; esta vez, la cita fue en la ciudad suiza de Davos y en ocasión del Foro Económico Mundial, una suerte de asamblea que reunía a los empresarios más poderosos del planeta. Al mismo tiempo, una colorida combinación de organizaciones no gubernamentales (ONG), intelectuales y entidades de izquierda se congregó en la ciudad brasileña de Porto Alegre. Allí se celebró el primer Foro Social Mundial, que fue seguido con gran atención por los medios. Finalmente, en julio de 2001, fueron Salzburgo y Génova las que se convirtieron en el epicentro de las enérgicas protestas contra el poder y el capital. Sean cuales fueren los países, sectores sociales y políticos de donde provienen estas diferentes agrupaciones, está claro quién es el enemigo común: las corporaciones globales y sus aliados institucionales (la OMC, el FMI y el Banco Mundial). Todos ellos son acusados de utilizar en forma vergonzosa su poder y la falta cada vez mayor de control político, actuando en el mundo entero a costa de los que se encuentran socialmente más desprotegidos.

La OMC

La Organización Mundial del Comercio (World Trade Organization, WTO), con sede en Ginebra, fue fundada en 1995 a partir del Acuerdo General sobre Aranceles Aduaneros y Comercio (GATT).

Su objetivo consiste en liberar al máximo el intercambio de productos y eliminar las barreras comerciales. Para ello, los 140 países miembros se han impuesto una serie de reglas. Si bien la OMC no puede determinarlas por sí sola, sí puede establecer sanciones comerciales para sus miembros. Dado que los países más pobres no disponen de elementos de presión eficaces, quedan en definitiva a merced de los países ricos. Permanecer afuera no resuelve nada, puesto que eso equivaldría a una exclusión voluntaria del mercado mundial. Entre las "barreras comerciales" combatidas por la OMC se encuentra la protección de numerosos derechos sociales y ambientales; de ahí que la organización se haya convertido en uno de los blancos preferidos para las críticas de los movimientos antiglobalización.

Página web: http://www.wto.org

El FMI

Desde su fundación, en 1946, el Fondo Monetario Internacional (International Monetary Fund, IMF) trabaja en estrecha colaboración con el Banco Mundial. Constituido por 183 Estados miembros, su tarea consiste en garantizar la estabilidad monetaria internacional y asegurar un desenvolvimiento ordenado en las operaciones de divisas. Otros objetivos son la promoción del crecimiento económico y la lucha contra el desempleo. Para lograr la estabilidad monetaria, el FMI brinda ocasionalmente recursos financieros a los países en riesgo. No obstante, condiciona el suministro de dichos recursos al estricto cumplimiento de ciertas pautas (por ejemplo, la reducción del gasto público). En muchos casos, esto ha provocado una fuerte destrucción de infraestructuras sociales (por ejemplo, en los sistemas de educación y de salud).

Página web: http://www.imf.org

El Banco Mundial

El Banco Mundial fue fundado en 1944 para financiar la reconstrucción de Europa tras la Segunda Guerra Mundial. En los últimos años se ha abocado a combatir la pobreza, especialmente en Asia, África y América latina. Sus propietarios son los 182 Estados miembros. No obstante, el derecho a voto se pondera de acuerdo con el grado de participación, de modo que queda mayormente en manos de los países ricos (con EE.UU., Alemania, Francia, Gran Bretaña y Japón a la cabeza). El Banco Mundial es el principal acreedor de los países en desarrollo. Durante el ejercicio del año 2000 se otorgaron créditos a más de cien países por

una suma de casi 16.300 millones de euros. Los sectores críticos sostienen que la concesión de créditos suele estar sujeta a condiciones que, de hecho, desangran el sistema social de los países receptores. Además, hasta el momento se le ha dado muy poca importancia al efecto social y ecológico de los proyectos financiados. Así, esta "ayuda al desarrollo" sigue fomentando proyectos de gran envergadura que destruyen el espacio vital de la población local, mientras que los inversores se alzan con suculentas ganancias. Desde que James D. Wolfensohn asumió la presidencia del Banco Mundial en 1995, las prácticas relativas al otorgamiento de créditos parecen haber experimentado una leve mejoría.
Página web: http://www.worldbank.org

Asterix contra el poder de las corporaciones

Al frente del movimiento europeo contra las corporaciones se encuentra el francés José Bové. Este agricultor orgánico de 47 años se hizo famoso repentinamente: el 12 de agosto de 1999 demolió junto con algunos amigos la obra donde se estaba construyendo una sucursal de McDonald's en la pequeña ciudad de Millau, en el sur de Francia. Si bien debió cumplir una condena de tres meses con prisión preventiva, el mensaje del astuto campesino con bigote a lo Asterix dio la vuelta al mundo. Con las manos esposadas, elevadas en señal de victoria, el irreductible galo logró vencer al imperio de las multinacionales: "Independientemente de la decisión del tribunal, lo nuestro ya es un triunfo, porque ahora nuestra voz se oye en todo el mundo."[16]

Bové, quien en 1995 ya se había embarcado junto a Greenpeace hacia el atolón de Mururoa para protestar contra los ensayos nucleares efectuados por Francia en el Pacífico, había logrado utilizar el poder de las imágenes en favor de su causa. Pipa en mano, el agricultor engalanó las portadas de los principales periódicos de Europa y EE.UU. La revista norteamericana *Business Week* considera a José Bové como uno de los cincuenta europeos más prominentes.[17] La mayoría de los franceses cree que su nuevo héroe nacional representa mejor los intereses de los campesinos que el Ministro de Agricultura. Entretanto, el primer ministro Lionel Jospin y el presidente Jacques Chirac

25

invitaron a comer al rebelde. Y a los verdes de Francia les encantaría presentarlo como su candidato a presidente.

Pero Bové quiere continuar su lucha promoviendo la desobediencia civil. Dentro de este contexto, el ataque a McDonald's fue concebido como una protesta simbólica contra la OMC, que —bajo la amenaza de adoptar sanciones económicas— había impuesto un aumento en el cupo para la importación de alimentos norteamericanos en Europa. Pero también se interpretó como una señal de largada para los consumidores: a partir de ahora se inicia la lucha contra la arrogancia del capital. Dice Bové: "La población debe controlar las estructuras económicas mundiales. Esto presupone democratizar el modo de funcionamiento de instituciones como la Organización Mundial del Comercio."[18]

Globalización como oportunidad

Buena parte de las críticas a las corporaciones apuntan entonces hacia un control democrático de la economía internacional (no hacia su destrucción, como se presume a menudo). A cada rato uno escucha decir que los supuestos "enemigos de la globalización" propician un proteccionismo nacional, es decir, un encierro en pequeños enclaves económicos. En realidad, muchos sindicalistas europeos se ven guiados por otras motivaciones; conocen las consecuencias del desplazamiento hacia países de bajos salarios y añoran los miles de puestos que se han perdido. Incluso la derecha nacionalista intenta utilizar el movimiento para cerrar las fronteras lo antes posible.

Para hacer una crítica a las corporaciones en términos razonables, es necesario admitir el avance irrefrenable de dos fenómenos: el desmoronamiento de las fronteras de los Estados nacionales desde el fin de la Guerra Fría y la aceleración de los mercados mundiales mediante nuevas tecnologías, como Internet. Ahora el gran desafío consiste en encontrar caminos adecuados para utilizar esos cambios de modo tal que las personas —todas las personas— puedan alcanzar estándares mínimos en lo que respecta a la libertad y el bienestar económico.

Tour de compras en el supermercado global

"Es como si en el ajedrez se hubieran creado nuevas reglas de juego", escribe Ulrich Beck, sociólogo oriundo de Munich, en un ensayo sobre el nuevo poder de las multinacionales.[19] "Dadas las condiciones impuestas por la movilidad tecnológico-informativa, el peón —la economía— se convierte repentinamente en caballo y puede atacar incluso al rey —el Estado— hasta darle jaque mate."

Internet transformó el mundo en una "aldea global" donde se reúne gente de distintos continentes para una charla de café virtual. Su equivalente a nivel macroeconómico es el "supermercado global": en la góndola de productos congelados se exhiben materias primas baratas del Congo, entre las liquidaciones uno encuentra mano de obra tailandesa en oferta, en la sección de *delikatessen* aparecen investigadores y diseñadores de todo el mundo junto a pintorescos expertos en publicidad. Y en la caja, con ojos resplandecientes, esperan los clientes.

En la actualidad, ninguna zapatilla, casi ningún televisor y sólo unos pocos autos se fabrican allí donde las firmas vendedoras tienen su sede. Ya desde la época de la colonia, las materias primas proceden de África, América latina y Asia. Y mientras Alemania aún no sabe si permitir la misericordiosa entrada de expertos indios en sistemas, las empresas más astutas han establecido desde hace rato sus divisiones de investigación y tecnología en países de mano de obra barata. Cabe señalar que, por el momento, los mayores mercados de consumo siguen estando en los países occidentales industrializados.

Esta "división global de tareas", que a su vez es una división entre ricos y pobres, no constituye un orden mundial predefinido e inalterable, aunque tanta gente parezca haberse acostumbrado a ello. No son sólo los representantes económicos los que se alinean con esta postura. Muchos otros también sostienen que este desequilibrio genera una dinámica en la cual las inversiones de los países ricos se dirigen hacia los más pobres, y que, a largo plazo, las inversiones generarán bienestar también allí.

En principio, en eso tienen razón. Al menos si se parte de la premisa de que no todos los habitantes de los países pobres quieren vivir en una economía de subsistencia, es decir, pan

27

para hoy y hambre para mañana. "Sólo hay una cosa peor que ser arrollado por las multinacionales: no ser arrollado por las multinacionales", escribe Ulrich Beck. En la mayoría de los casos, la imagen idílica del habitante de la selva virgen, alimentándose con su banana orgánica y practicando alegre sus costumbres, no es más que una proyección de burgueses occidentales imbuidos en su economía de bienestar. Son éstos los que quieren aferrarse a un par de ilusiones, disfrutando los paraísos del descanso a través del turismo ecológico. En cierto modo, no es más que una forma sutil de colonialismo. Porque los aztecas, los masai y los tibetanos también deben tener el derecho de recurrir —si lo desean— a Internet, a la medicina moderna y a los bienes de consumo. Está por verse si eso es sinónimo de Microsoft, Aspirina y Coca Cola, dependerá de hasta qué punto los pueblos son capaces de decidir por sí mismos acerca de sus necesidades. Lo cierto es que, hoy en día, muchos países se encuentran al margen del comercio económico internacional. No disponen de reservas económicas ni de las tecnologías costosas; y, por lo general, tampoco disponen del *know-how* para crear estructuras que ofrezcan a sus habitantes un estándar de vida satisfactorio.

Estándar de vida satisfactorio

Introducimos este nuevo concepto a sabiendas, con el objeto de poder definir el bienestar humano no sólo a través del poder adquisitivo. En su último libro, *Desarrollo y libertad*[20], el premio Nobel indio y profesor en Cambridge, Amartya Sen, señala: "La perspectiva orientada al ingreso requiere necesariamente de un complemento que nos permita lograr una comprensión general del proceso de desarrollo." Según el prestigioso economista, es imperioso ampliar el concepto de bienestar, para que también incluya factores como la seguridad social, la libertad individual y el derecho a la educación y a la salud. En principio, esto significa, ni más ni menos, que es necesario convertir los derechos humanos elementales no sólo en el fundamento sino también en el objetivo de la actividad económica.

Si midiéramos el actual desarrollo del mercado mundial con esta vara, el resultado no sería demasiado halagüeño. Todo lo contrario: las promesas de aquellos gurúes, según las cuales esta fase del comercio mundial sentaría las bases para el desarrollo, demostraron ser en gran medida un artilugio para cimentar la desigualdad social.

Explotación de trabajadores

Los ejemplos incluidos en los siguientes capítulos (etiquetas de las grandes marcas, industria alimenticia y del juguete) demuestran perfectamente qué cabe esperar de las empresas internacionales y sus "inversiones" en el Tercer Mundo. Adidas, Chicco, Aldi y otras firmas obtienen buena parte de sus productos en países de mano de obra barata. Visto desde una perspectiva positiva, esto podría significar que las corporaciones generan millones de puestos de trabajo, creando así las bases para el desarrollo y el bienestar en esas regiones. Sin embargo, la realidad luce muy distinta: por lo general, la paga a los trabajadores de las fábricas y las plantaciones se asemeja al salario mínimo del país en cuestión o incluso es menor. Y, a diferencia de lo que ocurre en la mayoría de los países occidentales, este salario mínimo no refleja lo que un hombre necesita para vivir, alimentar a su familia, educar a sus hijos y garantizar una jubilación. En numerosos países, el ingreso se define básicamente en función del gasto público que autorizan el Fondo Monetario y el Banco Mundial.

¿De dónde han sacado el Banco Mundial y el FMI tanto poder como para decidir por sobre Estados soberanos?

Los países en vías de desarrollo están altamente endeudados. Esto obedece a diversas causas. Muchos de los países fueron colonias europeas hasta bien entrado el siglo XX y fueron desangrados por sus respectivos dominadores. La infraestructura estatal era prácticamente inexistente, muchos nativos quedaban al margen de la instrucción escolar. Cuando la etapa colonial llegó a su fin, alrededor de 1960, los nuevos gobiernos recibieron grandes créditos para la reconstrucción concedidos por el Banco Mundial. En la década del 70, los organismos financieros internacionales otorgaron más créditos a tasas de interés inicialmente muy bajas: a raíz del aumento en el precio del petróleo, tenían una enorme cantidad de petrodólares a disposición. Gran parte de esos recursos fue destinada a proyectos que habían sido concebidos por asesores occidentales y que no tenían casi ninguna utilidad para los propios países. Y mucho dinero fue a parar al bolsillo de gobiernos corruptos. En la década del 80 se reprogramaron las deudas: para poder pagar los intereses, hubo nuevos créditos del Banco Mundial. Pero en esta ocasión se impusieron condiciones diferentes, íntimamente ligadas a la visión política de Ronald Reagan y Margaret Thatcher. Surgieron entonces rigurosos programas de ajuste, cuyas principales víctimas resultaron ser las instituciones sociales y educativas.

En la actualidad, la mayoría de los países en desarrollo sigue destinando una gran parte de su presupuesto a los servicios de la deuda, pagando intereses a organismos financieros internacionales y bancos occidentales. El Banco Mundial y el FMI vigilan atentamente el proceso y deciden si inyectan o no más capitales. El que paga los recibe. Recién en los últimos años se ha podido vislumbrar un cambio de perspectiva. Ahora, incluso en Washington, consideran que no es muy eficaz coartar de manera extrema las posibilidades de desarrollo porque, ante tal situación, los países deudores deben vender hasta lo que no tienen y se quedan sin recursos para financiar, por ejemplo, los sistemas de educación y de salud. Pero seguramente pasará tiempo hasta que se produzca una verdadera reorientación en la política internacional respecto de la deuda; para ello, todavía deberemos ver muchas imágenes de niños hambrientos y a muchos movimientos antiglobalización manifestando por las calles del mundo.

Explotación de recursos

Las firmas occidentales no sólo explotan a millones de trabajadores, también ejercen un control absoluto sobre las riquezas naturales de numerosos países. El mundo al revés: Angola, Brasil, Indonesia y Nigeria, al igual que la mayoría de los países en vías de desarrollo, poseen una reserva casi inagotable de tesoros naturales (petróleo, oro, diamantes, cobre, maderas nobles, café, cacao, bananas, etcétera). En su calidad de "propietarios" de estos recursos, son objetivamente mucho más ricos que la mayoría de los países industrializados. Y, sin embargo, amplias capas de la población sufren hambre y no tienen acceso ni a los medicamentos ni a la educación.

La mayoría de los países en desarrollo carece de tecnologías y de recursos para extraer y comercializar sus riquezas. Por eso, en las actuales circunstancias, las inversiones en minería y agricultura llevadas a cabo por las corporaciones internacionales resultan lógicas y necesarias. Sería absurdo exigirles que lo hicieran sin obtener ganancia alguna. Pero, si se observa con mayor detenimiento, son pocos los casos donde se producen acuerdos justos: presionados por los organismos financieros internacionales, los países muy endeudados establecen impuestos que son irrisorios, si se tienen en cuenta las escalofriantes ganancias generadas por la exportación. Asimismo, muchos gobiernos se lanzan a una competencia destructiva con el fin de captar inversores extranjeros. A menudo se trata de dinero sucio, de sobornos obtenidos por las elites locales a cambio de condiciones ventajosas para las corporaciones internacionales.[21] Debido a la falta de controles transparentes, suele ser más el dinero que desaparece en los canales de la corrupción que el que se queda en el país en forma de impuestos. Sin duda, la culpa de esto es de ambas partes, tanto de los gobiernos locales como de las empresas internacionales.

Pero el comercio de materias primas no sólo es injusto en lo que respecta al valor efectivo que éstas registran en el mercado internacional. La obtención de recursos y energía en los países pobres suele exhibir condiciones que serían inconcebibles para Europa Occidental. Por ejemplo, a raíz de la construcción de grandes centrales eléctricas, millones de personas son expulsadas de sus hogares sin recibir un resarcimiento adecuado. En las minas de oro se utilizan sustancias tóxicas, que llevan a la destrucción total de ciertos hábitats. Algo similar sucede con la producción petrolera debido a la aplicación de tecnologías completamente obsoletas.

Peor aún: en las zonas de conflicto y en el caso de las dictaduras como Angola, Myanmar (ex Birmania), Congo y Sudán, existen afamadas marcas internacionales que, con su compra de materias primas, financian y sostienen el tráfico de armas, las guerras civiles, las insurrecciones y los feroces regímenes militares. Esto atañe a algunos sectores de la industria del petróleo y del diamante, pero también a corporaciones multinacionales

31

como Bayer. La empresa alemana, que opera en el campo químico y farmacéutico, importa el valioso tántalo desde el Congo (ver capítulo "Industria electrónica").

El hombre, una materia prima

También hay empresas alimenticias que otorgan un consentimiento tácito, aceptando así que en las plantaciones de sus proveedores haya hombres, mujeres y niños explotados, intoxicados con productos químicos o sometidos incluso a la esclavitud. Estas firmas declaran en forma grandilocuente la necesidad de prohibir el trabajo infantil e incluso efectúan controles por medio de muestreos al azar. Sin embargo, para buscar las causas de esta situación catastrófica hay que remitirse en definitiva a la demencial presión ejercida sobre los precios, presión que sufre el proveedor y que es desencadenada por las grandes corporaciones.

Gran parte del cacao que llega a Europa procede de Costa de Marfil. Allí, según señala el profesor de sociología británico Kevin Bales, la mayoría de los dueños de plantaciones utiliza mano de obra esclava.[22] Esto surge de la lógica empleada: la de un simple cálculo de costo-beneficio. "Al igual que la economía mundial, la nueva esclavitud se aparta de las relaciones de propiedad y se concentra, en cambio, en el aprovechamiento y el control de los recursos", explica Bales. Una vez que la materia prima humana se gasta, simplemente se tira y se reemplaza por una nueva. En Costa de Marfil, un niño de ocho años cuesta menos de 30 euros. Y, por lo general, bastan un par de años para que quede destruido.

Bales, autor de un libro sobre las formas modernas que adopta el tráfico de esclavos[23], opina entonces que "uno de cada tres mordiscos dados en el chocolate deja el sabor amargo de la esclavitud". El director de la organización "Save the Children" de Malí —principal "exportador" de niños esclavos hacia Costa de Marfil— se expresa de manera igualmente drástica: "El que bebe chocolate, bebe la sangre de esos niños".[24]

Esclavitud y trabajo forzado

La esclavitud existe desde los albores de la humanidad. Pero no fue sino hasta la antigua Grecia que los esclavos se convirtieron en una mercancía. El auge se produjo entre los siglos XVI y XVIII, época en que los esclavos africanos eran embarcados hacia América del Norte y del Sur. A pesar de las convenciones internacionales sobre derechos humanos, la esclavitud de ningún modo se ha terminado.

Aún hoy, se estima que la cantidad de esclavos y trabajadores forzados asciende por lo menos a 27 millones de personas en todo el mundo. Algunas estimaciones hablan incluso de 100 millones. Además de la concepción clásica, según la cual las personas son consideradas como una propiedad a partir del nacimiento, del rapto o de la compra, la modalidad más frecuente es el peonaje. Dentro de este esquema, la persona debe trabajar hasta cancelar una "deuda" real o ficticia sin recibir a cambio remuneración alguna, o recibiendo apenas un pago insignificante. Incluso, en ciertos casos, la supuesta deuda condena a la servidumbre a las generaciones venideras. El ritmo de crecimiento más acelerado lo registra la denominada *contract slavery*, una forma de esclavitud basada en contratos de trabajo fraudulentos. Un caso especial lo constituye la esclavitud permitida desde el Estado, como la de Myanmar. Allí hay miles de hombres, mujeres y niños esclavizados, trabajando, por ejemplo, en la construcción de un gasoducto. Socios comerciales: las corporaciones petroleras occidentales Unocal y Total.

En África Occidental, durante los últimos años, alrededor de 200.000 niños fueron vendidos como esclavos para luego ser explotados en tareas domésticas, talleres y plantaciones. Pero también en Europa florece el comercio con el hombre como mercancía. Mike Dottridge, de la organización Anti-Slavery International, señala que "considerando solamente Europa Occidental, hay 500.000 mujeres que son víctimas del tráfico de blancas y se ven forzadas a ejercer la prostitución".[25]

Información: http://www.antislavery.org

La industria farmacéutica también explota la "materia prima humana". En su novela más reciente, *El jardinero fiel*[26], el escritor de best-sellers británico John Le Carré describe cómo los laboratorios internacionales llevan a cabo peligrosos ensayos clínicos y de qué forma los pacientes africanos son utilizados como conejillos de Indias. Pero estos pérfidos procedimientos no pertenecen a la ficción, incluso en Europa son una triste realidad: así lo demuestran nuestras investigaciones confidenciales en Hungría (ver capítulo "Medicamentos"). A fin de acelerar al máximo los ensayos con sus nuevos productos y lograr resultados favorables, los laboratorios occidentales recurren a países con imposiciones y controles no tan estrictos, donde destinan grandes sumas de dinero para los médicos. En vista de las ganancias multimillonarias, la salud de los pacientes suele quedar relegada a un segundo plano.

Lucha contra la explotación

¿Es ésta la forma de asegurar fuentes de trabajo en los países más pobres? ¿De esto se vanaglorian las empresas? ¿Acaso los niños esclavos, los que perciben salarios de hambre, los soldados de las guerras civiles y los conejillos de Indias deben agradecer a los patrones e inversores por su "contribución al desarrollo"? ¿Qué tiene de raro que cada vez más gente se alce contra una globalización cuyo concepto de "inversión" se parece tanto al de "explotación"?

Ya es hora de obligar a las empresas a cumplir con sus obligaciones. El cuidado de la imagen no es suficiente. En la Ley Fundamental de Alemania, puede leerse: "La propiedad obliga. Su uso debe servir al mismo tiempo al bien común."[27] Bonitas palabras. Lo que urge es un cambio auténtico, serio, duradero y transparente. Las inversiones en los países pobres son vitales, pero deben estar controladas por organizaciones civiles independientes; de lo contrario, la ganancia obtenida a partir de la pobreza hundirá a estos países en una miseria cada vez mayor. Aquí los sindicatos también deben jugar un papel protagónico. Pero el problema es que ahora, cuando se requiere con tanta urgencia la solidaridad a nivel internacional, la imagen sindical se ha deteriorado en la propia Europa, ya que muchos viejos burócratas se muestran reacios a implementar cambios en el mercado laboral (aun aquellos que resultarían oportunos). En lo que se refiere a las organizaciones eclesiásticas y no gubernamentales, ya existe un trabajo efectuado en conjunto con representantes sindicales occidentales y locales. Su tarea intenta poner de manifiesto los escandalosos abusos que se registran en los *sweatshops* y plantaciones. Para obtener resultados tangibles, los activistas necesitan el apoyo decidido de sus respectivas organizaciones.

Es necesario obligar a las corporaciones a asumir responsabilidades. Las multinacionales disponen de un poder cada vez mayor. En muchos casos, sus ventas anuales superan el presupuesto total de los Estados. A menudo tienen mayor margen de decisión que los países en donde operan. "Frente a estas decisiones, los gobiernos nacionales a lo sumo son asesores", señala el sociólogo Ulrich Beck. "Cuando una institución perteneciente al Estado nacional intenta limitar el margen de acción de una empresa, entonces ésta se radica en otro lugar. Por lo tanto, la cuestión ya no es si algo debe hacerse, sino simplemente dónde se hace."

La ligereza con la que numerosas empresas mudan sus establecimientos de producción de un lado a otro acarrea un nuevo problema, ya que dichos traslados suelen dejar un enorme número de desocupados a sus espaldas. Ése es también el motivo por el cual nosotros, en la mayoría de los casos, nos pronunciamos en contra de los boicots. No se trata de que las corporaciones retiren sus inversiones de los países más pobres; se trata de que utilicen su poder para garantizarles un estándar de vida digno a aquellos que son la fuente de sus ganancias.

¿Por qué las marcas?

También hay productos sin imagen publicitaria, de marca desconocida, que se fabrican en condiciones escandalosas. De la pobreza, la corrupción y las violaciones a los derechos humanos sacan provecho muchas empresas no tan importantes y ramas enteras de la industria que no están en contacto directo con los clientes. ¿Por qué las críticas se concentran precisamente en las marcas más famosas?

Por un lado, hay razones puramente pragmáticas: las marcas basan su poder en una imagen que ha sido cuidada con inversiones publicitarias de muchos millones. Ése es precisamente el flanco por donde se las puede atacar. Si las marcas se presentan a sí mismas como muy modernas, sociales, saludables, amantes de la sana competencia, de los niños, de lo multicultural, de la mujer, de la familia y del medio ambiente, es lícito juzgarlas de acuerdo con los parámetros que ellas se imponen. Por ejemplo: Benetton, la multinacional italiana, creó una imagen de compromiso social mediante una provocativa serie de afiches con fotos de enfermos de sida, víctimas de guerra y recién nacidos. En 1998 pudo saberse que la ropa de esta empresa era fabricada en Turquía por niños de doce años.[28]

Pero las marcas, además de ofrecer un efectivo blanco de ataque a los consumidores críticos, determinan las tendencias en la economía mundial. A menudo, una misma trabajadora de Indonesia cose en forma sucesiva las etiquetas de Nike, de Reebok y de alguna firma desconocida en las correspondientes zapatillas. Sin embargo, son las grandes corporaciones, con sus miles de establecimientos productivos, las que tienen el poder para decidir sobre las condiciones en que se desarrollan estos procesos. En definitiva, las empresas líderes —por lo general, las marcas conocidas— fijan los precios del mercado internacional.

Dentro del precio final establecido por las grandes marcas, los costos de producción suelen representar un porcentaje casi insignificante. Una inmensa parte de lo que pagan los consumidores se debe a la sugestión ejercida sobre ellos. A mediados de la década del 90, solamente las empresas norteamericanas destinaban más de un billón de euros a la publicidad de sus productos.[29]

Los valores impuestos por las marcas versus la crisis de sentido

¿Por qué eso las hace tan exitosas? ¿Por qué las empresas no se ahorran (o no nos ahorran a nosotros) ese dinero y se limitan a vender sus productos sin fastidiar al mundo entero con su cargosa publicidad? "Porque los mensajes publicitarios de las empresas, valiéndose de modernas técnicas de comunicación, han asumido el papel de quienes tradicionalmente creaban sentidos (las escuelas, las iglesias, las comunidades sociales y las instituciones culturales)", sostiene Jeremy Rifkin. El economista y escritor norteamericano agrega: "El comprar una marca transporta a los compradores hacia un mundo imaginario; tienen la sensación de que realmente comparten con otros los valores y significados creados por los diseñadores."[30]

De modo que Nike no comercia sólo con calzado deportivo, sino también con un sentimiento de *wellness* colectivo. IBM no vende computadoras, sino "soluciones" (soluciones a los problemas). "Nosotros no vendemos un producto", dice asimismo Renzo Rosso, el propietario de la empresa de jeans Diesel, "vendemos un estilo de vida. Creo que hemos creado un movimiento. El concepto Diesel es todo. Es la forma de vivir, la forma de vestirse, la forma de hacer algo."[31]

El hecho de que las zapatillas, los componentes de la computadora y los jeans se fabriquen pagando sueldos de hambre pasa a un segundo plano (al igual que el producto). No obstante, tal como señala la periodista Naomi Klein en su libro *No logo*, ya es posible percibir algunas "grietas y fisuras detrás de la fachada de esplendor" de las grandes marcas.[32]

Reconquistar el poder

Cada vez más gente busca desmantelar esta fachada de esplendor. Internet, además de haber acelerado el ritmo del mercado mundial, constituye el arma más poderosa para ejercer la crítica hacia las corporaciones. Tanto por correo electrónico como en miles de páginas web, se organizan encuentros, se discuten estrategias y se pone a las firmas inescrupulosas en la picota. Algunas organizaciones como la "Adbusters" (ver lista de links al final del capítulo) luchan contra la locura consumista ridiculizando conocidas campañas publicitarias. Otras entidades realizan investigaciones profesionales para detectar abusos concretos. Lo que quieren es más participación, más derechos laborales, estándares ambientales y sociales internacionales, más posibilidades de control y un comercio justo en todo sentido.

En un documento de debate, la Federación de la Industria Alemana lamenta la creciente influencia de las organizaciones no gubernamentales sobre la opinión pública: "En virtud de su red internacional, las ONG están adelantadas en el campo de la acción y el conocimiento. Las organizaciones como Amnistía Internacional y WWF resultan creíbles para el gran público y generan un alto grado de confianza."[33]

Las corporaciones están alarmadas: su enorme poder, alcanzado desde la caída de la Cortina de Hierro a expensas de las instituciones políticas, es sólo un éxito provisorio. Surge un movimiento en la sociedad civil que se expresa también en Europa en voz cada vez más alta y con mayor furia. No exige el fin del mercado, exige tener en él una participación justa. En el largo plazo, esta exigencia ya no podrá acallarse, ni siquiera con inversiones millonarias para el cuidado de la imagen.

Así como el poder de los representantes políticos es un poder conferido por el pueblo, el poder de las empresas es otorgado por los consumidores. Con cada foto de niños esclavizados, con cada artículo sobre trabajadores explotados, con cada informe sobre pacientes maltratados o bellezas naturales destruidas, ese poder se va desmoronando. Tal como dijo el muchacho de trece años del Bronx, el que arrojó sus viejas zapatillas frente a las puertas del local de Nike: "Nosotros te hicimos. Y también podemos aniquilarte."

Links

Aquí se concentran las críticas a las corporaciones:

http://www.adbusters.org
Divertidas parodias a la publicidad de las grandes marcas

http://www.corpwatch.org
La madre del control a las corporaciones...

http://corporatewatch.org.uk
...y su filial británica

http://www.corporations.org
Y aquí se dice cómo se hace: Curso de investigación

http://www.xs4all.nl/~ceo
El "Corporate Europe Observatory"

http://www.essential.org
Informaciones esenciales para activistas potenciales

http://www.derechos.net/links
Listado de *links* de derechos humanos

http://www.antenna.nl/aseed
Por la solidaridad, el desarrollo, el medio ambiente... y contra las grandes empresas

http://www.mcspotlight.org
No sólo los opositores a McDonald's pululan por aquí

http://www.cleanclothes.org
Contra la explotación en la industria textil...

http://www.moles.org
...así como en la industria minera y petrolera

http://www.kritischeaktionaere.de
Accionistas críticos de las corporaciones alemanas

http://www.transfair.org
La alternativa se llama Comercio Justo

Las 100 potencias económicas más grandes del mundo

Según el Instituto de Estudios Políticos de Washington, dentro de las cien potencias económicas más grandes del mundo ya hay más empresas que Estados.[34] Entre los años 1983 y 1999, las ganancias de las 200 empresas más importantes del mundo se incrementaron en un 362,4%. Durante el mismo lapso, la cifra de empleados se elevó solamente en un 14,4%. La participación de estas firmas en el PIB (producto interno bruto) mundial asciende hoy al 27,5%, mientras que su participación en el empleo sólo alcanza un 14,4%.

País/Empresa	PIB/Ventas 1999 (en miles de millones de USD)	País/Empresa	PIB/Ventas 1999 (en miles de millones de USD)
1 EE.UU.	8.079	51 Colombia	89
2 Japón	4.395	52 **AXA**	**88**
3 Alemania	2.081	53 **IBM**	**88**
4 Francia	1.510	54 Singapur	85
5 Gran Bretaña	1.374	55 Irlanda	85
6 Italia	1.150	56 **BP Amoco**	**84**
7 China	1.150	57 **Citigroup**	**82**
8 Brasil	760	58 **Volkswagen**	**80**
9 Canadá	612	59 **Nippon Life Insurance**	**79**
10 España	562	60 **Filipinas**	**75**
11 México	475	61 **Siemens**	**75**
12 India	460	62 Malasia	75
13 República de Corea	407	63 **Allianz**	**74**
14 Australia	390	64 **Hitachi**	**72**
15 Países Bajos	385	65 Chile	71
16 Rusia	375	66 **Matsushita Electric**	**66**
17 Argentina	282	67 **Nissho Iwai**	**65**
18 Suiza	260	68 **ING Group**	**62**
19 Bélgica	246	69 **AT&T**	**62**
20 Suecia	226	70 **Philip Morris**	**62**
21 Austria	209	71 **Sony**	**60**
22 Turquía	188	72 Pakistán	60
23 **General Motors**	**177**	73 **Deutsche Bank**	**59**
24 Dinamarca	174	74 **Boeing**	**58**
25 **Wal-Mart**	**167**	75 Perú	57
26 **Exxon-Mobil**	**164**	76 República Checa	56
27 Ford	163	77 **Dai-Ichi Mutual Life Ins.**	**55**
28 **DaimlerChrysler**	**160**	78 **Honda**	**55**
29 Polonia	154	79 **Generali Versicherungen**	**54**
30 Noruega	145	80 **Nissan**	**54**
31 Indonesia	141	81 Nueva Zelanda	54
32 Sudáfrica	131	82 **E.On**	**52**
33 Arabia Saudita	129	83 **Toshiba**	**52**
34 Finlandia	126	84 **Bank of America**	**51**
35 Grecia	124	85 **Fiat**	**51**
36 Tailandia	124	86 **Nestlé**	**50**
37 **Mitsui**	**119**	87 **SBC Communications**	**49**
38 **Mitsubishi**	**118**	88 **Crédit Suisse**	**49**
39 **Toyota**	**116**	89 Hungría	48
40 **General Electric**	**112**	90 **Hewlett-Packard**	**48**
41 **Itochu**	**109**	91 **Fujitsu**	**47**
42 Portugal	108	92 Argelia	47
43 **Royal Dutch/Shell**	**105**	93 **Metro**	**47**
44 Venezuela	104	94 **Sumitomo Life Insurance**	**46**
45 Irán	101	95 Bangladesh	46
46 Israel	99	96 **Tokyo Electric Power**	**46**
47 **Sumitomo**	**96**	97 **Kroger**	**45**
48 **Nippon Tel & Tel**	**94**	98 **TotalFinaElf**	**45**
48 Egipto	92	99 **NEC**	**45**
50 **Marubeni**	**92**	100 **State Farm Insurance**	**45**

Fuentes: Fortune / Banco Mundial

Las 60 marcas más valiosas del mundo

"Dentro de los bienes de consumo, muchos productos son intercambiables; lo que define si una mercadería se vende o si se queda a vivir en la góndola es el nombre de la marca", señala el asesor empresarial alemán Jürgen Kaeuffer.[35] Tanto es así que el valor de una marca como Coca Cola puede representar hasta el 96% del valor total de la empresa. En este contexto, los criterios más importantes que se deben tener en cuenta son el grado de notoriedad y la imagen.

	Marca	Valor 2000 (en miles de millones de USD)		Marca	Valor 2000 (en miles de millones de USD)
1	Coca Cola	72,5	31	Volkswagen	7,8
2	Microsoft	70,2	32	Ericsson	7,8
3	IBM	53,2	33	Kellog's	7,4
4	Intel	39,0	34	Louis Vuitton	6,9
5	Nokia	38,5	35	Pepsi Cola	6,6
6	General Electric	38,1	36	Apple	6,6
7	Ford	36,4	37	MTV	6,4
8	Disney	33,6	38	Yahoo!	6,3
9	McDonald's	27,9	39	SAP	6,1
10	AT&T	25,5	40	Ikea	6,0
11	Marlboro	22,1	41	Duracell	5,9
12	Mercedes	21,1	42	Philips	5,5
13	Hewlett-Packard	20,6	43	Samsung	5,2
14	Cisco Systems	20,0	44	Gucci	5,2
15	Toyota	18,9	45	Kleenex	5,1
16	Citibank	18,9	46	Reuters	4,9
17	Gillette	17,4	47	AOL	4,5
18	Sony	16,4	48	Amazon.com	4,5
19	American Express	16,1	49	Motorola	4,4
20	Honda	15,2	50	Colgate	4,4
21	Compaq	14,6	51	Wrigley's	4,3
22	Nescafé	13,7	52	Chanel	4,1
23	BMW	13,0	53	Adidas	3,8
24	Kodak	11,9	54	Panasonic	3,7
25	Heinz	11,8	55	Rolex	3,6
26	Budweiser	10,7	56	Hertz	3,4
27	Xerox	9,7	57	Bacardi	3,2
28	Dell	9,5	58	BP	3,1
29	Gap	9,3	59	Moët & Chandon	2,8
30	Nike	8,0	60	Shell	2,8

Fuente: Interbrand

SUPLICIOS DE TÁNTALO
PARA LOS TELÉFONOS CELULARES

Hombres, mujeres y niños se desloman en las minas congoleñas
para poder abastecer de un valioso metal a las compañías
electrónicas occidentales y a la empresa Bayer. Miles mueren
por el coltan, que así contribuye a financiar
la "Primera Guerra Mundial Africana".

CRÓNICA DE KLAUS WERNER

Faida Mugangu[1] mira absorta la pared gris de la habitación. El doctor Ngabo se acerca a esta mujer raquítica para hablarle, le toca cuidadosamente la mano. No hay reacción. La mujer, de unos treinta años, abraza con fuerza —casi se diría que con demasiada fuerza— al bebé que está junto a ella, envuelto en una manta sobre la cama. Según el parte médico proporcionado por Deogratias Ngabo, doctor del Hospital "Caridad Maternal" en la ciudad congoleña de Goma, Faida Mugangu tiene gastritis.

Una vez que abandonamos la habitación, el propio doctor Ngabo nos cuenta qué es lo que le pasa realmente a su paciente: hace un par de semanas perdió a casi toda su familia. A las cuatro de la madrugada, debió ver cómo unos soldados fusilaban a su esposo y mataban a machetazos a tres de sus hijos. Protegida por la oscuridad, ella pudo escapar con el más pequeño hacia los platanares. Al día siguiente, Faida Mugangu sepultó el cadáver de su esposo y los cuerpos despedazados de sus dos hijas y del primogénito, enterrándolos con sus propias manos en el blando suelo volcánico. Después de eso, no pudo comer nada, nadie sabe bien por cuánto tiempo: una, dos, tres semanas... Un día apareció allí, frente al portón de hierro del hospital diocesano, con el bebé a cuestas acurrucado en un manto, destruida en cuerpo y alma. Desde aquel momento no pronunció una sola palabra más. "Nadie sabe quiénes son los asesinos", dice el doctor Ngabo, a quien Faida por entonces le confió su historia.

Aquí, en la región de Kivu, al este de la República Democrática del Congo, en realidad el asesino podría ser cualquiera. Ya nadie sabe a ciencia cierta quién está de qué lado. Al amparo de los bosques y a la sombra de los grandes frentes, torturan, matan, violan y saquean las milicias, los bandoleros y los grupos étnicos contrapuestos, pero también lo hacen los propios ejércitos de las principales facciones.

Esta tierra está siendo asolada desde agosto de 1998 por la "Primera Guerra Mundial Africana", una guerra que es casi desconocida en Europa y que parece no quitarle el sueño a nadie. África está muy lejos, y los africanos tienen la costumbre de morir antes de tiempo. Hasta el momento, considerando únicamente la región dominada por los rebeldes, en la parte oriental del país, la guerra se ha cobrado 2,5 millones de vidas.[2] Se estima que un tercio de las víctimas eran niños. En la región de Kalemie, según Médicos Sin Fronteras, tres de cada cuatro niños mueren antes de alcanzar su segundo año de vida. A esto se le suman más de 2 millones de desplazados y 16 millones de personas que padecen hambre y enfermedades. Claude Jibidar, quien dirige la organización de ayuda humanitaria World Food Program en la ciudad de Bukavu, al este del país, explica que ya hay más adultos desnutridos que niños desnutridos. "¿Por qué? Lisa y llanamente, porque los niños están muertos."[3] El Consejo de Seguridad de las Naciones Unidas habla de "una de las peores crisis humanitarias del planeta".[4]

Crueldades inimaginables

Un informe reciente del secretario general de la ONU, Kofi Annan, revela que los asesinatos en masa, las ejecuciones extrajudiciales y las detenciones ilegales son moneda corriente en el Congo.[5] A modo de ejemplo, se describe una masacre de más de doscientas personas: "La mayoría de las víctimas eran civiles, entre ellos, mujeres y niños. A algunos los asesinaron a machetazos, a otros los decapitaron. Los cuerpos fueron arrojados a las letrinas públicas."

Las mujeres son las más afectadas: "Ellas se ven sometidas a todas las vejaciones imaginables de la guerra. Los soldados las acosan, las humillan y las violan, a veces ante los ojos de sus esposos o hijos." Por eso corren un "enorme riesgo de contagiarse el VIH/sida".[6]

En el Congo han apostado sus tropas siete naciones africanas. El ejército del gobierno es apoyado por tres Estados vecinos: Zimbabwe, Angola y Namibia. En cambio, las regiones norte y este están ocupadas por dos grandes movimientos rebeldes y por decenas de miles de soldados provenientes de dos países limítrofes orientales: Ruanda y Uganda.

Pero en la guerra hay otras facciones: desde hace un largo tiempo, las corporaciones industriales occidentales explotan salvajemente las materias primas de este coloso centroafricano y no dudan en financiar a los rebeldes y a los ejércitos. Incluso a veces trabajan codo a codo con ellos. Porque es mucho el dinero que está en juego.

Por absurdo que suene, el Congo es uno de los países más ricos de la Tierra. Allí se puede encontrar oro, plata, diamantes, petróleo, cobre, cobalto, estaño y otras preciadas riquezas del subsuelo. El principal frente bélico tiene lugar —no por casualidad— a lo largo de las grandes minas.

Guerra por las riquezas del subsuelo

"El conflicto del Congo gira básicamente en torno al control y al comercio de los recursos minerales." Ésa es la conclusión central de un informe de la ONU sobre la "explotación ilegal de los recursos naturales de la República Democrática del Congo". Este documento, publicado el 16 de abril de 2001 en Nueva York[7], hace referencia a un saqueo sistemático de las riquezas del subsuelo, sobre todo en la región oriental, controlada por los rebeldes. Ruanda y Uganda "les han proporcionado a los cárteles criminales una oportunidad única para que hagan negocios en esta zona tan delicada", señala el informe. Y agrega que esos cárteles delictivos tienen conexiones en todo el mundo y representan un grave problema de seguridad para la región.

El hecho de que haya guerras por las riquezas del subsuelo no tiene nada de nuevo. En África el tema suelen ser los diamantes, que se han hecho conocidos como "diamantes de sangre" o "diamantes de conflicto". Con su venta, por ejemplo, los líderes rebeldes de Angola y Sierra Leona financian sus "revoluciones", sirviéndose de una red mafiosa internacional compuesta por traficantes de armas, de drogas y de materias primas. En junio de 1998, el Consejo de Seguridad de la ONU estableció por primera vez una prohibición para trabar la venta de los "diamantes de sangre" provenientes de Angola, en donde Jonas Savimbi y sus rebeldes de UNITA llevan adelante una feroz guerra civil. A esto le siguió un embargo contra Sierra Leona en el año 2000. En dicho país, Foday Sankoh (Frente Revolucionario Unido, RUF) no sólo ha adquirido mala reputación por la utilización de niños soldados, sino especialmente por su "marca registrada": amputar el brazo a los opositores sin ningún miramiento. De acuerdo con estimaciones, el comercio de diamantes le aporta ingresos anuales por valor de 120 millones de dólares estadounidenses. A pesar del embargo de la ONU, los "diamantes de sangre" dan un rodeo y continúan desembarcando en las grandes tiendas internacionales de Amberes, Ginebra, Nueva York y Tel Aviv. La empresa sudafricana De Beers, líder mundial en el comercio de diamantes, antes realizaba sus compras en Angola, pero ahora asegura que sólo ofrece mercadería "limpia". Verificarlo es prácticamente imposible.

El valioso tántalo como causa de guerra

También en el Congo el tema son los diamantes. Por supuesto que además lo son el oro, el cobre y el cobalto. Sin embargo, estos metales han quedado un poco relegados debido a la baja en el mercado internacional, y un elemento que hasta el momento era relativamente desconocido se convirtió en el centro de las disputas: el tántalo, un metal con un punto de ebullición sumamente alto y una elevada densidad, es ahora una de las materias primas más codiciadas en el mundo entero. Se emplea sobre todo en condensadores electrolíticos, como los de los teléfonos celulares y las computadoras Pentium. También se utiliza, aunque en menor escala, para fabricar armas y equipos médicos.

Los precios internacionales se han disparado de manera

exorbitante no sólo por el boom de los teléfonos celulares y el constante desarrollo del mercado de la computación, sino también por la aplicación en productos tales como Playstation de Sony o Gameboy de Nintendo. Entre febrero de 2000 y enero de 2001, la cotización del kilo de tántalo en la Bolsa de Metales de Londres ascendió de 180 a 950 euros (es decir, a más del quíntuple).

Tántalo

El tántalo es un elemento metálico raro que se identifica con el símbolo químico Ta. En la naturaleza, aparece principalmente como pentóxido de tántalo (tantalita, Ta_2O_5) junto con el niobio (columbita, Nb_2O_5). Las mayores reservas se encuentran en Australia, Brasil, Canadá y África (sobre todo en la República Democrática del Congo, ex Zaire). En otras regiones, por ejemplo en Malasia y Nigeria, el tántalo también se encuentra como producto residual en las escorias de estaño.

En el Congo, la combinación columbita-tantalita es denominada en forma abreviada como coltan. El coltan se extrae, a mano o bien utilizando herramientas rudimentarias, a partir de sedimentos aluviales y eluviales (fluviales y erosivos). Su aspecto se asemeja a la de una grava o arena sucia y grisácea.

El tántalo es muy duro, tiene una alta densidad y es sumamente resistente al calor, a la oxidación y a los ácidos. De ahí que se adapte mejor que cualquier otro metal a las superaleaciones empleadas para equipos quirúrgicos, armas de alta tecnología, reactores nucleares, lentes de cámaras fotográficas y aparatos de visión nocturna.

De todos modos, la mayor parte de la producción mundial se utiliza para fabricar condensadores electrónicos (diminutos aparatos que almacenan carga eléctrica), con lo cual termina siendo destinada a teléfonos celulares, computadoras, consolas de videojuegos e incluso detectores de humo y automóviles.

Información: http://www.tanb.org

El tántalo fue descubierto en 1802 por un químico sueco llamado Eckberg. El científico cayó casi en la desesperación al ver que resultaba tan complicado investigar este metal resistente a los ácidos. Por eso le dio a su descubrimiento el nombre del dios griego Tántalo, que está condenado a sufrir eternamente en el submundo. Un nombre muy acertado.

Aproximadamente una quinta parte de la producción mundial procede del Congo, donde el tántalo se obtiene a partir de un mineral llamado coltan. Al este del país, es decir, en medio de la zona del conflicto, es la materia prima más codiciada y disputada. Militares y rebeldes de todas las facciones combaten para lograr la supremacía en la región de las minas. Las excavaciones las realiza la población civil —incluso muchos niños—, simplemente con las manos y con unas herramientas de lo más rudimentarias; luego el metal desemboca en el mercado mundial a través de dudosos canales; es transportado en aviones Antonov, de fabricación rusa, que a su regreso traen armas para los rebeldes. "Allí radica el círculo vicioso de la guerra", dice el informe de la ONU al analizar el saqueo ilegal de las materias primas. "El coltan le permite al ejército ruandés justificar su permanencia en el Congo. El ejército protege a las empresas y a los individuos que extraen el mineral. Éstos reparten sus ganancias con el ejército, que vuelve a crear las condiciones para que la explotación continúe."

Pero ¿cuáles son las empresas que lucran con esta explotación?

Bayer, el fabricante de la aspirina, en el papel protagónico

Nadie intentó indagar en aquel momento, en diciembre de 2000, cuando parecía que Manfred Schneider, presidente del Consejo de Dirección de Bayer, había hallado la piedra filosofal: con el tántalo, utilizado en la telefonía celular, la compañía obtenía tasas de crecimiento que no le iban en zaga a la Nueva Economía. "Gracias a él, obtenemos grandes ganancias en forma sostenida, algo que, seguramente, no todas las empresas de la Nueva Economía están en condiciones de afirmar", le confió a la revista Der Spiegel.[8] Schneider sabe de qué está hablando: su empresa es líder en el mercado mundial en lo referente al tántalo. Según los conocedores del rubro, H. C. Starck (una subsidiaria de Bayer con ventas por 665 millones de euros[9], sede en la ciudad alemana de Goslar y sucursales en EE.UU., Tailandia y Japón) elabora más de la mitad de la producción mundial y le suministra este metal noble a la industria electrónica.

48

"En todo equipo electrónico hay condensadores de tántalo", se entusiasma Manfred Bütefisch, vocero de H. C. Starck. "Para los primeros Pentium se necesitaban apenas cincuenta de estas piezas, ahora ya hacen falta entre doscientas y trescientas."[10] Bütefisch agrega que este hecho, sumado a las impresionantes tasas de crecimiento que se dieron en el mercado de la telefonía celular, determinó un aumento descomunal en el precio de la materia prima del tántalo.

La empresa oculta el origen

Lo que el vocero de la empresa no quiere decir es de dónde viene el tántalo. "Son minerales que pueden extraerse en distintos continentes." ¿En cuáles? "Lo siento, pero no puedo darle información acerca de eso." ¿Por qué no? "Son datos internos."

En noviembre de 2000, el periódico berlinés *die tageszeitung* (*taz*) estableció por primera vez una relación entre la empresa y el Congo, aunque sin llegar a afirmar en forma explícita que H. C. Starck adquiriera sus materias primas en la zona de guerra. El autor de la nota simplemente confirmó que el tántalo se extraía de la región congoleña ocupada por los rebeldes y que la poderosa filial de Bayer estaba involucrada en su procesamiento.[11] Bütefisch *dixit*: "En sí, ambas cosas son ciertas." Un par de semanas más tarde, el *taz* consignó que con la exportación de coltan se financiaba, a través de una red comercial mafiosa, a las facciones enfrentadas en el conflicto bélico.[12]

Acto seguido, intenté que Manfred Bütefisch me respondiera si su empresa estaba involucrada en el financiamiento de la guerra del Congo.[13] Su respuesta: "Todos los que tienen yacimientos de materias primas en países en desarrollo deben lidiar con ese tipo de acusaciones. Nosotros ya estamos acostumbrados, por eso no decimos nada al respecto." ¿Por qué no aclaró simplemente que la empresa *no* lo obtenía desde el Congo? "Si entro en esa discusión, me pongo yo mismo en el centro de la escena. Y no queremos eso, no lo necesitamos." ¿Qué significaba eso, que no descartaba que el metal proviniera del Congo? "No diré ni una cosa ni la otra."[14]

¿El tántalo no viene del Congo?

Buscaba una prueba. Lo que más me irritaba era que todos los expertos en materias primas afirmaban que prácticamente no se exportaba tántalo desde la región comprendida por el Congo y Ruanda. "Puede ser que allí se produzcan un par de kilos —tal vez cien kilogramos— de tantalita, pero no más que eso", me informó Manfred Dahlheimer, del Instituto Alemán de Ciencias Geológicas y Materias Primas.[15] El propio Larry Cunningham, quien forma parte del instituto norteamericano de investigación US Geological Survey y aparentemente es considerado como el mayor especialista mundial en tántalo, se lamentó: "No hay datos del Congo." Agregando luego: "Pero todo es posible."[16]

Sin embargo, un periodista congoleño me había contado que mes a mes se exportaban desde su país 200 toneladas del mineral, lo cual equivale casi a la quinta parte de la producción mundial.[17] Judy Wickens, perteneciente al Tantalum-Niobium International Study Center (una representación de los intereses sectoriales de la industria), también había oído rumores que hablaban de estas cifras, pero no quiso ahondar en el asunto. "Los datos comerciales de nuestros miembros (nota: entre ellos se cuenta, por ejemplo, H. C. Starck) debemos manejarlos en forma confidencial. Y otros datos no tenemos."[18] Además, Wickens me advirtió que de todos modos es difícil comprender a fondo los circuitos comerciales. Porque generalmente se desarrollan a través de intermediarios. Y porque lo que figura en los expedientes de la Aduana... "¿acaso cree usted que eso se hace en forma honesta y como es debido?"

Averiguaciones secretas

Al parecer, el comercio con el Congo estaría floreciendo bajo el más absoluto encubrimiento. Para conocer mayores detalles, decidí entrar personalmente en el negocio a modo de intermediario. Por supuesto, no quería comerciar realmente con el tántalo, sino investigar en secreto. En Internet encontré algunos indicios: allí hay bolsas de comercio virtuales, en las cuales individuos y empresas se abren camino para sus operaciones internacionales.[19] El espectro abarca desde café hasta peces dorados, pasando por riquezas del subsuelo.

También existe una demanda ¡urgente! de tántalo. Muchos de los traficantes de materias primas tienen su sede en Alemania. En el Registro Comercial sólo aparecen unos pocos. Algunos tienen denominaciones que no remiten al tráfico de las valiosas riquezas naturales. Por ejemplo, la firma Equatorial Safaris de Tanzania, que oficialmente organiza campings en el Parque Nacional Serengeti[20], pero que —según la bolsa de intercambio de Internet— tiene "140 toneladas de tantalita" en stock. O la BTHS Handels- und Seafood GmbH de Hamburgo, que compra "15-20 toneladas de tantalita del Congo y de Ruanda" y que está constantemente a la búsqueda de "cantidades adicionales debido a la inestable situación política en la región".[21] Un caballero o una dama de nombre Surojeet Banerjee, a través de la dirección *surojeet_b@hotmail.com*, también busca "tantalita para Alemania. Posibilidad de relación a largo plazo."[22]

Sonaba tentador. Pero para ingresar al negocio, yo necesitaba una nueva identidad. Eso no era problema: Internet brinda identidades sin exigir documentos, ya que en el mundo virtual la dirección de correo electrónico rige tanto para el nombre como para el domicilio. Perfectamente uno puede enviar y recibir cartas o documentos como *george.bush@gmx.net* o como *juan.pablo.II@hotmail.com*, siempre y cuando la idea no se le haya ocurrido antes a otro.[23]

A los cinco minutos ya era un hombre nuevo.

Nombre: Robert Mbaye Leman. Lugar de residencia: Arusha, Tanzania. Ocupación: Comerciante de materias primas. Señas particulares: Buenas relaciones con el escenario de los rebeldes en el Congo. Encargo: Vender 40 toneladas del más fino coltan congoleño a Alemania.

La noche del 31 de enero de 2001 envié mi oferta al ancho mundo, a una docena de intermediarios. Pedía 10.000 dólares estadounidenses por cada tonelada de materia prima. Con esa cifra, me situaba muy por debajo del precio internacional (demasiado, en realidad). Pero lo importante era que ese precio inigualable llamara la atención.

Habían transcurrido apenas dieciséis minutos desde mi clic en "Enviar", cuando llegó la primera respuesta. Un tal Rashid Remtula quería saber cuál era la proporción de tántalo, niobio, uranio y torio en el mineral ofertado. Buena pregunta. Honestamente, no tenía ni idea de qué responder, y decidí que a partir de ese momento me desdoblaría. Es decir, yo mismo publiqué de inmediato un aviso solicitando tántalo de manera urgente. Sería un curso intensivo de mineralogía. Si quería evitar el fracaso, debía familiarizarme rápidamente con la terminología más usual. Al cabo de unas pocas horas recibí una oferta de la firma Vitalpharm, de la cual se inferían los datos más importantes. Ahora sí que estaba preparado.

Unas horas después de mi primer e-mail, me llegó el pedido que estaba esperando: el de Surojeet Banerjee, el que buscaba "tantalita para Alemania" en una "relación a largo plazo". También él o ella exigía información más detallada sobre la calidad del material. Además, Banerjee reclamaba para sí una comisión del 2% como condición para cerrar el trato. En tal caso, el material podría ser embarcado hacia Amsterdam.

En el transcurso de dos días, se presentaron ante mí —o sea, ante Robert Mbaye Leman— otros seis traficantes, todos interesados en comprar el coltan. Entre ellos, el organizador de safaris de Tanzania, la firma austríaca Treibacher (que también procesa el tántalo) y BTHS Handels- und Seafood GmbH, la empresa pesquera de Hamburgo. Esta última reconoció dos meses más tarde, en una entrevista con el periódico *taz*, que compraba tántalo congoleño a través de Uganda y que lo comercializaba en Alemania: "Los precios son increíbles."[24]

Bayer quiere comprar coltan del Congo

Estimulado por la fuerte repercusión, el 1º de febrero de 2001 envié mi oferta inmoral a los departamentos de compra de H. C. Starck en Alemania, Japón, EE.UU. y Tailandia. En inglés, pedí que me informaran si a la empresa Bayer le interesaba adquirir coltan procedente de la zona congoleña bajo dominio rebelde: "Puedo ofrecerles una buena cantidad (aproximadamente 40 toneladas) de tantalita, que tengo actualmente en depósito en Bukavu (República Democrática del Congo). Si el negocio se desarrolla con la máxima rapidez, puedo venderla a un precio muy ventajoso. Atentamente, Robert Mbaye Leman, Arusha, Tanzania."

Esa misma noche recibí una respuesta. Jürgen Bonjer, comprador de la empresa Bayer en Tailandia, escribió: "Estimado Señor Leman: En general, estamos interesados en comprar todo tipo de materias primas del tántalo. Por favor, háganos llegar los análisis, una muestra representativa de las 40 toneladas y su precio tentativo. No bien tengamos esta información, le enviaremos de inmediato nuestra respuesta. Atentamente, Dr. Bonjer."

Envié inmediatamente los datos solicitados. Justifiqué el precio tan bajo aludiendo a la "peculiar situación política de la región". A partir de allí no recibí ninguna otra respuesta. ¿Era demasiado bajo el precio? ¿Acaso el Dr. Bonjer había olido algo raro? ¿O simplemente se había acobardado y había decidido dar marcha atrás en el negocio sucio?

Bayer también compra a través de intermediarios

Para averiguar si los intermediarios vendían su coltan a la empresa Bayer, les pedí los nombres de sus clientes. Dije que de ese modo podría evaluar la confiabilidad financiera de mis compradores. Un tal Dr. Bronsart, de Bvs Ltd. Germany, respondió con un ingenioso juego de palabras que sólo puede comprenderse mediante el texto original en inglés: "We have no problem proving seriousity and financial capabilities of the contracting BUYER which is a subsidiary of one of the largest chemistry concerns in the world." En español: No hay problema: El que figura como COMPRADOR (BUYER, pronúnciese: BAYER) en nuestro contrato es la subsidiaria de una de las mayores compañías químicas del mundo. En otro mail, Bronsart fue más explícito: "El comprador es H. C. Starck, de Alemania, cuyo departamento de compra de materias primas tiene su sede central en Goslar." Además, me hizo notar que a la empresa le resultaba sospechosa una oferta tan barata: "Hay algo que huele mal."

Decidí pasar a la ofensiva. Le conté a Bronsart de manera confidencial que mi socio en el Congo era Somigl, una firma que desde noviembre de 2000 tenía el monopolio en la exportación de coltan. "Todos los meses, Somigl cede una determinada cantidad de mineral a comerciantes como yo, que, a su vez, la ayudan a efectuar ciertos negocios internacionales. Como usted sabe, la región es políticamente inestable, y siempre se necesitan negocios de importación-exportación que puedan desarrollarse a través de canales no oficiales. Tenga en cuenta que esto es África y que aquí la manera de hacer negocios es un poco distinta de la europea."

Enemigos mortales transformados en socios comerciales

La mencionada firma Somigl (Sociedad Minera de los Grandes Lagos) efectivamente existe. Fue fundada por el grupo rebelde más importante, la Agrupación Congoleña por la Democracia (RCD). El objetivo de este movimiento, que cuenta con el apoyo de Ruanda, era monopolizar el comercio de coltan y asegurarse así cada mes un millón de dólares estadounidenses provenientes de ingresos fiscales. El RCD puso al frente del negocio a una mujer tristemente célebre en toda la región: Madame Aziza Gulamali-Kulsum, quien controla ya desde hace años buena parte del comercio con el preciado mineral. A esta dama se le atribuye un papel central dentro del tráfico de armas desarrollado entre las distintas facciones que intervienen en la guerra. Por ejemplo, durante años constituyó la principal fuente de apoyo financiero de los rebeldes hutus en Burundi, que en la actualidad operan desde la vecina República Democrática del Congo. Conforme a lo señalado por un instituto de investigación congoleño, Madame Gulamali es "uno de los principales miembros de una red dedicada al tráfico de armas", en una región donde ella ha construido "una gigantesca organización para el contrabando (cigarrillos, oro, marfil, armas, etc.)"[25]. Se dice que Madame Gulamali mantiene excelentes relaciones no sólo con los rebeldes, sino también con sus adversarios. De este modo, los bandos opuestos combaten militarmente en los distintos frentes de esta horrorosa guerra y, al mismo tiempo, mantienen relaciones comerciales a través de una estructura de tipo mafioso.

Según un informe de la ONU, Madame Gulamali no sólo controla el tráfico de coltan, sino que además es conocida por falsificar billetes y declaraciones aduaneras, "sobre todo para los productos que ella exporta". Hace poco, al ser confrontada con declaraciones de aduana falsas (en donde el coltan aparecía como mineral de estaño), ella respondió: "En este negocio, eso lo hacen prácticamente todos."[26]

Ciertos negocios

El Dr. Bronsart, de la Bvs Ltd. Germany, no se dejó amedrentar por mi alusión a "ciertos negocios con la firma Somigl". Por el contrario, manifestó su agradecimiento y me aseguró que "la confidencialidad es uno de nuestros principios". Dijo que había conversado con el cliente, Bayer, que seguía estando sumamente interesado en el negocio. Lo único que continuaba generándole dudas a la compañía era el "asombroso precio". En un mensaje enviado el 6 de febrero de 2001, Bronsart me informó: "El jefe del Departamento de Materias Primas está muy interesado en comprar el material que usted ofrece, sobre todo con miras a entregas regulares en el futuro, y también está conforme con las condiciones de entrega propuestas; sin embargo, aún quiere aclarar determinadas cuestiones." De todas maneras, luego me tranquilizó: "Considere a H. C. Starck como un socio fuerte y confiable."

Para aclarar una vez más la cuestión del precio —en realidad, lo que yo había pedido era demasiado poco, y estaba contrariado porque eso podía echar a perder el negocio—, intenté hacerle creer a mi cliente que la cantidad que le había ofrecido podía venderla a ese precio únicamente en forma clandestina y que además requería divisas con urgencia para "ciertos negocios internacionales". El argumento era débil. Pero no se me ocurrió nada mejor. Así y todo, Bronsart respondió: "Muchas gracias. Eso fue de gran ayuda." Entonces me envalentoné y solicité una carta de intención oficial por parte de Bayer, con firma y membrete. Pero evidentemente había ido demasiado lejos. El 7 de febrero, sin ofrecer mayores explicaciones, el Dr. Bronsart me escribió que Bayer ya no estaba interesada en el trato: "El inconveniente radica en el precio que usted mencionó."

Suficientemente buena para los rebeldes

Entretanto había vuelto a dar señales mi "relación a largo plazo". Surojeet Banerjee me pedía que me pusiera directamente en contacto con el cliente. Por cierto, se trataba otra vez de un intermediario: la Born International Sourcing Service, con sede en Alemania. Quien hace las veces de gerente en esa firma es el comerciante de materias primas Ralf Born. También a él le expliqué que el precio tan bajo del coltan se debía a un trato especial con la firma Somigl. Y que para concretar la operación, yo precisaba una autorización especial de los rebeldes, con quienes tenía muy buenos contactos. Asimismo le dije que necesitaría el nombre y la dirección del potencial cliente final.

"Nuestras fábricas contratistas constituyen dos de los mayores procesadores", fue la vaga respuesta de Born. A todo esto, demostró ser un conocedor del rubro. Sin que yo le mencionara el nombre de la directora de Somigl, Aziza Gulamali-Kulsum, él escribió: "Podemos entregar una garantía de un banco alemán, lo cual debería bastarle. Al menos a Aziza Kulsum le basta. Quiero que sepa que nosotros conocemos a fondo la bizarra situación que se vivió y se vive actualmente en el Congo, donde los enemigos de guerra son, al mismo tiempo, socios comerciales." No podría haberlo expresado mejor. ¿Acaso Born ya había comerciado con Madame Gulamali?

Solicité una vez más los nombres de sus clientes. En lugar de eso, Born me envió un proyecto de contrato y me contraofertó un ventajoso negocio con maquinarias para minería, adjuntando una detallada lista con los precios de los equipos que yo podría ofrecerle a Somigl.[27] Tras dos docenas de mensajes llenos de insinuaciones, pasé a la ofensiva y le pregunté a Born si estaba dispuesto a efectuar entregas directas a H. C. Starck, considerando que ése era justamente el socio ideal de los jefes de las regiones bajo dominio rebelde. Born se mostró sorprendido y me hizo saber que "la política de compras empleada por firmas como Starck podría representar un problema, ya que para la prensa alemana la imagen de Somigl no es demasiado feliz". Advertía, sin embargo, que si me molestaba un poco y leía entre líneas, vería que él ya había mencionado como cliente a un emplazamiento de la empresa en Asia: "Estimado Señor Leman: Ése es Starck." Finalmente, el 8 de febrero, Ralf Born me informó que durante una charla telefónica el cliente le había manifestado su interés en comprar el material. "Como siempre", agregó.

Dos meses después, Ralf Born se presentó frente al *die tageszeitung* como un inocente corderito. El periódico reproduce declaraciones en las que el traficante de materias primas afirma no haber comprado coltan en el Congo. "Me da dolor de estómago. Es sencillamente un gobierno de rebeldes. Es un horror, el país se está desangrando."[28] Hasta el momento, de mi "relación a largo plazo" con Born el *taz* no sabía nada.

El 9 de febrero suspendí todos los contactos con los clientes: "A raíz de unos problemas que se han presentado, debo partir urgentemente hacia Arusha. Robert Mbaye Leman." En realidad, no volé hacia Arusha sino hacia Kigali, la capital de Ruanda. Apretujado en un minibús junto a doce nativos y algunos racimos de bananas, me abrí paso por el montañoso paisaje ruandés hasta atravesar la frontera con el Congo. Allí, justo después de la frontera, está Goma, la capital de los rebeldes.

Coltan, Kalashnikovs y niños soldados

El doctor Ngabo va de aquí para allá y abre las puertas de los armarios y de las habitaciones, como si quisiera hacer un recuento de las carencias en el patio interno. En el botiquín, un par de cajas semivacías. En la sala de operaciones, una suerte de sillón plegable con un par de lámparas encima, nada más. Dos baños, dos duchas en un cubículo. Ni un equipo de desinfección, ni siquiera una lavadora hay en el Hospital Charité Maternelle de Goma, donde el doctor Ngabo atiende, junto con dos médicos más, a cien pacientes. En una habitación oscura, mirando fijamente la pared, está sentada Faida Mugangu, la mujer que hace un par de semanas perdió a su familia.

Adolphe Onosumba Yemba también es médico. Hace algunos años tenía su propio consultorio en Johannesburgo, y le iba muy bien. Pero, desde noviembre de 2000, Onosumba se dedica a otra profesión: es el líder, en el este del Congo, de la agrupación rebelde RCD, cuya influencia se extiende a lo largo de una región tan vasta como Europa Central. Sin embargo, cuando me dirijo a las afueras de Goma y visito su residencia, espaciosa y celosamente custodiada, compruebo que el aspecto de Onosumba, de 34 años, no se parece en nada al de un combatiente clandestino: "No creo que aquí usted encuentre, además de nosotros, otros rebeldes con corbata y *laptop*", dice con una sonrisa este hombre joven y atento; y cuando entramos a su oficina, cierra las cortinas. Por razones de seguridad: "Al fin y al cabo, con las cortinas abiertas, seríamos un buen blanco para los tiradores de precisión."[29]

A menos de quinientos metros, la mayoría de la gente vive en tugurios de chapa y bajo toldos de plástico. En las casas del centro de la ciudad el revoque se desmorona, la mayoría de los locales están vacíos, en sus puertas se han levantado barricadas y en sus ventanas no ha quedado un vidrio sano. Niños soldados reclutados por los rebeldes patrullan las calles polvorientas. A través de la radio, los *watoto* ("niños") son convocados a luchar por el RCD. Pero la mayoría no va en forma voluntaria, dice Refugees International. En abril de 2001, esta organización de ayuda humanitaria habló con uno de los muchachos: "Mark tiene quince años. Hace dos meses, cuando volvía a su casa desde la escuela, fue raptado junto a cinco compañeros de su curso por cuatro soldados del RCD. Los llevaron al aeropuerto, los pusieron en un avión y los enviaron a un campo de entrenamiento militar." Tres de ellos murieron allí. Mark no supo cómo murieron. Tal vez porque los habían obligado a dormir bajo la lluvia. O por los maltratos y las golpizas. O de hambre. "Nos obligaban a trabajar como esclavos", cuenta Mark, quien logró huir del campamento militar.[30]

A muchos de estos niños les dan drogas, y así los ablandan para la guerra. La noche posterior a mi llegada a Goma, se me acercan tres adolescentes uniformados. Uno de ellos, más o menos de catorce años, dirige el cañón de su Kalashnikov hacia mi pecho y me pide amablemente unos dólares y cigarrillos. Sus ojos brillan amarillentos, las pupilas están dilatadas. Me pregunto cuánto tiempo podrá mantener el dedo así, sin apretar el gatillo. Cuando vuelvo a pasar la noche siguiente, me saluda contento, como si fuéramos viejos conocidos.

"Nuestros niños mueren para que ustedes lucren"

No importa a quién se le haga la pregunta, en las calles de la ciudad todos creen que los principales culpables de esta situación desesperante son los rebeldes y sus adeptos ruandeses. "Pero ellos no son los únicos responsables de esta desgracia", dice un maestro desempleado, que, en la plaza principal de Goma, vende máscaras tradicionales a los pocos extranjeros que están aquí, trabajando básicamente para organizaciones humanitarias y para la ONU: "Son los europeos y los americanos los que compran el coltan y traen las armas. Ellos explotan las riquezas de nuestro país y dejan que nuestros niños mueran en las minas para seguir lucrando." Señala el horizonte. Hacia el cielo se elevan las montañas de Masisi, donde están los yacimientos más importantes: "Allí envían a la muerte a nuestros niños."

El joven que está junto a él ya probó suerte en las minas: "Estás en medio del lodo, con miedo de que en cualquier momento se derrumbe la tierra y te caiga encima. Permanentemente se oyen disparos desde algún lugar. Te vigilan los soldados o las milicias clandestinas, depende del caso. Vienen unos y echan a los otros, pero a nosotros nos daba lo mismo. Ellos te lo compran. Si tienes suerte, te dan varios cientos de francos congoleños. En Goma ganan diez veces más, pero si te pescan con coltan, entonces..." Me pone los dedos índice y mayor sobre la frente: "¡Bang!"

Tres semanas después de esta charla, el 11 de marzo de 2001, casi cien personas murieron en una mina de coltan (situada cincuenta kilómetros al noroeste de Goma) al derrumbarse el acceso a un túnel.

Matar para sobrevivir

Casi todos mis interlocutores insisten en que no mencione sus nombres. Ya son demasiados los que han sido arrestados o incluso desaparecieron para siempre después de haber hablado con extranjeros. El miedo a los rebeldes es grande.

Una mujer me cuenta que en las minas trabajan, sobre todo, hutus ruandeses. Según el informe de la ONU sobre el saqueo ilegal de materias primas en el Congo, la mayoría de ellos son prisioneros de Ruanda. Considerados como presuntos autores del genocidio de 1994, excavan de a miles en busca del coltan, que luego entregan al ejército ruandés. "Además trabajan civiles congoleños, que llegan a esta región atraídos por falsas promesas", dice la directora de un movimiento feminista. "Los soldados rebeldes los vigilan como a esclavos, y les birlan el mineral por un precio irrisorio. Al que no obedece, lo fusilan."

El jefe rebelde Onosumba sabe que en su ejército se cometen abusos. Pero dice que son una excepción y que se lucha contra ellos sin descanso. "Lamentablemente, muchos de los que se alistan no tienen pautas morales", reconoce. "Ven el ejército como un lugar donde pueden dar rienda suelta a su mala conducta. Por eso ahora, durante el reclutamiento, convencemos a los padres para que nos den los hijos que estén mejor educados." Para Onosumba, ésa es la única forma de evitar las violaciones a los derechos humanos.[31]

Por lo general, no se trata tanto de moral, sino más bien de mera supervivencia. Tal como informa la ONU, "esta mezcolanza de guerras trae como consecuencia una gran cantidad de personas hambrientas, que luchan y cometen saqueos para conseguir comida y municiones". Así se genera una "terrible escalada de violencia", que incluye "la violación sistemática de muchachas en edad escolar y a la cual están expuestos los ciudadanos debido a la acción de tropas ruandesas".[32]

"Nuestros militares también tienen que comer"

Considerando la opinión de los jefes rebeldes, es justamente el comercio de coltan el que debe ayudar a mejorar la situación: "Con la exportación de coltan financiamos nuestro plan social", afirma Onosumba. Los ingresos fiscales provenientes de la exportación de riquezas del subsuelo servirán para garantizar por primera vez salarios estables. "La firma Somigl es una de nuestras principales fuentes de ingreso", precisa su vocero de prensa, un hombre bien acomodado, con anteojos de sol oscuros, Rolex dorado y traje de Armani. "El monopolio de Somigl sobre el coltan nos aporta un millón de dólares estadounidenses al mes. Con 300.000 les pagamos a los funcionarios civiles, el resto va a proyectos sociales. Pero nuestros militares también tienen que comer algo."[33]

"De eso, jamás hemos visto nada, ni siquiera un franco congoleño", se queja el director de una institución social. "Aquí todos los hospitales, escuelas y programas de ayuda son financiados por la población, por las iglesias y las organizaciones solidarias. Si no, no hay nada. Con el coltan solamente se enriquecen las elites. Todo va a parar a los canales de una economía mafiosa."

Además, Madame Gulamali no pudo satisfacer las expectativas que se habían depositado en ella. A fin de cuentas, Somigl remitió a los rebeldes sólo una fracción del millón de dólares que éstos esperaban. Fue por eso que una semana después de mi estadía en Goma, el 28 de febrero de 2001, los rebeldes volvieron a suprimir el monopolio en el comercio de coltan.

Desde entonces, la exportación está nuevamente en manos privadas. En Goma, averigüé quién es el principal traficante privado de este preciado material: el alemán Karl-Heinz Albers, un geólogo de los alrededores de Nuremberg. Albers dirige la firma congoleña Somikivu, que pertenece en un 70% a la Gesellschaft für Elektrometallurgie (Sociedad Electrometalúrgica) de Nuremberg.[34] Somikivu posee los derechos sobre la mina de Lueshe, ubicada al norte de Goma, cuya explotación fue suspendida en 1993 y retomada por Albers a comienzos del año 2000.[35] De allí se extrae niobio, un metal similar al tántalo. Según datos del RCD, Somikivu entrega 300.000 dólares estadounidenses mensuales a los rebeldes, quienes, a su vez, protegen las minas.

Karl-Heinz Albers, principal proveedor de H. C. Starck

No bien llegué a Alemania, llamé a Karl-Heinz Albers a Nuremberg. Después de todo lo que había oído, pensé que Albers reaccionaría con las mismas reservas que el vocero de H. C. Starck. Pero el geólogo se mostró dispuesto a conversar durante varias horas y me brindó información acerca de su extensa actividad relacionada con el comercio mundial de materias primas, detallando especialmente sus compromisos en el Congo.[36]

Karl-Heinz Albers es —él mismo me lo contó con orgullo— el mayor exportador privado de coltan por amplio margen. Según dijo, cuatro de los mayores depósitos regionales le envían el material exclusivamente a él. El tráfico de coltan se desarrolla a través de su firma Masingiro.[37] En el informe de la ONU sobre la explotación ilegal de materias primas en el Congo, dicha sociedad aparece mencionada para ejemplificar el "desmedido afán de lucro de algunas empresas extranjeras, que estaban dispuestas a hacer negocios aun infringiendo la ley y cometiendo irregularidades".

"De la región se exportan, en total, unas 200 toneladas de mineral metalífero por mes"[38], me contó Albers por teléfono. Ésa era la misma cifra que ya me habían mencionado al comienzo de mis investigaciones.[39] Sobre la base del precio promedio señalado en el informe de la ONU (200 dólares por kilo de materia prima en el año 2000[40]), se obtendría una cifra superior a los 500 millones de euros por año.

¿Y cuánto fue a parar a la cuenta del alemán? "Nosotros entregamos entre 100 y 150 toneladas de concentrado por mes." Es decir: ¡la mitad o hasta tres cuartas partes del total de las exportaciones!

¿Y a quién?

"La mayor parte se la suministramos a H. C. Starck."

Aquí tragué saliva por primera vez. Naturalmente, yo ya sabía (por mis averiguaciones secretas en Internet) que la empresa no tenía escrúpulos y que con sus compras de tántalo contribuía a financiar la guerra en el Congo. Algo después, en abril de 2001, el informe de la ONU sobre el saqueo ilegal de materias primas en el Congo también denunció que H. C. Starck se encontraba entre los clientes de Aziza Gulamali, la ex traficante de armas y actual traficante de coltan. Pero lo que el renombrado geólogo alemán me contaba ahora, tan campante, significaba, ni más ni menos, que la filial de Bayer era el máximo comprador de la materia prima que genera más polémica en esta crítica región.[41]

¿Hace cuánto tiempo que esto es así?

"Ellos ya venían comprando cantidades pequeñas", dejó entrever Albers, "pero en gran escala lo hacen desde hace seis o siete años, desde que operamos allí y podemos garantizar el suministro."[42]

"¿Qué significa violar los derechos humanos?"

El alemán me contó todo esto con ese tono impaciente, levemente arrogante que caracteriza a algunos expertos y a los trotamundos. Albers es ambas cosas, y me lo hizo notar cuando le pregunté cómo era el tema de la guerra y esas cosas.

"Yo vengo a menudo al Congo", dijo. Y luego puso en duda que allí hubiera en verdad una guerra.

Ajá. Traté de modular mi "ajá" para que sonara lo más auténtico posible en el tubo del teléfono. Albers no tenía idea de que yo mismo había estado en el Congo hacía apenas una semana.

Le pregunté cómo era su relación con ese gobierno rebelde sobre el cual se leía en los periódicos.

"Yo no sé si es un gobierno rebelde o no", dijo Albers sobre sus principales socios comerciales a nivel local. "Ése no es asunto mío."

En lugar de abordar este tema, habló de los "métodos del Far West" que empleaban otras empresas, más pequeñas, para desarrollar sus negocios con el coltan.

Le pregunté si se cometían violaciones a los derechos humanos.

"¿Violaciones a los derechos humanos?" Evidentemente la pregunta lo sorprendió por completo. "¿Qué significa para usted violar los derechos humanos? ¡Primero tendríamos que definir eso!"

Y... Trabajo forzado, explotación, trabajo infantil...

"A ver, atiéndame bien. Trabajo infantil: eso en África es una historia muuuy distinta. Trabajo. Infantil. En. África. Básico." Faltó poco para que lo deletreara. "Porque los niños también trabajan en el campo."

Ajá. ¿Y en la explotación de coltan, allí también trabajan niños?

"No que yo haya visto. Pero descartarlo, no lo descartaría. Aunque... los niños son demasiado débiles para ese trabajo. No tiene sentido." De eso yo no tenía dudas. Y seguramente tampoco las tenían aquellas personas que, en Goma, me habían hablado de niños y niñas de ocho, nueve años que trabajaban como bestias en las regiones de extracción.

Albers dice que al menos la minería asegura puestos laborales. "Decenas de miles de personas trabajan allí en la explotación de coltan. ¡A la gente le va bien! ¡Créame!", me pide. "Quiero decir: todos trabajan por su cuenta."

¿Y cuánto ganan?

Frente al tema dinero, el industrial alemán ve la necesidad de explayarse.

"Los africanos no son como nosotros. El africano no puede conservar el dinero, lo gasta enseguida. ¿En qué? No sé. Si usted le da a un africano cien mil dólares en la mano, él los despilfarra en un par de días. Y vuelve a ser más pobre que una rata. Pero tengo la sensación de que, así y todo, se siente mejor. Mientras ellos tengan su cervecita y un poco de música para bailar, están más que conformes."

En esencia, esta cosmovisión explica un sistema que aparece en varias secciones de este libro. Un sistema que ve al hombre como una variable local y a los estándares éticos como una pretensión desmedida. Que presenta a sus víctimas como seres de segunda clase, cuyas necesidades deben medirse con criterios totalmente distintos de los nuestros: al africano le gusta que lo exploten; al africano le basta con menear un poco las caderas para estar más que conforme; y probablemente al africano también le guste morir. Esta escuela de pensamiento alcanza su apogeo en Goma, donde un Karl-Heinz Albers convive con una Faida Mugangu, la mujer que ha perdido a su familia en la guerra. Una guerra cuya existencia incluso es puesta en duda por Albers, aunque él mismo sea una pieza de ajedrez dentro de este conflictivo tablero. Los ajedrecistas, sin embargo, están en Goslar, Alemania, y en todos los demás lugares del mundo donde resulta más fácil esquivar esa mirada de Faida Mugangu clavada sobre la pared gris del hospital.

Las empresas electrónicas generaron el boom del coltan

La firma H. C. Starck no es la única que participa del lado del vencedor en este cruel juego. Y no es la filial de Bayer la que generó este boom del tántalo, que revolucionó los mercados sobre todo a fines del año 2000. Coincidiendo con otros expertos en minería, Karl-Heinz Albers me contó que las empresas de telefonía celular y computación se habían volcado a comprar las materias primas del tántalo en forma directa. Y dijo que de esta manera habían desatado la histeria en los mercados. "Así surgió la sensación de que la demanda crecía a todo ritmo, y de que ya no podía asegurarse el suministro a través de los productores tradicionales."

Esta impresión se ve reflejada en las revistas especializadas de la industria minera. Allí se habla de una "vertiginosa demanda de tántalo causada por el boom de los teléfonos celulares". "Prácticamente el 70% de la producción de tántalo va a parar al sector de la electrónica", dice Lee Sallade, jefe de Marketing de H. C. Starck en EE.UU.[43] De acuerdo con estimaciones independientes, la cantidad de teléfonos celulares se elevaría a nivel mundial de 400 millones en el año 2000 a 1.000 millones en el año 2004.

Fabricantes de teléfonos buscan socios en el Congo

En enero de 2001, el fabricante de teléfonos satelitales Erkis USA buscaba un socio para explotar un yacimiento de tántalo en el Congo oriental. Pero, tal como informaba una publicación de la industria metalúrgica, la tarea no era nada sencilla debido a la inestabilidad política y económica.[44] De todos modos, un vocero de la empresa industrial Metallurg International[45] es optimista: "Vista la demanda de nuevas fuentes de materia prima, los riesgos asumidos tendrán una pronta recompensa." El elevado precio del tántalo sirve a muchos como acicate para intentar la explotación también en regiones inestables. Y los productores de materias primas quieren acercarse más al consumidor final, evitando escalas intermedias como H. C. Starck. Porque, como señala un vocero del fabricante de teléfonos Erkis, "todo paso productivo dirigido hacia el consumidor aumenta el margen de ganancias".

Albers también confirmó que las empresas de electrónica intentan adquirir el tántalo directamente para asegurarse el suministro de la materia prima. Quise saber cuáles eran esas empresas. "Usted puede recorrer el abanico completo. Desde Mitsui hasta Sony, pasando por... qué sé yo cómo se llaman." ¿Nokia, Siemens, Ericsson, Motorola? "De Nokia yo nunca oí nada." Pero de Mitsui y Sony ¿sí oyó? "Sí, entre otros. Samsung también se interesó y... Dios, la cantidad de nombres que circulan es tan enorme, pero de ahí a que todas efectivamente hayan comprado, no se sabe; y además, ¿a quién le importa?"

A mí sí me importaba, y averigüé directamente en las empresas. La vocera de Nokia, líder en telefonía celular, sólo dijo que no diría nada. El número dos del mercado es Siemens. De su filial Epcos se sabe que es uno de los principales compradores del tántalo en polvo suministrado por H. C. Starck. La mayoría de las otras empresas de electrónica mostró su reticencia.

Un caso para nuestro hombre en Tanzania: Robert Mbaye Leman, el traficante virtual de coltan, volvió a formular atractivas ofertas y las envió por e-mail a apenas una docena de fabricantes que operan en el mercado de la electrónica. Tantalita proveniente de la región de Kivu en la República Democrática del Congo, condiciones favorables de entrega, 40 toneladas, para relación a largo plazo, por favor responder a la brevedad.

Samsung, líder del mercado, muerde el anzuelo

Esta vez tuve que esperar varios días, hasta que el 5 de marzo de 2001 llegó la primera respuesta. Desde Corea, un hombre muy atento expresaba sus deseos de que el Sr. Leman y su familia se encontraran bien de salud, augurando al mismo tiempo éxitos en los negocios. Luego informaba que había derivado mi propuesta a la oficina correspondiente en Inglaterra. A partir de la dirección, se infería que el remitente era la Samsung Corporation.

Samsung es uno de los más famosos fabricantes de teléfonos celulares, accesorios de computación, artículos electrónicos de entretenimiento, productos electrodomésticos y equipos para la oficina. En varios rubros (por ejemplo, monitores y equipos de fax), este conglomerado de empresas se encuentra entre los líderes mundiales. Las ventas de Samsung Alemania ascienden por sí solas a unos 475 millones de euros.

Desde Inglaterra se presentó Claude Bittermann, gerente comercial de Samsung (Sección Metales), para fijar las condiciones de la transacción y llevar el material ofrecido hacia Europa. Yo seguí con mi juego: dije que, como la exportación de coltan era controlada por los rebeldes del RCD (lo cual impedía desarrollar relaciones comerciales normales), me interesaba saber si Samsung ya tenía experiencia en la región. Bittermann señaló que él ya había comprado cobre del Congo y que estaba al tanto de la infraestructura regional y sus obstáculos. Advertí que el negocio con los rebeldes requería una especial discreción, porque yo sacaría el mineral del Congo "sin papeleo ni complicaciones financieras". Pero eso a Bittermann pareció no molestarle: "No se preocupe, el material no volverá a aparecer en el mercado. Será utilizado directamente para el consumo propio de Samsung en la industria electrónica."

Eso era todo lo que me interesaba saber.

También Sabena lucra con la guerra del coltan

Al referirse al comercio del coltan en la región bajo dominio rebelde, el informe de la ONU sobre la explotación ilegal de materias primas en el Congo menciona a otro de los vencedores: la aerolínea belga Sabena se cuenta entre las "empresas clave dentro de esta cadena que articula la explotación de materias primas y la continuidad de la guerra. Sabena Cargo transporta recursos naturales ilegalmente extraídos en la República Democrática del Congo. Según se dice, Sabena Cargo lleva el coltan del Congo desde el aeropuerto de Kigali (nota del autor: capital de Ruanda) hacia diferentes destinos europeos." Cuando los responsables del informe de la ONU indagaron en Bruselas, buscando que la dirección de la aerolínea diera explicaciones frente a estas imputaciones, "nadie se mostró dispuesto a hablar con los miembros de la comisión".[46]

Empresas inmersas en el furor del coltan

El informe de la ONU no deja lugar a dudas: "La conexión entre la continuidad del conflicto y la explotación de los recursos naturales no existiría si no hubiera habido algunos que —sin contarse propiamente entre las facciones participantes en la guerra— jugaron, de manera voluntaria o involuntaria, un papel clave." Tal como se indica allí, los individuos y las empresas del ámbito privado asumieron dentro de este contexto un papel decisivo. Y hay que obligarlos a que carguen con su responsabilidad: "Porque las empresas importadoras y sus cómplices saben perfectamente cuál es el verdadero origen del coltan."

Pocas veces se ve con tanta claridad cómo la falta absoluta de responsabilidad económica puede desencadenar una catástrofe humanitaria. Por supuesto, no toda la culpa de esta guerra la tienen las multinacionales. Hay militares y funcionarios locales que avivaron el conflicto. Pero las empresas occidentales echan leña al fuego y allí se calientan las manos. "Nadie se opone a que las empresas internacionales inviertan su capital en una solución política para el Congo", dice un profesor universitario de Goma. "Nadie se opone tampoco a que con esas inversiones obtengan beneficios a largo plazo. Pero aquí nadie invierte nada. Aquí todos cobran su dinero y miran para otro lado."

Nota: Sabena declara un embargo para el coltan

Luego del cierre de redacción de *El libro negro de las marcas*, nos llegó un comunicado de la ONU: el 15 de junio de 2001 la aerolínea belga Sabena declaró junto a Swissair un embargo contra el transporte de "coltan y similares riquezas del subsuelo" procedentes de África Oriental.[47]

CONEJILLOS DE INDIAS

A la hora de probar medicamentos nuevos, los grandes laboratorios farmacéuticos no dan demasiadas vueltas: falsifican los resultados, ocultan los efectos colaterales. Pacientes con enfermedades graves reciben placebos. Los médicos se transforman en cómplices.

CRÓNICA DE HANS WEISS

De la noche a la mañana cambié de profesión. Ayer escribía libros, hoy me convertí en consultor farmacéutico. El nombre de la profesión lo inventé yo. Hasta hace poco no sabía nada de mi nuevo trabajo. Hoy ya negocio con directores de clínicas cuánto saldrá llevar a cabo dudosos ensayos clínicos.

Para hacerlo, no fue necesario invertir un solo centavo. Lo único que necesité fue información básica sobre ensayos clínicos, un poco de intuición y una computadora con conexión a Internet.

Haciéndome pasar por consultor farmacéutico, quería investigar si los médicos se atienen o no a los principios éticos que la Asociación Médica Mundial estableció en octubre de 2000 en la Declaración de Helsinki.[1] Esta declaración prohíbe tratar las enfermedades graves con placebos cuando ya se cuenta con una terapia probada. Esto también rige expresamente para los pacientes que toman parte en ensayos clínicos. Los únicos ensayos permitidos son aquellos en los cuales un grupo de pacientes recibe la medicación nueva y otro grupo el tratamiento estándar.

Yo tenía indicios de que había médicos que violaban estos principios a pedido de los grandes laboratorios y quería indagar si era cierto. Mi plan era averiguar si estaban dispuestos a llevar a cabo un ensayo en el cual enfermos graves serían tratados únicamente con un medicamento inocuo, o sea, con un placebo. De ser así, se probaría que los médicos dejan a sabiendas que sus pacientes sufran innecesariamente. Como señuelo ofrecería honorarios elevados.

Las prácticas de la industria farmacéutica

La ventaja era que yo ya había trabajado en la industria farmacéutica por motivos periodísticos. A principios de los años ochenta había hecho un curso de asesor médico en los laboratorios Bayer y Sandoz, no para ganar dinero, sino para denunciar cómo los grandes laboratorios sobornan a los médicos y utilizan a los pacientes como conejillos de Indias.[2]

En aquel entonces tuve una suerte increíble con mis investigaciones. Tanto en Bayer como en Sandoz, el curso se desarrolló en un salón que también funcionaba como archivo de la empresa. Tenía todas las carpetas con los expedientes secretos al alcance de la mano, y todos los días tomaba un par "prestadas" y fotocopiaba el contenido. Finalmente, tras un año de investigaciones, reuní 40.000 páginas de documentos confidenciales y publiqué junto con otros tres colegas el libro *Negocios sanos: las prácticas de la industria farmacéutica*.[3]

El ejemplo del Trasylol de Bayer

Uno de los capítulos del libro llevaba el título "Manipulación de los resultados en las investigaciones: el ejemplo del Trasylol".[4] Cuando volví a leerlo, a principios de 2001, sentí curiosidad y averigüé si el medicamento todavía se continuaba usando. ¡Sí! Para mi sorpresa, me topé incluso con una página web sobre el Trasylol.[5] Este supuesto hemostático parece seguir siendo una mina de oro para Bayer.

Durante mi entrenamiento en Bayer, un gerente de marketing me habló de unas investigaciones "éticamente muy espinosas" realizadas con este medicamento, que se obtiene a partir del pulmón bovino. En aquel entonces, médicos alemanes, austríacos, italianos y norteamericanos habían extraído tejido de los muslos o del pulmón a pacientes con lesiones graves sin su con-

70

sentimiento y sin que ellos lo supieran; el objetivo era realizar un ensayo para determinar cómo actúa el Trasylol en el tejido muscular. En aquel momento, el gerente de marketing de Bayer me había dicho: "Me asombra que los médicos estén dispuestos a hacer semejante cosa."[6]

Algunos de esos ensayos incluso llegaron a publicarse. Allí puede leerse: "La punción pulmonar seguramente no está exenta de riesgos (...). Pudimos observar dos hemorragias graves, que en realidad fueron causadas por una punción demasiado profunda y en uno de los casos por aplicar la aguja con un ángulo incorrecto."

En un simposio acerca de estos ensayos, los participantes fueron recibidos con las siguientes palabras: "Hoy en día, la investigación médica es impensable sin el mecenazgo de los grandes laboratorios. Los médicos en ejercicio, los investigadores clínicos y experimentales y la industria farmacéutica viajan en el mismo barco."

Tasas de mortalidad adulteradas

Los datos que me había pasado el gerente de marketing de Bayer me llevaron a investigar más de cerca el medicamento Trasylol. Tropecé con un estudio financiado por Bayer que se había desarrollado ya a principios de los años setenta en Alemania en tres clínicas universitarias, 16 hospitales centrales y 12 hospitales periféricos. Más de 4.000 pacientes ingresados a esos lugares en grave estado recibieron al azar, además de la terapia corriente, una dosis adicional de Trasylol o de un placebo. La comparación de las tasas de mortalidad en un caso y otro daría una prueba fehaciente de la eficacia del Trasylol. Eso era lo que Bayer esperaba.

Sin embargo, el resultado fue un shock para los gerentes de la compañía. Dentro del grupo de pacientes que habían sido tratados con Trasylol había muchísimas más muertes que dentro del grupo que había recibido un placebo. En otras palabras: el tratamiento con Trasylol había causado la muerte de muchos pacientes. Normalmente, la conclusión sería: hay que prohibir de inmediato el Trasylol. Normalmente. Pero los responsables del estudio sabían cómo salir del brete: dieron vuelta todas las cifras y presentaron a la opinión pública un resultado que causaba la impresión opuesta. Trasylol fue presentado así como un medicamento que salva la vida, y sigue utilizándose en los hospitales alemanes y austríacos.

No se prohibió

Lo más conmocionante de todo el asunto fue que no pasó nada, ni siquiera después de que denunciáramos esas manipulaciones en 1981. No hubo nadie en el mundo de la medicina que pusiera el grito en el cielo. Tampoco hubo ninguna reacción por parte de las autoridades, ni de las alemanas ni de las austríacas. El Trasylol, una de las principales fuentes de ganancias del laboratorio Bayer, siguió usándose masivamente. Se estima que desde su lanzamiento la compañía generó ganancias multimillonarias. Entretanto, Bayer continuó financiando numerosos estudios sobre el Trasylol, en los cuales se investigó la utilidad del medicamento.

El remedio sigue usándose en todo el mundo e incluso fue aprobado en 1993 en los EE.UU., aunque sólo como un medio para evitar hemorragias durante las operaciones de *bypass*. En Suiza también puede usarse, pero únicamente con ese objetivo. En cambio, en Alemania y en Austria el Trasylol también se usa en casos de hemorragias posoperatorias y accidentes, en obstetricia y ginecología, así como para tratar complicaciones relacionadas con episodios trombóticos. Evidentemente, la lógica es: una vez que se permitió, está permitido para siempre. No importa si lo que está en juego son vidas humanas.

Cómo sacar oro del barro

A pesar de que el consumo de medicamentos por parte de los alemanes sigue una tendencia estable, o incluso un poco decreciente (de 1.588 millones de cajas vendidas en 1997 a 1.574 millones en el año 2000), las ganancias se incrementaron en aproximadamente un ocho por ciento anual: ascendieron a 15.650 millones de euros en el año 2000. Ésta (junto con el envejecimiento creciente de la población) es una de las principales causas de la crisis financiera que atraviesan las obras sociales.

Los altos costos surgieron a partir de una oleada de medicamentos que fueron aprobados recientemente y cuyo precio es altísimo. Si bien muchos de ellos no tienen mayor efectividad ni mejor tolerancia que los ya probados, el aparato de marketing de la industria farmacéutica se encarga de que los médicos los receten, presionándolos y otorgándoles pequeñas y variadas "atenciones".

De la industria farmacéutica alemana puede decirse, con total razón, que sabe muy bien cómo sacar oro del barro. Porque en Alemania sigue habiendo miles de medicamentos en venta cuya eficacia y posible nocividad no están comprobadas. Si bien esto contraviene las leyes de la UE vigentes y por lo tanto es ilegal, al gobierno alemán parece no importarle mucho[7], ya que permite generosamente que los laboratorios continúen vendiendo ese tipo de fármacos hasta el año 2003, con o sin defensa del consumidor. En estos casos, es evidente que los intereses del lobby farmacéutico tienen más peso que los intereses de los consumidores.

Resultados maquillados

El del medicamento Trasylol de Bayer no es un caso aislado. En la literatura médica especializada hay decenas de casos bien documentados en los que los laboratorios manipularon groseramente el resultado de los ensayos. Algunos médicos de renombre afirman incluso que el control de los laboratorios sobre la investigación médica ha llegado a tal extremo que los resultados son sistemáticamente falseados. Por esa razón, sugieren tomar con pinzas los datos sobre la acción terapéutica y los efectos colaterales[8], ya que, según afirman, suelen estar maquillados y manipulados.[9] El tema es que hay mucho dinero en juego, porque desarrollar un medicamento nuevo implica costos elevados y riesgos considerables. Sólo uno de cada cinco medicamentos logra ser aprobado por las autoridades de salud.[10] No hay nada a lo que los laboratorios teman más que a un ensayo con resultado negativo, ya que el lanzamiento al mercado podría ser desautorizado, con lo cual todas sus inversiones habrían sido en vano. Para evitar eso, aspiran a lograr un control absoluto sobre la investigación y los investigadores.

Cuando una compañía inscribe un nuevo principio activo en

el registro de patentes, queda protegida de la competencia por veinte años. Pero eso solo no da dinero. Porque el reloj de la patente comienza a correr ya desde el momento de la inscripción, a pesar de que el laboratorio sólo entonces puede empezar con los ensayos para determinar si el medicamento realmente es eficaz y carece de efectos colaterales indeseables (un proceso que suele demorar muchos años). Cuanto antes logre el laboratorio dar las muestras de eficacia y tolerancia necesarias y recibir la aprobación de las autoridades sanitarias, más tiempo le quedará antes de que expire el plazo de la patente.

A partir del momento de la aprobación quedan entre ocho y doce años de pingües ganancias, ya que a los medicamentos nuevos se les puede poner cualquier precio. Una vez expirado el plazo de la patente, todo eso se acaba. Los otros laboratorios farmacéuticos pueden copiar la fórmula y hacer negocios abaratando el precio. De este modo se produce una caída automática de las ganancias.

Consultor farmacéutico

A comienzos de 2001, antes de que pudiese comenzar mi investigación (para saber si los médicos estaban dispuestos sin más ni más a llevar a cabo ensayos no éticos a pedido de los laboratorios), tuve que decidir una serie de cuestiones decisivas:

¿A qué médicos interrogaría? ¿Qué me convenía más: presentarme en persona, haciéndome pasar por colaborador de un laboratorio verdadero, o mandar mis tentadoras ofertas por correo electrónico? ¿Cuál sería la enfermedad grave por tratar? ¿Cuál el medicamento por testear? ¿Cuánto dinero debía ofrecer a los médicos?

La enfermedad

Me decidí por una depresión de moderada a severa. Si la enfermedad no se trata, existe un alto riesgo de suicidio. Por eso la terapia estándar recurre a los antidepresivos.

El medicamento

Para no despertar sospechas, tenía que determinar clara-mente la acción terapéutica y los efectos colaterales del medicamento por testear.

Un psiquiatra de Munich me ayudó a "inventar" un nuevo fármaco. Me decidí por un antidepresivo del tipo de los inhibidores selectivos de la recaptación de serotonina (ISRS). Ese tipo de fármacos refuerza la acción de ciertos transmisores en las células nerviosas del cerebro, mejorando el estado de ánimo, disminuyendo la tensión y el pánico y aumentando la motivación.

Entre los antidepresivos del tipo ISRS más conocidos están, por ejemplo, el *Cipramil*, el *Neupax* y el *Seroxat*. En los últimos años, estos fármacos fueron comercializados con gran éxito en todo el mundo.

Los médicos

Primero pensé en poner a prueba a médicos alemanes y austríacos. Pero después me acordé de la frase que me habían inculcado veinte años atrás, durante el curso de asesor médico en el laboratorio Bayer: "Los asuntos de dinero son asuntos confidenciales, sobre todo cuando se trata de sobornos. Antes de ofrecerle dinero a un médico, hay que conocerlo muy bien."

Si bien en este caso no se trataba de sobornos, había mucho dinero en juego: entre 50.000 y 250.000 euros. Por supuesto que yo no iba a gastar tanto dinero en mi investigación; sólo quería saber si los médicos aceptarían mi oferta.

No podía hacerlo con médicos austríacos o alemanes, no podía preguntarles a boca de jarro o mandarles un e-mail ofreciéndoles jugosos honorarios para que realizaran un ensayo clínico. En esos países, los negocios de ese tipo se desarrollan a través de los visitadores médicos, o bien la misma casa matriz se pone en contacto con los profesionales. Pensé que tal vez debía decidirme por esta segunda opción y presentarme como colaborador de una casa matriz, por ejemplo de Bayer o Boehringer Ingelheim. Sin embargo, deseché la idea por miedo a que esas compañías me iniciaran demandas. La única opción que me quedaba era intentar en el extranjero. Allí no importaba si usaba mi nombre verdadero. Además, tal vez no fuera necesario que me presentara en persona. Podía intentar una primera negociación con los médicos vía e-mail.

Lo único que me faltaba era denominar mi trabajo de un modo tal que no despertara sospechas. Inventé una nueva profesión: "consultor farmacéutico". Sonaba tan pomposo que hasta podía arriesgarme a contactar directamente al director de una clínica.

A Hungría

Mientras pensaba todo esto, la casualidad acudió en mi ayuda. A través de medios norteamericanos, encontré indicios de que los laboratorios de ese país tendían cada vez más a efectuar sus ensayos en el Tercer Mundo y en Europa Oriental.[11] Esto se debe a muchas razones, sobre todo la ausencia parcial o total de control por parte de las autoridades de salud. Además, el "dinero por cabeza" (que reciben los médicos por cada paciente que participa del ensayo) es mucho menos que en Europa Occidental o en los EE.UU., y los ensayos se pueden realizar de manera más rápida. Así, las empresas ahorran el triple y pueden seguir incrementando más y más sus ganancias, que ya son en sí cuantiosas.

Me llamaron poderosamente la atención las declaraciones que hacía un psiquiatra húngaro en uno de los artículos: "Las ofertas económicas de los laboratorios nos hacen perder la cabeza."[12] Esas declaraciones me ayudaron a decidirme: pondría a prueba al director de un hospital de Budapest. ¿Estaría de acuerdo en llevar a cabo un ensayo no ético con pacientes depresivos?

A través del buscador Google[13], di con el nombre y la dirección de correo electrónico del doctor Ákos Kassai-Farkas, director clínico del Hospital Nyirõ Gyula en Budapest.

Un primer intento

El primer e-mail fue el más difícil. Me esforcé en encontrar el tono justo para no despertar las sospechas del doctor Ákos Kassai-Farkas.

La oferta la formulé en inglés. Para despertar su confianza, aludí a uno de los laboratorios más grandes del planeta: puse que un colega mío de Novartis me había recomendado dirigirme a él y que, a pedido de un importante laboratorio, estaba a la búsqueda de posibilidades para realizar un ensayo con un antidepresivo nuevo que era muy prometedor. Le expliqué que teníamos planeado un estudio internacional para septiembre de 2001 y que ese estudio se realizaría en varios lugares: Alemania, Inglaterra y los Estados Unidos. Agregué que la compañía quería obtener primero la aprobación de las autoridades de salud de los EE.UU. y después de las autoridades europeas en Londres. Pero que, para acelerar el tema, tenían previsto incorporar a los ensayos entre cuarenta y ochenta pacientes adicionales. Le pregunté entonces si su clínica podía poner a disposición esa cantidad.

Le comenté que las investigaciones previas ya casi habían concluido y que había que comparar el fármaco con el conocido antidepresivo sertralina (presente en el Gladem de Boehringer Ingelheim o el Zoloft de Pfizer) y con un placebo. Esto significaba que, si del ensayo participaban 60 pacientes, se elegirían 20 al azar para recibir el antidepresivo nuevo, 20 recibirían sertralina (el antidepresivo probado) y a los 20 restantes se les suministraría un placebo. De este modo, después de algunos meses de tratamiento se podría determinar la eficacia terapéutica del nuevo antidepresivo.

En lo que respecta a las normas legales para desarrollar ensayos en Hungría, fingí no tener experiencia y agregué un par de preguntas que me interesaban. Por ejemplo:

- ¿Es necesario solicitar permiso a alguna autoridad estatal o en la administración del hospital antes de comenzar nuestro estudio?
- ¿Existe algún comité de ética que examine y apruebe nuestro plan de ensayos?
- Si no fuera posible conseguir suficientes pacientes en su hospital, ¿podría darnos nombres de otros hospitales húngaros?

Por su participación en el proyecto le ofrecía 3.500 dólares por paciente, además de "recompensas" económicas adicionales según la rapidez con la que se desarrollara el estudio. Esto estaba muy por encima de lo que suele ofrecérseles a los médicos de Europa oriental y es comparable con los honorarios que reciben los médicos norteamericanos.

Un atractivo adicional: le puse que las transacciones financieras las haríamos a su gusto. Tenía en mente alguna cuenta en Suiza o en Liechtenstein.

Confidencial

Cuando uno envía un mensaje por correo electrónico, espera una respuesta rápida. Pasó un día, luego otro, y uno más. Comencé a intranquilizarme. ¿Había cometido algún error?

Al cuarto día me llegó la respuesta, en inglés[14], del doctor Kassai-Farkas: "Me alegro de que se haya contactado con nosotros. Por supuesto que nos gustaría tomar parte en el estudio y testear ese antidepresivo tan prometedor. Nosotros estamos en contacto con otros hospitales que tienen experiencia en ensayos. Naturalmente, trataremos todos los detalles en forma confidencial." Al final de la carta agregaba como comentario que preferiría escribir en alemán, ya que le resultaba más fácil y suponía por mi apellido que yo era alemán o austríaco.

Preguntas

Para ganar su confianza, deslicé en primer lugar un detalle (inventado) de mi vida privada: dije que yo era el producto de una "joint venture" entre una norteamericana y un austríaco. Después fui al grano. Le hice una serie de preguntas:

¿Cuántos pacientes con depresiones de moderadas a severas podían tomar parte en el ensayo?

¿Qué reglas había que observar?

¿Necesitábamos una conformidad del paciente por escrito?

¿Había problemas en usar un placebo para el test?

Para no verme enredado en un diálogo sobre los detalles médicos del ensayo, le aclaré al doctor Kassai-Farkas que de esas cuestiones se encargaba el director técnico del laboratorio.

Le di al doctor Kassai-Farkas algunos datos básicos sobre el supuesto solicitante del estudio. Le dije que se trataba de un laboratorio alemán muy importante, el cual había adquirido hacía poco el departamento de investigación de una prestigiosa universidad alemana para asegurarse los derechos sobre un nuevo principio activo catalogado por los expertos como revolucionario. Y que el dinero era lo de menos. Y que recibiría información más precisa si el acuerdo llegaba a concretarse.

No hay problema

"Estimado doctor Weiss, tengo 144 camas en mi sector y 49 camas más en el 'Day Hospital'. Tratamos entre 500 y 700 pacientes con depresión por año." A continuación seguía una serie de detalles, y, por último, este dato: "Por supuesto que necesitamos la conformidad por escrito de los pacientes que participan del ensayo. En realidad, yo no tengo inconveniente en hacer ensayos con placebos, pero el comité de ética a veces lo hace un poco difícil."

El doctor Kassai-Farkas me indicó que su sector disponía de una página web propia[15] en la que yo podría obtener información sobre estudios previos en "Érdeklődők figyelmébe" y "A szponzorok és CRO-k figyelmébe" (en español: "Para interesados" o "Para patrocinadores").

Érdeklődők figyelmébe

Haciendo un clic en esas dos palabras húngaras, logré dar en el blanco: una lista en inglés de dieciocho estudios llevados a cabo con medicamentos en el departamento, en el pasado y en la actualidad. Allí figuraban, entre otros:

- tres estudios de la compañía suiza Novartis, entre ellos un estudio con placebo realizado en esquizofrénicos para probar un nuevo principio activo llamado iloperidona. Según los principios de la Declaración de Helsinki suscripta por la Asociación Médica Mundial, este tipo de ensayos con placebos estaría prohibido, al igual que los que se enumeran a continuación;

- dos estudios con placebos en pacientes maníacos graves, financiados por el laboratorio inglés Glaxo-Wellcome;
- un estudio con placebo de la empresa franco-alemana Hoechst Marion Roussel (ahora conocida como Aventis), llevado a cabo en esquizofrénicos con la sustancia experimental M100907;
- dos estudios financiados por el laboratorio danés Lundbeck, entre ellos un estudio con placebo con la sustancia experimental Lu-26-054, llevado a cabo en pacientes con depresiones de moderadas a severas;
- y dos estudios sobre un nuevo antipsicótico, el *aripiprazol*, financiados por los laboratorios norteamericanos Bristol-Myers Squibb y Otsuka America Pharmaceutical.

Así que yo no era el único que hacía ofertas. Me puse a navegar en Internet para encontrar más información sobre los medicamentos mencionados.

Miles de millones de dólares

Por lo general, en Alemania y en Austria sólo se habla de dinero en secreto. Esto rige también para la investigación de los laboratorios.[16] En cambio, los médicos norteamericanos están orgullosos de lo que hacen y del dinero que ganan haciendo lo que hacen. A través de Internet, uno se entera de qué médicos y clínicas norteamericanas hicieron ensayos con un fármaco determinado... y de cuánto dinero les pagó por ello la compañía en cuestión.

Por ejemplo, ensayos con aripiprazol. En el hospital de Budapest, ya fue testeado dos veces por el doctor Kassai-Farkas. La empresa norteamericana Bristol-Myers Squibb esperaba que en el año 2001 las autoridades sanitarias de su país aprobaran este nuevo principio activo contra la esquizofrenia. En los años anteriores, la compañía había organizado decenas de ensayos en todo el mundo, incluso en Hungría y en los EE.UU.

A través del buscador Google, uno se topa con incontables datos acerca de ensayos llevados a cabo en diferentes clínicas con aripiprazol.[17] Sólo en los EE.UU. hay por lo menos 35.[18]

Bristol-Myers Squibb tiene cifradas grandes esperanzas en

esta droga. Espera que sea un *blockbuster*. Así llaman los norteamericanos a los productos exitosos que barren con la competencia.

El 28 de noviembre de 2000, durante una conferencia desarrollada en Nueva York frente a cientos de especialistas en inversiones, los gerentes del laboratorio narraron el camino al éxito y las estrategias futuras de la compañía, una de las más importantes del mundo dentro del rubro farmacéutico.[19]

En la década del noventa, la compañía había logrado atravesar —con apenas algún rasguño— el desastre jurídico y financiero relacionado con el implante de siliconas para agrandar el busto. En la actualidad, Bristol-Myers Squibb reparte entre sus accionistas dividendos del orden de los dos mil millones de dólares, con un nivel de ventas de 15.000 millones de dólares.

Durante la conferencia, el presidente del directorio, Charles A. Heimbold, declaró: "Estoy orgulloso porque entre enero de 1994 y diciembre de 2000 alcanzamos el objetivo que yo me había propuesto: duplicar las ganancias y las cifras de ventas."

Por su parte, el presidente de la compañía, Peter R. Dolan, aseguró a los presentes: "Volveremos a acelerar enormemente el crecimiento de nuestra compañía, y dentro de los próximos cinco años llegaremos a ser el doble de grandes." No pasó inadvertida la fascinación en su tono de voz: "Lograremos productos mega-*blockbuster* que nos traerán miles de millones de dólares."

Bristol-Myers Squibb obtiene sus ganancias principalmente con la comercialización de fármacos nuevos, demostrando de ese modo la formidable rentabilidad del negocio. Los dividendos que se reparten entre los accionistas no han dejado de aumentar en los últimos 28 años, ni una sola vez cayeron. "¡Un récord!", confirma satisfecho el gerente de Finanzas, Michael Mee.[20]

Modelo de declaración

Tras hacer esta breve excursión por Internet a los EE.UU., traté con cautela de que el doctor Kassai-Farkas me facilitara alguna documentación sobre los ensayos enumerados en la *homepage* de su departamento. "Si no le genera demasiados in-

81

convenientes, le estaría muy agradecido si me pudiera hacer llegar alguna presentación sobre algún estudio ya terminado, para poder organizar todo del modo más eficiente posible", le pedí en mi mensaje siguiente, agregándole: "Supongo que la declaración de conformidad de los pacientes tendrá que estar por lo menos en dos idiomas. ¿Usted cuenta con algún modelo de declaración que ya haya usado?"

Respuesta con preguntas

El doctor Kassai-Farkas no respondió a mis inquietudes y, en cambio, empezó a formular sus propias preguntas, algunas de las cuales me hicieron transpirar bastante:

- ¿Cuántos ensayos clínicos organizó? ¿De qué tipo eran?
- Además de los ensayos en Alemania, Inglaterra y los EE.UU., ¿hay algún otro planeado?
- ¿Cuántos pacientes de nuestro hospital deberán tomar parte en el ensayo?
- ¿Cuántos pacientes tomarán parte en otros hospitales?
- ¿Cuándo quiere empezar?
- ¿Cuánto demorarán el *screening* y el estudio?
- ¿Quiere un laboratorio central o uno local?
- ¿Qué tipo de investigaciones quiere hacer (tests psicológicos)?
- ¿Qué medicación concomitante se permite?
- ¿Dónde piensa hacer el *investigator meeting*?

Respuestas fáciles

La primera pregunta era muy sencilla de responder, ya que en uno de mis primeros mails yo había mencionado, previsoramente, que los detalles médicos del estudio tenían que coordinarse con el director técnico del laboratorio.

Le contesté que yo todavía no había hecho ningún ensayo. Que no me había doctorado en Medicina, sino en Sociología Médica (una mentirita), y que había hecho un *Master of Art* de Economía Empresarial en la New York University (una mentira

82

absoluta). Le dije que sólo me encargaba de elegir con antelación los hospitales en los que se podían llevar a cabo los ensayos y de solucionar cuestiones financieras y organizativas. Y que la gestión clínica del proyecto —la dirección y el monitoreo del estudio— estaría en manos del doctor en Medicina Klaus Werner, quien tenía una vasta experiencia en el área. Así fue como le otorgué rápidamente a mi colega Klaus Werner el título de médico y de director del proyecto.

La segunda pregunta tampoco me trajo inconvenientes. Le respondí:

"Estamos planeando agregar otros lugares de investigación, uno en Austria, dos en Italia y probablemente otros dos en Hungría, con lo que se agregarían alrededor de 150 pacientes más."

Respuestas difíciles

A partir de la tercera pregunta, la cosa empezó a ponerse más complicada. No tenía idea de cuántos pacientes reclutar para su hospital, así como tampoco tenía idea de cuántos reclutar para los demás hospitales. Me devané los sesos tratando de dilucidar qué quería decir *screening* en este contexto y cuánto podía demorar algo semejante. No tenía la menor idea de cuánto tiempo podía demorar el estudio. Tampoco sabía si necesitaba un laboratorio central o uno local. La pregunta de los tests psicológicos me tenía tan desconcertado como la de la "medicación concomitante". Supuse que significaría "tratamiento coadyuvante". Y tampoco sabía qué era un *investigator meeting*, no sabía ni cuándo ni dónde solían hacerse. Necesité navegar dos días en Internet para poder responder a todas esas preguntas en forma convincente.

Ida y vuelta

Mi respuesta al doctor Kassai-Farkas estaba salpicada de términos técnicos y de un saber especializado que había adquirido en forma acelerada: diagnósticos CIE-10 F32.1 o F32.2, escala HAM-D de 18 o más, Clinical Global Rating, medicación psicotrópica concomitante, etc.

Le pedí al doctor Kassai-Farkas que me propusiera un lugar para nuestro *investigator meeting*. Suponía que la idea de ese encuentro era llevar a algún lugar turístico a todos los médicos que luego participarían del ensayo. Un viaje motivador a cargo de la empresa, para pasar un par de días al sol y bajo las palmeras, lejos de los pacientes y de la rutina del hospital.

Al final, deslicé un par de preguntas más:

- ¿Cuántos pacientes cree usted que podrían tomar parte del ensayo?
- ¿Hay posibilidades de que en su hospital participen pacientes en internación?
- ¿Los pacientes deben recibir algún tipo de retribución por su participación en el ensayo?
- ¿Enviamos todo el presupuesto del estudio a la administración general de la clínica o tienen prevista alguna asignación individual?

Además, volví a pedirle al doctor Kassai-Farkas que me diera nombres de otros hospitales húngaros con los que pudiera contactarme para posibles ensayos.

"Perfecto"

La respuesta pareció impresionar al doctor Kassai-Farkas.

"Me parece perfecto lo que cuenta del estudio. Ya estoy esperando nuestro encuentro y propongo al profesor Dr. Faludi Gábor (Budapest) y al profesor Dr. Ostorharics Horváth György (Győr) como integrantes del equipo de investigación.

"Con respecto al tema financiero:

"Usted tiene que pagarme una determinada suma a mí. Y además tiene que pagarle a nuestro hospital entre el 10 y el 20% del monto total. Por ejemplo: me paga 3.500 dólares por paciente a mí y otros 350 dólares a nuestro hospital."

Al final de su e-mail, el doctor Kassai-Farkas se refirió al Investigator Meeting:

"Sería lindo que el meeting se hiciera en algún lugar de Irlanda o de Sicilia."

Es probable que en el presupuesto de los laboratorios, ese

84

tipo de gastos figuren como "investigación". En definitiva, los que terminan pagando, a través de los precios de los medicamentos, son siempre los pacientes.

No hay problema

"Estimado doctor Kassai-Farkas, gracias por su respuesta. Veo que estamos cerca de llegar a un acuerdo.

"Quisiera pedirle nuevamente que me diera la cantidad más o menos exacta de los pacientes con los que podemos contar para nuestro ensayo, y que me indicara si dentro de esa cantidad se incluyen tanto pacientes ambulatorios como pacientes en internación. Nosotros no tendríamos problema en ello, ¿usted cómo lo ve?

"Acepto gustoso su propuesta para el Investigator Meeting (Sicilia o Irlanda). Próximamente le haré una oferta concreta.

"Con respecto a la cuestión financiera: Creo que no va a haber inconvenientes con su propuesta."

Respuesta del doctor Kassai-Farkas: "Nuestros pacientes siempre participan de los ensayos en forma voluntaria, así sean ambulatorios, internados o pacientes que reciben atención diaria."

Ensayos con pacientes de internación

Mientras yo intercambiaba e-mails con el doctor Kassai-Farkas, en Austria se desató una discusión sobre ensayos clínicos no éticos a raíz de lo ocurrido en hospitales psiquiátricos de Salzburgo y Linz.

El periódico *Der Standard* ya había publicado investigaciones realizadas por los abogados de los pacientes.[21] En muchos casos, los médicos habían efectuado ensayos con pacientes psiquiátricos de internación o legalmente incapaces. Esto viola a las claras los principios de la Declaración de Helsinki y también los fallos de la Corte Suprema de Viena. En cambio, curiosamente, la Ley de Medicamentos austríaca lo permite.

En el pabellón psiquiátrico del sanatorio para enfermos mentales de Salzburgo se testearon, entre otros, los neurolépticos *Zyprexa* (del laboratorio norteamericano Eli Lilly) y *Risperdal* (del laboratorio belga Janssen-Cilag). A partir de una publicación científica y de lo expuesto allí por el director de la investigación, el Dr. Christian Stuppäck, se desprende que en total 260 pacientes internados y ambulatorios fueron integrados al ensayo con *Risperdal*.[22]

Además, en ese sanatorio de Salzburgo y en otros hospitales se realizaron muchísimos ensayos más, por ejemplo con el principio activo milnacipran, que es comercializado por la compañía austríaca Germania Pharmazeutika. Entre marzo de 1999 y febrero de 2000 fueron incorporados a ese test un total de 519 pacientes depresivos.[23]

Intenté conseguir más datos a través de Internet, pero no tuve éxito. Y es que los psiquiatras austríacos, a diferencia de sus colegas húngaros, no son tan ingenuos como para poner a disposición toda la información que manejan.

Profesor Faludi

De modo que volví a inclinarme por Hungría. Envié e-mails a los dos profesores de psiquiatría que el doctor Kassai-Farkas me había recomendado para los ensayos: el profesor Gábor Faludi, de la Universidad Semmelweis de Budapest, y el profesor Horváth György Ostorharics, de un hospital de la ciudad de Győr, en el oeste de Hungría.

Pasó una semana entera antes de que recibiera una respuesta del profesor Faludi, de la Universidad Semmelweis, Kutvolgyi Clinical Center, Department of Psychiatry:

"Estamos dispuestos a participar de la investigación. Le comento que nuestro personal tiene una vasta experiencia en ensayos clínicos para casos de depresión, esquizofrenia y trastornos de ansiedad. Disponemos de tratamientos ambulatorios e internaciones. Del ensayo podrían participar entre 15 y 20 pacientes."

Del profesor Ostorharics de Győr, en cambio, jamás recibí respuesta.

Pepsi Cola

Antes de enviar otros mensajes al doctor Kassai-Farkas y al profesor Faludi, viajé a Budapest para encontrarme con Gábor Gombos, director de la organización de autoayuda psiquiátrica Voice of Souls. Gombos había accedido a contactarme con pacientes que habían participado de ensayos clínicos.

Hacía diez años que yo no iba a Budapest, y el recuerdo que tenía era deprimente: el de una ciudad derruida y agobiante. Ahora que ingresaba en coche, tenía la sensación de estar frente a una metrópoli occidental. A ambos lados de la calle, enormes carteles publicitarios de conocidas marcas occidentales: Volkswagen. Mazda. Ikea. McDonald's. Holiday Inn. Y muchas más.

Al principio, el encuentro con Gábor Gombos resultó una desilusión. Nadie me abrió cuando toqué el timbre en la dirección que me habían dado. Nadie me atendió cuando llamé por teléfono.

Para matar el tiempo, fui al hospital del doctor Kassai-Farkas. Quedaba en las afueras de la ciudad, sobre una avenida de varios carriles. En la entrada flameaba una bandera húngara. Un policía amistoso dirigía el ingreso y la salida de vehículos.

El pabellón psiquiátrico estaba ubicado en el edificio más nuevo del predio, en un rincón alejado. Pepsi Cola, Pepsi Cola: en la planta baja, algunas ventanas estaban cubiertas con enormes letreros publicitarios que hacían pensar que uno estaba en una planta embotelladora de la multinacional. Era una construcción de ladrillos grisáceos con ventanas espejadas, frío, repulsivo, atemorizante. Pasé por al lado del portero, lo saludé con un gesto y miré a mi alrededor. El hall de entrada y los diferentes pasillos creaban la sensación de un movimiento hospitalario absolutamente normal. Había personas vestidas de civil yendo y viniendo de aquí para allá. Pensé en dirigirme al doctor Kassai-Farkas y decirle: "Buenos días, no soy un consultor farmacéutico, estoy escribiendo un libro que, entre otras cosas, trata de determinar si se respetan los principios éticos enunciados por la Asociación Médica Mundial."

Pero no llegué a hacerlo. Volví a marcar el número de Gábor Gombos, que en el ínterin había llegado a su casa. Gombos era un hombre gentil, amable y servicial, que hablaba inglés y estaba muy bien informado sobre la situación de la psiquiatría en su país. Se lamentó de no haber conseguido pacientes que estuvieran dispuestos a conversar conmigo sobre sus experiencias en los ensayos clínicos. Gombos: "Por supuesto que los médicos obtienen una conformidad por escrito de los pacientes o sus familiares. Pero de ahí a que sea voluntaria... ¿Usted qué interpreta por voluntaria? Si usted está en un pabellón cerrado y el médico le ofrece trasladarlo al pabellón abierto... a condición de que tome parte en un ensayo clínico, ¿usted diría que no? Eso es exactamente lo que ocurre."

Gombos lucha para que los pacientes estén mejor protegidos frente a los ensayos clínicos riesgosos. Quiere que la conformidad del paciente se obtenga únicamente en presencia del respectivo abogado.

Puras mentiras

En mi siguiente e-mail al profesor Faludi, intenté sonsacar su reacción respecto de los informes sobre ensayos clínicos en Europa Oriental que habían aparecido en medios norteamericanos. Gábor Gombos decía que esos informes habían despertado un interés inusual en Hungría, y que el profesor Faludi incluso había dado su opinión públicamente.

En primer lugar le di las gracias por su disposición a realizar un ensayo. Pero... ¿no sería posible —le pregunté— elevar el número de pacientes, hasta el momento entre quince y veinte, a por lo menos treinta? Le aclaré que si respondía en forma afirmativa, eso se vería reflejado económicamente por medio de honorarios adicionales. Me manifesté interesado por saber si tenía que calcular algún otro desembolso (además de los 3.500 dólares por paciente que había propuesto), y también por el tema de la distribución de ese dinero, es decir, con cuánto se quedaría él y con cuánto la universidad.

Después pasé a preguntarle lo que más me interesaba saber: le escribí que un colega mío de Novartis me había contado que otra vez había problemas para realizar ensayos clínicos en Hungría, y que la causa eran ciertos artículos que habían aparecido en los medios norteamericanos. Para tirarle de la lengua, agregué: "Supongo que se trata de la típica manipulación de esos periodistas que escriben sobre cualquier cosa pero no tienen idea de nada. ¿Hay algún inconveniente en hacer ensayos con placebo debido a ese artículo? ¿Hay algún inconveniente para obtener el consentimiento de los pacientes? Disculpe que se lo pregunte tan directamente, pero es mejor aclarar los inconvenientes antes de que surjan."

El profesor Faludi se tomó tres semanas para responder. Yo ya pensaba que mis preguntas lo habían asustado. Finalmente me escribió:

"Los estudios con placebo siempre han traído ciertos inconvenientes. Al menos en el caso de los pacientes esquizofrénicos o maníacos, propongo comenzar la investigación en el hospital. En el resto de los casos no veo ningún inconveniente.

"En lo que respecta a los artículos sobre ensayos clínicos en Hungría, eran puras mentiras. Pero no se preocupe: nada ha cambiado a causa de ellos."

Efectos colaterales inesperados

Entretanto, yo ya había concertado un encuentro en Budapest con el doctor Kassai-Farkas y le había anticipado que el director médico de mi mandante, el doctor Klaus Werner, también estaría allí para que pudiésemos conversar sobre todas las cuestiones que habían quedado pendientes.

Pero no iba a dejar que la cosa llegara tan lejos.

Un par de días antes de la fecha fijada para el encuentro les comuniqué al doctor Kassai-Farkas y al profesor Faludi que el comienzo de nuestro ensayo clínico tendría que ser aplazado a causa de un efecto colateral inesperado y que había que volver a revisar todo, de modo que no sería posible mantener nuestro cronograma. Les aseguré que volverían a tener noticias mías tan pronto se hubiese esclarecido el asunto.

Ya había obtenido toda la información que quería, de modo que trasladé mi investigación a Sudáfrica.

Multinacionales aquí y allá

Esto ocurrió a principios de abril de 2001. Ante la Corte Suprema en Pretoria, y ante los ojos de la opinión pública mundial, comenzaba un juicio entablado por 39 laboratorios internacionales contra el gobierno sudafricano: se trataba de medicamentos contra el sida, de millones de muertos a causa del sida... y de mucho dinero.

No me sorprendió que los laboratorios que aparecían como querellantes en Sudáfrica fueran los mismos que figuraban en la lista de ensayos del doctor Kassai-Farkas: Bristol-Myers Squibb, Glaxo Wellcome, Hoechst Marion Roussel (esta compañía pasó a integrar el grupo Aventis), Janssen-Cilag, Lundbeck, Novartis.

Encabezando la lista había también trece empresas alemanas o de origen alemán con sus respectivas filiales. Entre ellas, Bayer, Boehringer Ingelheim, Merck y Schering.

El sida en Sudáfrica

Al menos 5.000 personas mueren por día en África a causa del sida.[24] Para el año 2005, esta enfermedad se habrá cobrado más víctimas fatales que la Primera y la Segunda Guerra Mundial juntas.[25]

La situación en Sudáfrica es especialmente grave. Allí hay más de 4,7 millones de infectados. Cada día, 1.700 personas (de las cuales 200 son recién nacidos) se contagian este virus letal. Hospitales y médicos hay muy pocos, y medicamentos, casi ninguno. ¿Quién es el culpable de esta tragedia humana y médica?

Para los activistas del sida y para el gobierno sudafricano, la cosa está bien clara: los culpables son los laboratorios farmacéuticos, que exigen precios obscenos por sus medicamentos e impiden así que los pobres en Sudáfrica reciban un tratamiento. A primera vista, en eso tienen razón. ¿Cómo hace alguien que gana 25 euros mensuales para pagar medicamentos que en Europa cuestan 800 euros por mes y más?

Ricos contra pobres

El gobierno sudafricano se ha convertido en un símbolo de la resistencia, al oponerse a las prácticas que despliegan los laboratorios multinacionales para defender sus ganancias a toda costa.

En 1997, el gobierno del por entonces presidente Nelson Mandela promulgó una ley que permitía copiar medicamentos vitales y producirlos (a bajo precio) o importarlos. De ese modo se recortaban los generosos derechos de patentes de los laboratorios por debajo del plazo de veinte años.

Las compañías intentaron derogar la ley por todos los medios. Lobbistas muy bien pagos incitaron en Washington a la administración Clinton, más que nada a su vicepresidente Al Gore, a ejercer una sutil presión contra Sudáfrica. Los norteamericanos amenazaron con imponer severas sanciones comerciales.

Pero David se mantuvo en sus trece y consiguió el apoyo de numerosas agrupaciones contra el sida, que denunciaron públicamente el deshonesto proceder de este Goliat encarnado en las multinacionales y el gobierno norteamericano.

Cada vez que Al Gore hacía una aparición pública para promocionar su candidatura a la presidencia, tenía que vérselas con gente que le atribuía complicidad en la muerte de enfermos de sida en África. Agotado, el vicepresidente terminó por suspender su apoyo a las empresas hacia fines de 1999. Sudáfrica pudo celebrar una pequeña victoria.

Pero no por mucho tiempo. A principios de 2001, las 39 multinacionales, junto con la Asociación Farmacéutica de Sudáfrica, demandaron al gobierno por violar el derecho de patentes.

La industria farmacéutica contra el Tercer Mundo

El gobierno sudafricano intenta generar una amplia plataforma para limitar el monopolio de 20 años que otorga el derecho de patentes, y eso es lo que perturba a las multinacionales. Aquí no se trata únicamente del sida o de conseguir medicamentos baratos para combatir el sida: el tema es que un gobierno tercermundista quiere asegurarse el derecho de producir medicamentos en su propio país y del modo más económico posible, como para que los pacientes de bajos recursos también puedan adquirirlos. Prácticamente ningún sudafricano está en condiciones de comprar remedios al precio del mundo occidental.

En la actualidad, el TRIPS (Derecho de Propiedad Intelectual) ya contempla la adopción de medidas especiales para acortar la duración de las licencias y producir preparados de tipo genérico.[26] Pero para poder hacer entrar en vigencia esas medidas especiales, Sudáfrica tendría que declarar el estado de emergencia sanitaria. El presidente Thabo Mbeki se niega a dar ese paso, argumentando que los negros ya sufrieron demasiado con las leyes de emergencia de los blancos. La explicación no suena muy convincente. Es curioso que el gobierno sudafricano no diga abiertamente qué es lo que quiere: se trata, nada más ni nada menos, que de imponer en forma global y como un derecho humano el acceso a los medicamentos incluso para los pobres. Está claro por qué los laboratorios se oponen rotundamente: el debilitamiento del régimen de patentes podría poner coto a sus fabulosas ganancias, las que generan a partir de la comercialización de nuevos medicamentos.

Goliat tiene el dinero, el poder, los acuerdos comerciales internacionales y el régimen de patentes de su parte. David cuenta con el apoyo de organizaciones de ayuda internacional como Médicos Sin Fronteras, con el grupo inglés Oxfam y con una asociación que nuclea a entidades de derechos humanos y damnificados, que se unieron para formar la Treatment Action Campaign (TAC).

Aquí hay mucho más en juego que un mero abaratamiento de los remedios contra el sida, por lo cual otros países en desarrollo están siguiendo atentamente esta disputa.

De hecho, no es que los países pobres del sur no contribuyan al progreso de la medicina. Todo lo contrario: sin la cantidad de ensayos clínicos que tienen lugar allí, los laboratorios tardarían mucho más tiempo en conseguir la documentación necesaria para la aprobación en Europa o en los Estados Unidos.

Pero una aprobación más rápida significa un aumento de las ganancias para los laboratorios. Por eso, los países pobres deberían obtener al menos el derecho sobre los medicamentos vitales, para producirlos en forma barata o importarlos a menor costo.

Indudablemente, a la industria farmacéutica le resulta imperioso proteger sus patentes para financiar las investigaciones. Al margen de las críticas que puedan hacerse, está claro que los laboratorios multinacionales son el motor de todos los progresos en el área farmacológica. Salvo unas pocas excepciones, todos los tratamientos y los análisis para el sida fueron desarrollados por la demonizada industria farmacéutica. Si los laboratorios perdieran el incentivo de obtener ganancias a partir de esos medicamentos, se acabaría la investigación. Sería poco inteligente sacrificar la vaca que se quiere ordeñar.

Los buenos y los malos

Cuanto más lee uno sobre el tema del sida en Sudáfrica, más tiene la impresión de que el límite entre los buenos y los malos es bastante borroso.

¿Cuál es la causa del sida? ¿Es un virus contagioso, tal como señalan hoy casi todos los expertos? ¿O hay otros factores en juego, como la pobreza, la subalimentación o precisamente aquellos medicamentos que se utilizan como tratamiento para el sida? Esto es lo que afirman algunos investigadores californianos a quienes nadie toma en serio dentro del círculo médico oficial, pero que de todas formas acaparan la atención debido a un defensor muy prominente: el presidente sudafricano Thabo Mbeki.[27]

El presidente no sería presidente si no pudiera imponer sus opiniones. Éstas trajeron como corolario que decenas de miles de bebés sudafricanos hayan contraído el virus del sida y estén condenados a una muerte que podría evitarse.

En 1998, médicos tailandeses descubrieron que, si se aplica un remedio contra el sida durante una semana, el riesgo de transmisión del VIH por parte de las embarazadas a sus bebés disminuye en un 50%. Desde entonces, esta terapia se utiliza en todo el mundo para tratar a las embarazadas que están infectadas con el virus. Pero en Sudáfrica el tratamiento estuvo prohibido hasta principios de 2001. ¿Por qué? Sostenían que era inocuo y que solamente causaba daño.[28] En la actualidad, ya está permitido.

Una pequeña victoria

Entretanto, la disputa judicial entre el gobierno sudafricano y los laboratorios quedó anulada. Las compañías retiraron la demanda a mediados de abril de 2001, ya que su imagen empeoraba cada día más. Pondrán a disposición de Sudáfrica remedios contra el sida, baratos y en cantidad suficiente. La única concesión que recibieron a cambio fue un permiso de Sudáfrica para participar en la redacción de la ley de fabricación de genéricos.

Las empresas podrán absorber estas eventuales pérdidas sin mayor dificultad, ya que sus principales ganancias provienen de los tres mercados farmacéuticos más importantes: EE.UU., Europa Occidental y Japón. El resto de los países no tiene peso.

Pero la victoria del gobierno sudafricano deja un resabio amargo: no tiene validez global, y los contratos comerciales internacionales tampoco serán modificados en favor de los países más pobres. Éstos seguirán dependiendo de la misericordia de los poderosos.

Es probable que el gobierno sudafricano sólo haya ganado esta disputa porque, al tratarse del tema del sida, recibió el apoyo de numerosas agrupaciones de lucha contra esa enfermedad en los países industrializados. En cambio, otras enfermedades como la tuberculosis, el cólera, la diarrea, la enfermedad del sueño, la bilharziasis o la malaria no son temas que movilicen al mundo, a pesar de que en África tienen los mismos efectos devastadores. Simplemente no son *fashion*. Además, casi no se hacen investigaciones para combatir esos males, ya que los nuevos remedios no generarían grandes ganancias.

Esta disputa por conseguir medicamentos nuevos que también estén al alcance de los pobres seguramente continuará. Sin embargo, cabe el temor de que esta lucha se desarrolle a puertas cerradas. De esa manera, los países industrializados pueden imponer sus intereses de forma mucho más eficaz, a través de amenazas, sanciones, condicionamientos a la inversión y demás elementos de presión.

Kenia, India, Tailandia y otros países en desarrollo ya están en la mira de los norteamericanos.[29]

Demasiado tóxico

"Ahora el gobierno sudafricano no tiene más excusas para dejar de combatir de manera efectiva la epidemia del sida", dice Zackie Achmat, conductor del grupo de activistas TAC, que apoyó al gobierno sudafricano en su lucha contra los laboratorios farmacéuticos.[30]

Porque no alcanza con preparar remedios más baratos o gratuitos. Si no se modifica rápidamente el sistema de salud pública, los medicamentos no van a servir de mucho. Hay que almacenarlos de manera adecuada. Además, quienes los toman deben someterse a controles periódicos para evitar efectos colaterales no deseados. Si los medicamentos se toman en forma inadecuada o con interrupciones, aumenta el riesgo de que se generen cepas resistentes del VIH y de que los remedios dejen de surtir efecto.

Pero lo que el gobierno sudafricano ha descuidado de manera imperdonable hasta el día de hoy es, sobre todo, la prevención.[31] Salvo en algunos casos excepcionales, no se realizan análisis de VIH para constatar la infección.

Por el momento, las probabilidades de controlar la epidemia del sida en Sudáfrica son bastante remotas, a pesar de la victoria del gobierno sobre la industria farmacéutica.

En una entrevista concedida el 24 de abril de 2001 a la cadena privada sudafricana e-tv, el presidente Thabo Mbeki declaró que a él no le constaba que los análisis de sida fueran realmente útiles. Rechazó también la utilización de antivirales en los tratamientos, alegando que eran demasiado tóxicos y que su tolerancia no estaba comprobada.[32]

Algunos activistas ya declararon que el próximo objetivo de su campaña contra el sida podría ser el gobierno sudafricano.[33]

El caso de Uganda: un ejemplo

El estado de Uganda, en África Central, demuestra que las campañas de concientización y de tratamiento y el suministro de medicamentos baratos permiten bajar drásticamente las tasas de contagio. En 1990 había un 14% de la población adulta de ese país infectado con el VIH. Para el año 2000 se había conseguido bajar esa tasa al 8,3% (820.000 infectados).[34]

ENSAYOS CLÍNICOS NO ÉTICOS
REGISTRADOS EN LA BIBLIOGRAFÍA MÉDICA

VIH (sida)[35]

El VIH constituye un problema sobre todo en África y en el este asiático. Ya en 1994 se demostró claramente que un tratamiento con fármacos permitía evitar la transmisión del virus al feto durante el embarazo. Sin embargo, en Asia y África hubo desde entonces por lo menos quince ensayos realizados por médicos en los que miles de mujeres embarazadas recibieron un placebo en lugar del fármaco probado. Los investigadores lo hicieron a sabiendas, a pesar del riesgo de contagio para los bebés. Esos ensayos no fueron financiados por la industria farmacéutica, sino por entidades públicas: nueve de ellos por autoridades del gobierno norteamericano, cinco por otros gobiernos y uno por el Programa Conjunto de las Naciones Unidas sobre el VIH/sida (ONUSIDA).

Existen muchos otros estudios en los que tanto laboratorios como médicos se abstuvieron (a sabiendas) de suministrar un tratamiento eficaz a los infectados.

Tuberculosis[36]

En el Estado africano de Uganda, a mediados de los años noventa, se llevó a cabo un ensayo en el cual los pacientes infectados con VIH no recibían antibióticos para prevenir la tuberculosis. Este ensayo fue financiado por un organismo gubernamental norteamericano: el Center for Disease Control. En EE.UU. o en Europa Occidental no se habría permitido realizar ningún estudio semejante. En esos países, las normas clínicas indican que los pacientes con VIH que corren peligro de contraer tuberculosis deben recibir antibióticos en forma preventiva.

Este ensayo se publicó en septiembre de 1997 en la revista de medicina de mayor renombre mundial, la *New England Journal of Medicine*, desencadenando una discusión ética muy encendida entre los médicos.

Malaria[37]

A mediados de los años noventa, médicos chinos inocularon deliberadamente el germen de la malaria a pacientes con VIH para investigar sus efectos sobre la enfermedad. Estos experimentos fueron financiados por la fundación privada Eleanor Dana Charitable Trust, una organización de caridad de origen norteamericano. En EE.UU y en México los estudios de ese tipo habían sido prohibidos por los respectivos comités de ética.

Experimentos con niños

En 1998, el médico norteamericano Peter R. Breggin denunció públicamente que la Food and Drug Administration había otorgado el permiso para que se realizaran experimentos en niños neoyorquinos con la fenfluramina (que por entonces ya estaba prohibida).[38] En septiembre de 1997, ese mismo organismo había prohibido que el medicamento se continuara comercializando en EE.UU., ya que sus efectos colaterales incluían valvulopatías con riesgo vital y destrucción de células del cerebro. Por esa razón, la fenfluramina fue retirada del mercado en todo el mundo, incluso en Alemania, donde la distribuidora Itherapie la comercializaba como medicamento adelgazante con el nombre Ponderax.

Los niños utilizados como conejillos de Indias por los investigadores de las universidades de Nueva York y Queens no eran niños elegidos al azar. Eran de origen negro o latino, de familias pobres cuyos miembros seguramente no formularían ninguna pregunta incómoda. Estos ensayos fueron financiados por autoridades estatales.

Hipertensión arterial[39]

En los años noventa se convenció a miles de pacientes en Europa Occidental, Europa Oriental, América del Norte, América del Sur y China para que participaran en investigaciones sobre la eficacia de los antihipertensivos. También hubo clínicas alemanas que tomaron parte en esos ensayos. En aquel momento ya se había probado fehacientemente que el número de ataques de apoplejía e infartos disminuye si se efectúa un tratamiento medicamentoso. Sin embargo, durante años, a la mitad de esos pacientes no se le suministró un medicamento eficaz, sino sólo un placebo, con lo cual los laboratorios y médicos involucrados estaban arriesgándose a sabiendas a que numerosos pacientes sufrieran ataques de apoplejía o infartos.

Dos de esos ensayos (Syst-Eur y Syst-China) se llevaron a cabo con el apoyo financiero de la compañía Bayer. Lo que se testeaba era la nitrendipina, un antagonista del calcio contenido en el medicamento *Bayotensin*.

La multinacional franco-alemana Hoechst Marion Roussel (que entretanto ha pasado a formar parte de la compañía Aventis) financió —a medias con la anglo-sueca AstraZeneca— otro ensayo denominado HOPE. Lo que allí se testeaba era el ramipril, un inhibidor ACE contenido en el medicamento *Delix* de Hoechst Marion Roussel y en el *Vesdil* de AstraZeneca. Una serie de pacientes participantes del estudio HOPE no recibió el tratamiento antihipertensivo adecuado[40], por lo cual su riesgo de sufrir un ataque de apoplejía o una afección cardíaca grave era mayor que el de otros pacientes.[41]

NEGOCIOS TURBIOS

No hay rubro en el que los derechos humanos se pisoteen
tanto como en el del petróleo. Para obtener ganancias a
partir del oro negro, algunas multinacionales del petróleo
financian guerras, pagan comandos asesinos y tornan
inhabitables regiones enteras.

Alguna vez esta región debió de haber sido hermosísima: playas de arenas blancas y esteros con palmeras y manglares. Tierra adentro, un sistema de ríos ramificados en medio de la espesura del bosque. Aguas ricas en peces, que ofrecían a los lugareños alimento y agua potable y alimentaban la tierra fértil. Gente amistosa, ciudades llenas de vida, naturaleza virgen y especies animales exóticas como el cocodrilo enano, el hipopótamo enano y el leopardo. Un paraíso turístico.

Pero por el delta del Níger, en el sur de Nigeria, no se ve ningún turista. La austríaca Susanne Geissler, quien visitó la región en enero de 2001 en el marco de un proyecto de la UE, describe la situación como la de una película de terror: "Apenas se puede respirar. El paisaje se ve sólo a través de una capa de niebla gris. El aire está apestado por las plantas industriales y el tránsito. Y a través de ese velo gris resplandecen por todas partes unas llamaradas de gas ardiente de varios metros de altura[1]. Al principal culpable de este escenario fantasmagórico, que transformó una próspera región de unos 35.000 kilómetros cuadrados en un desierto industrial, aquí lo conocen todos: se llama Shell.

Shell en Nigeria

La multinacional anglo-holandesa Royal Dutch Shell extrae y produce petróleo en el delta del Níger desde 1958, cuando este país aún era una colonia perteneciente a la corona británica. Shell Petroleum Development Corporation (SPDC), la compañía subsidiaria local, es la principal extractora de petróleo en Nigeria. Casi la mitad de la producción nigeriana, de más de dos millones de barriles diarios[2], va a parar a su cuenta. Shell trabaja en estrecha colaboración con la compañía nigeriana nacional, Petroleum Corporation (NNPC), con la compañía petrolera francesa Elf y con la italiana Agip. Todas ellas conforman un holding.[3]

Pero desde el 10 de noviembre de 1995 se ha interrumpido la paz familiar. Ese día, el dictador nigeriano Sani Abacha mandó a matar a Ken Saro Wiwa, escritor y activista por los derechos humanos que había protestado durante años contra Shell. Sus familiares afirman que por ese motivo había que apartarlo del camino. Su asesinato colocó tanto al régimen como a la compañía bajo una fuerte presión internacional.

Cómplices de la dictadura militar

Entre 1966 y 1999, Nigeria fue gobernada en forma casi ininterrumpida por dictaduras militares que, en su mayoría, cooperaron estrechamente con la compañía europea. El más brutal de estos regímenes fue sin duda el del general Abacha, que comenzó el 12 de junio de 1993 y se extendió hasta su muerte en junio de 1998. Su mandato se caracterizó por la persecución de miles de opositores, por detenciones masivas y por ejecuciones, violaciones y saqueos llevados a cabo por altos jefes militares, pero sobre todo por un aumento generalizado de la corrupción y el enriquecimiento personal de las cúpulas políticas. Abacha y su familia habrían depositado tres mil millones de dólares estadounidenses en 19 cuentas de bancos suizos y franceses,[4] mientras que la mayor parte de los 120 millones de nigerianos ni siquiera tiene acceso al alimento, la educación y la atención médica. En 1960, año de la independencia de Nigeria, el 30% de la población vivía por debajo de la línea de pobreza. Ese porcentaje fue creciendo hasta llegar al 70% en 1999.

Otros grandes beneficiarios de la corrupción y la explotación del país fueron las multinacionales petroleras, a quienes incluso se acusa de haber propiciado el ascenso de los militares al poder. Como contrapartida, las empresas pudieron explotar a discreción las riquezas regionales del subsuelo. De ese modo, no sólo se despojó al país de sus riquezas y se le quitó a la población sus posibilidades de desarrollo: la industrialización del delta del Níger, así como las instalaciones y los métodos antediluvianos de extracción utilizados por una de las principales petroleras del planeta, dejaron la tierra estéril por décadas, destruyeron la agricultura y la pesca, contaminaron el agua potable y el aire y redujeron la potencial explotación turística de la zona al nivel de una ocurrencia absurda.

En octubre de 1990, cuando los habitantes de la localidad de Umuechem convocaron a una protesta contra Shell, se desató una masacre. Amenazada por estas manifestaciones, la compañía recurrió a la tristemente célebre Unidad Móvil de Policía. Unas 80 personas fueron asesinadas y 495 viviendas destruidas.[5]

La lucha de los ogoni

En 1993, el Movement for the Survival of the Ogoni People (Movimiento para la Supervivencia del Pueblo Ogoni, MOSOP), bajo la conducción de Ken Saro Wiwa, logró movilizar a decenas de miles de personas en contra de la compañía Shell. Esta resistencia finalmente logró atraer la atención de la opinión pública mundial, cuya presión obligó a uno de los más poderosos productores de petróleo del planeta a suspender por un tiempo sus extracciones en Nigeria. Para reanudarlas, el gobierno de Abacha decidió adoptar brutales medidas de represión. Cabe recordar que en Nigeria la industria petrolera representa casi el noventa por ciento de los ingresos provenientes de la exportación. Cientos de ogoni fueron arrestados y ejecutados en forma arbitraria. En total fueron asesinadas 2.000 personas, y se estima que unas 80.000 perdieron sus casas en los años posteriores.[6] Dos años más tarde, Ken Saro Wiwa, de 53 años, fue ahorcado junto con ocho de sus compañeros, a pesar de las protestas internacionales. El régimen alegó que los ogoni eran responsables de asesinar a varios jefes de tribus rivales y condenó a los nueve hombres a la horca.

La sentencia, dictada tras un juicio irregular, se ejecutó en Port Harcourt, la capital del estado nigeriano de River State. "Mi energía intelectual y todos los medios de los que dispuse, mi vida misma la dediqué a una causa en la que creo firmemente y que no abandonaré ni con chantajes ni con amenazas", declaró ante el tribunal militar este hombre de prestigio internacional, quien se hizo acreedor al Premio Nobel alternativo.[7] Como en todo el delta del Níger no se encontró a nadie que accediera a llevar a cabo la ejecución, hubo que traer al verdugo especialmente desde la ciudad desértica de Sokoto, situada a unos 1.000 kilómetros de distancia.

"La horca sigue estando allí. Cada vez que se cuela una corriente de aire por las sofocantes instalaciones carcelarias de Port Harcourt, la soga con el nudo corredizo todavía se balancea", escribió un periodista africano.[8] Tampoco se revisó hasta el día de hoy esa injusta sentencia, ni siquiera se entregaron los restos mortales de Ken Saro Wiwa para que recibieran sepultura, a pesar de que hasta las Naciones Unidas pusieron en duda la legalidad de la sentencia.[9]

Proceso contra Shell

Lograr un tratamiento jurídico correcto en Nigeria era algo impensable. Pero en los Estados Unidos existe una ley que permite efectuar demandas por violaciones a los derechos humanos aun cuando éstas se hayan perpetrado en otro lugar del mundo. Por eso, algunos miembros de la familia de Saro Wiwa residentes en los Estados Unidos (entre ellos su hijo, Ken Wiwa, y el hermano, el doctor Owens Wiwa) acudieron en 1996 a un tribunal neoyorquino para obtener una indemnización por parte de Shell y su filial nigeriana.

Sus acusaciones:

Shell
• habría instigado al gobierno militar nigeriano a torturar y asesinar a Ken Saro Wiwa y a otros miembros del pueblo ogoni;
• habría ayudado a lanzar las acusaciones de asesinato contra ellos, sobornando a tal fin a los testigos;

- se habría apropiado de tierras para la extracción de petróleo sin pagar a cambio las compensaciones adecuadas;
- habría contaminado el agua y el aire del lugar, quitándole
  a los ogoni su sustento vital;
- habría reclutado policías y militares para atacar poblacio-
  nes locales. Esos ataques habrían causado muertos y heridos;
- habría puesto dinero, armas y apoyo logístico a disposición de los militares, con el objeto de combatir a aquellos
  miembros de la población que se manifestaran contra la
  contaminación causada por la empresa.[10]

Entretanto, la compañía admitió que en 1993, por lo menos
en una oportunidad, "se había visto obligada" a contratar en
forma directa a fuerzas de seguridad nigerianas.[11] Sin embargo,
Shell rechazó las acusaciones e intentó impedir la demanda
durante años alegando que las víctimas no eran ciudadanos
americanos.

Por esa razón, en 1998 un juez federal norteamericano rechazó la demanda, pero el tribunal de apelaciones retomó el caso en
septiembre de 2000 (dos meses antes del quinto aniversario de
la ejecución) y lo derivó a la Corte Suprema en Nueva York.[12] El
abogado de la empresa envió una carta de protesta: "Con esta
decisión, prácticamente todas las multinacionales que cotizan
en Bolsa en los Estados Unidos corren el riesgo de ser citadas
por la Corte Suprema de Nueva York para enfrentar demandas
que no tienen relación con los Estados Unidos ni violan ninguna
ley federal."[13]

Sin embargo, el 26 de marzo de 2001 la Corte Suprema de
Nueva York anunció que daría curso a la demanda de la familia
de Ken Saro Wiwa contra Shell. De este modo, surge la posibilidad concreta de que una empresa que opera internacionalmente
deba rendir cuentas por su actuación en un Estado represivo.
Deeka Menegbon, secretario general del movimiento ogoni
MOSOP, celebró la decisión neoyorquina: "Fuera de Nigeria tenemos muchas más chances de que se haga justicia."[14] El proceso comenzará después de finalizadas las investigaciones para
este libro.

La familia, que responsabiliza a la empresa de "favorecer la
ejecución de Saro Wiwa", exige varios millones de dólares en

concepto de indemnización. Pero para Shell hay mucho más en juego que esos millones. Shell se está jugando su buena reputación. Y en ese sentido, un proceso llevado adelante por un tribunal norteamericano no le hace nada bien a su imagen.

Ken Saro Wiwa y Brent Spar: imagen dañada

La imagen de la compañía no sólo se vio perjudicada por el asesinato del nigeriano Ken Saro Wiwa, sino también por los incidentes relacionados con la plataforma petrolífera Brent Spar. La plataforma de perforación, anclada en el mar, 190 kilómetros al nordeste de las islas Shetland, sirvió como depósito transitorio de petróleo crudo entre 1976 y 1991. Para ahorrarse el costoso y complicado proceso de desguace, Shell pretendía hundir en el Mar del Norte el coloso de acero, con alrededor de 130 toneladas de lodo, metales pesados y desechos radiactivos.

La organización ecologista Greenpeace destapó e hizo pública la catástrofe ambiental en cierne. En una campaña sin precedentes, los Guerreros del Arco Iris consiguieron dañar la imagen de la compañía petrolera, a tal punto que ésta terminó abandonando la idea por propia voluntad. Previamente, Shell había agudizado aún más la confrontación a través de peligrosos ataques tales como la utilización de camiones hidrantes contra los activistas, cosechando en respuesta una condena masiva de los medios. Los defensores del medio ambiente también cometieron un desliz por el que más tarde tuvieron que disculparse: por un error de medición, Greenpeace sobredimensionó la cantidad de petróleo que quedaba en la Brent Spar. Pero la presión de la opinión pública era ya tan grande que en junio de 1995 Shell se declaró dispuesta a desguazar Brent Spar conforme a las normas. En 1998, los ministros de Medio Ambiente de los quince países ribereños del Atlántico nordoriental prohibieron el hundimiento de plataformas petrolíferas en el mar.[15]

Boicot a Shell

Según una encuesta realizada en 1995, el 74% de los ciudadanos alemanes estaba dispuesto a boicotear a las gasolineras de Shell como medida de protesta frente al hundimiento pergeñado por la empresa. El boicot de los consumidores provocó una caída de hasta un 80 por ciento en las ventas de la compañía.[16] El entonces vocero de la Shell de Austria lamentaba que, incluso meses después, numerosos automovilistas seguían evitando los surtidores con el logo del molusco.[17]

Una agencia británica de información económica, que había sido creada por ex colaboradores del M16 (servicio secreto de ese país) y que mantenía relaciones con altos ejecutivos de Shell y BP, llegó incluso a introducir un espía entre los ecologistas. Su misión era conocer de antemano las estrategias de aquéllos contra las petroleras multinacionales para que las empresas pudiesen reaccionar a tiempo. Por ejemplo, cuando en 1997 Greenpeace planeaba manifestaciones contra las perforaciones de petróleo en el Atlántico, BP cubrió de demandas a los activistas ambientales antes de que la campaña terminara de ponerse en marcha.[18]

¿Precursores en temas de derechos humanos?

A todo esto, las empresas intentan presentarse como precursoras en la protección del medio ambiente y los derechos humanos. Shell promociona su política empresarial "verde" mediante grandes avisos y fotos de selvas florecientes: "Cuando buscamos reservas de petróleo y de gas en regiones delicadas, consultamos ampliamente a los diferentes grupos de interés locales o globales para asegurar que se preserve la biodiversidad en cada lugar. (...) Lo consideramos como una inversión importante para lograr nuestra meta: un desarrollo sustentable y un equilibrio entre progreso económico, protección ambiental y responsabilidad social."[19]

Otro tópico muestra el bello rostro de una mujer africana acompañado del texto: "¿No es asunto nuestro? O es la médula de nuestros asuntos: los derechos humanos. Generalmente, no son una prioridad en los asuntos comerciales. Pero en Shell nos sentimos llamados a apoyar los derechos humanos fundamentales."

"Cuando Shell dice que respeta los derechos humanos, yo no les creo", responde Ike Okonta, de la agrupación ecologista Environmental Rights Action. "Shell sigue trabajando en forma

105

conjunta con el gobierno nigeriano. El objetivo es evitar el levantamiento y las protestas de la población local, que quiere que sus tierras vuelvan a ser fértiles."[20]

La empresa niega sus culpas

En la página de Internet de la SPDC (filial de Shell en Nigeria[21]), uno puede conocer la versión de la compañía acerca del conflicto con los ogoni. Allí se señala: "Las noticias sobre la muerte de los famosos ogoni, la ejecución de Ken Saro Wiwa y otros ocho generaron estupor y tristeza en la compañía SPDC"; pero "negamos rotundamente todas las acusaciones de violaciones a los derechos humanos".

La compañía se muestra abierta al diálogo con la población. Sin embargo, considera que hasta ahora sus intentos han sido bastante infructuosos, "probablemente a causa de la diversidad de opiniones entre los mismos ogoni".

En general, Shell no es muy capaz de reconocer las culpas por su comportamiento. Por ejemplo, la empresa atribuye la mayor parte de los "aparentes daños ambientales" en el delta del Níger a sabotajes y actos de vandalismo: "A nuestro entender, esos hechos han causado más derrames de petróleo que los habituales. Por eso la acusación de destrucción ambiental aparece como exagerada y evidentemente para lo único que sirve es para desviar la atención hacia otros temas referidos a la lucha de los ogoni y al delta del Níger."

Acusaciones de sabotaje

Susanne Geissler, del Instituto Austríaco de Ecología, también oyó algo acerca de las acusaciones de sabotaje. "Sólo que, independientemente de con quién uno hable, nadie cree en esas acusaciones. Con las destrucciones, Shell provocó una altísima desocupación juvenil. Y ahora se usa a los jóvenes desocupados como chivos expiatorios, imputándoles la destrucción de los oleoductos y echándoles así la culpa de la destrucción ambiental."[22]

"Vivo junto a este oleoducto desde que tengo uso de razón. En los últimos cuarenta años, jamás lo cambiaron ni le hicieron mantenimiento. Y ahora sencillamente se rompió. Yo lo vi: no fue un acto de vandalismo juvenil, sencillamente era demasiado viejo"[23], cuenta un habitante de la región de Warri. Ya en diciembre de 1998, activistas del pueblo ijaw protestaban contra esta historia del sabotaje: "Estamos hartos de las antorchas de gas, de los derrames de petróleo y de las explosiones. Y también estamos hartos de que nos tilden de saboteadores y terroristas." Lógicamente, la respuesta a esta declaración fue un golpe de los militares, en el que más de doscientas personas murieron asesinadas y muchas más fueron torturadas y encarceladas. Los militares torturaron y violaron incluso a niñas de 12 años, según informa la agrupación de derechos humanos Human Rights Watch.[24]

Destrucción total del medio ambiente

Durante los últimos 35 años, la industria petrolera generó en Nigeria siete millones de metros cúbicos de residuos por perforaciones. Esos residuos se arrojaron en lugares aledaños a los centros de producción. Según cifras oficiales, se producen alrededor de trescientas manchas de petróleo por año, derramándose en ellas 2.300 metros cúbicos. El Banco Mundial calcula que la cifra es diez veces mayor.

"La causa de la mayoría de los accidentes fue el mal mantenimiento. Después de estar veinte años en terrenos pantanosos y húmedos, muchos oleoductos están totalmente oxidados", concluye un estudio realizado a pedido de Greenpeace.[25]

Como consecuencia aparecen los denominados *oil spills* (derrames de petróleo), que se producen con frecuencia en las inmediaciones de los pueblos.

La tierra escupe petróleo

Un video casero[26] muestra un hecho que ya casi ha pasado a ser parte de la vida cotidiana en esta región: julio de 2000, aldea de Ugbomron, estado nigeriano de Delta State. Por encima de los manglares, inmediatamente detrás de las casas, se eleva una inmensa nube de humo negra que oscurece el cielo. Un oleoducto subterráneo se averió, el petróleo alcanzó la superficie y se transformó en llamas. Mujeres y niños recogen lo indispensable y se marchan de la aldea por la calle angosta que atraviesa la sabana. Los hombres se reúnen a una distancia prudencial del foco de incendio y sólo atinan a observar cómo el bosque entero es alcanzado por el fuego. Llega una autobomba con el logo amarillo de Shell. Los bomberos aplican extintores durante horas para apagar el incendio. Lo que queda es una alfombra de petróleo, negra y pegajosa, que cubre tierras y bosques. Y una pequeña laguna de agua, sustancias extintoras y petróleo, cuyo centro borbotea en forma ininterrumpida como el cráter de un volcán. Cuando el primer rayo de sol atraviesa la nube de humo en retirada, estalla el júbilo. Pero la alegría cede rápidamente el paso a la furia. La gente va desfilando delante de la cámara quejándose de que eso sucede continuamente, de que se repite una y otra vez: "Shell deja que las cañerías se deterioren, el petróleo se filtra hacia la superficie y destruye todo lo que tenemos."

Muchos de los oleoductos datan de fines de los años cincuenta. "Shell fue informada sobre las averías, pero no hace nada", dice Susanne Geissler. Según la ecologista, los centros de producción también son completamente obsoletos: "El gas que se origina en las refinerías como desecho industrial simplemente se quema. Antes nosotros también lo hacíamos, pero ahora ya existen tecnologías que permiten utilizar ese gas. Por supuesto que tienen su costo, pero ¿cómo es posible que una multinacional en África pueda extraer todo lo que quiera sin invertir nada a cambio?"

Según el estudio de Greenpeace, "el venteo de los gases residuales se realiza en aproximadamente sesenta centros, casi siempre al nivel del suelo, con un simple terraplén como única protección. Algunas de esas plantas vienen quemando gas natural justo al lado de las casas desde hace treinta años, todos los días y durante las 24 horas."

En Nigeria se queman veinte mil millones de metros cúbicos de esos gases residuales por año. Esto constituye una de las principales fuentes de emisión de los gases de efecto invernadero, que promueven en modo sustancial el recalentamiento del planeta. "Como consecuencia de la defectuosa quema del gas natural, cada año llegan a la atmósfera 12 millones de toneladas de metano. Esto representa once veces la emisión total de metano en los Países Bajos", indica el estudio de Greenpeace.

La enfermedad breve y la muerte

La lluvia ácida, generada por las llamaradas de gas y la quema de petróleo, no sólo dejó yerma la tierra. También podría ser responsable de una enfermedad ampliamente extendida en la zona: la denominada "Brief Illness" o "Enfermedad Breve". "Casi todo el mundo aquí tiene algún familiar que ha muerto a causa de esta enfermedad", relata Geissler. "Todo comienza con dolores de cabeza y dificultades respiratorias, seguidas por fiebre alta. La mayoría se muere dentro de los tres días." Las víctimas se cuentan por miles. Debido a la ausencia de investigaciones oficiales, la relación con la quema de petróleo y de gas no está comprobada. Médicos ambientalistas detectaron en los cabellos de las víctimas cantidades considerables de plomo, que provienen con seguridad de la contaminación. Incluso los peces (que alguna vez fueron un importante recurso alimenticio y fuente de ingresos) estarían altamente contaminados.

Shell, en cambio, se ve a sí misma como una bendición para la región. Según datos propios, la compañía destina alrededor de 60 millones de euros por año a proyectos sociales, lo cual la convierte en uno de los inversores más importantes de esa zona. "Con quien tenemos que vérnoslas aquí es con una población perseguida por la pobreza que ha encontrado un camino para sacar provecho del negocio del petróleo", dice Dierdre Lapin, de SPDC, la subsidiaria de Shell.[27]

Cifras ridículas para proyectos solidarios

"¿60 millones? ¡Qué ridiculez! ¿Cuál es el costo de tener los ríos y las tierras así, tan contaminados que el sustento vital de la población ha quedado aniquilado por décadas?", replica Geissler. "Tal vez estén especulando con que algún día la población de aquí se extinga de una vez por todas, así pueden extraer petróleo tranquilos." En 1992, el movimiento ogoni MOSOP exigió a la compañía Shell el equivalente a unos once mil millones de euros como indemnización (sólo por los daños causados en su territorio desde 1958): siete mil millones en concepto de participación en las exportaciones de petróleo, cuatro mil millones por la destrucción ambiental causada en el país.

El MOSOP calcula que, contando desde el comienzo de la explotación petrolera, Shell realizó extracciones por un valor total de aproximadamente 35 mil millones de euros.[28]

Según Geissler, en las regiones que carecen de movimientos étnicos tan fuertes como el de los ogoni, no hay ni rastros de contribuciones para el desarrollo social. Allí no se eliminan los desechos ni las aguas residuales, y la cuota anual de un colegio privado equivale al triple del salario mensual, tomando como base el ingreso mínimo. "Así y todo, el cálculo es optimista, ya que la mayoría está desocupada." Y agrega que la industria petrolera genera en toda Nigeria menos de 10.000 empleos, que para colmo están ocupados en gran parte por extranjeros.

Superación del pasado

Sin embargo, desde 1999 —es decir, desde que Nigeria es gobernada por un presidente electo, Olusegun Obasanjo, ex dictador militar devenido demócrata— ha habido muchos cambios. El Estado intenta tímidamente investigar las consecuencias de la dictadura. Esto incluye los negociados de Shell.

En junio de 2000, por ejemplo, un tribunal de Port Harcourt condenó a la SPDC a abonar una multa de 4 mil millones de nairas (41 millones de euros) por las consecuencias derivadas de un derrame de petróleo ocurrido en 1970. Aún no hay una sentencia firme porque Shell apeló. "La estrategia de Shell es dilatar el juicio", dice el abogado Ledum Mitee, líder electo del movimiento ogoni MOSOP. "Esto puede llegar a extenderse unos diez o veinte años más. Cuando paguen, los afectados ya van a estar muertos."[29]

Shell esgrime que entre 1967 y 1970 la compañía ni siquiera estaba en el país, ya que en esos años tuvo lugar la guerra de Biafra. Pero, según cuentan los pescadores y agricultores afectados, el derrame de miles de litros de petróleo, que penetraron a varios metros de profundidad inutilizando la tierra y los ríos hasta el día de hoy, se debe a un oleoducto oxidado que ya en 1967 pertenecía a Shell y al que nunca le realizaron trabajos de mantenimiento.

En octubre de 2000, otras dos víctimas de los derrames de petróleo exigieron una indemnización por parte de Shell. Sostienen que desde hace 38 años sus tierras están expuestas a una continua contaminación producida por plantas de extracción mal mantenidas. Y que dos explosiones de petróleo, la última el 8 de agosto de 2000, contaminaron el agua potable y aniquilaron por completo la pesca y las cosechas. Una de las víctimas, el agricultor Bariseru Nsenu, se quejó también por los problemas de salud que desde la explosión aquejan a él y a su hijo, en aquel entonces de dos meses de edad. Dijo que la empresa había rechazado con desprecio su demanda de indemnización. Y que, no conforme con eso, también había enviado a sus agentes para amedrentarlo.[30]

En la actualidad, los medios nigerianos presentan ese tipo de noticias casi a diario.[31] La que puede arrojar más luz sobre los hechos es una comisión especial, que está investigando el trasfondo y los motivos de las múltiples violaciones a los derechos humanos cometidas durante las distintas dictaduras militares desde 1966. La Human Rights Violations Investigation Commission, presidida por el juez retirado Chukwudifu Oputa, fue creada el 14 de junio de 1999 con el principal objetivo de que las víctimas pudieran expresarse. Pero la comisión de Oputa no posee facultades jurídicas, sólo tiene funciones consultivas.

De todos modos, la comisión, que en enero de 2001 sesionó con relación al tema de la extracción petrolera, constituye una amenaza para la Shell, ya que crea un foro para que todos puedan preparar demandas contra la compañía. Fue a causa de esas demandas que la empresa se vio obligada a reconocer que en el año 1983 había comprado armas portátiles para las patrullas policiales del régimen.

Shell admite la compra de armas

El vicedirector de la subsidiaria SPDC, Egbert Imomoh, admitió ante el tribunal que las pistolas y municiones habían servido para proteger a la compañía de los "frecuentes atentados" contra sus instalaciones y contra el personal, pero dijo que, por lo que él sabía, las armas compradas por Shell no habían tenido otro uso que el de "disparar al aire".[32]

En respuesta a ello, el presidente del MOSOP, Ledum Mitee,

trajo a colación el caso de un joven discapacitado que fue fusilado por policías contratados para custodiar las instalaciones de Shell cuando pasaba casualmente por esa zona. "En Gran Bretaña o en los Países Bajos, donde Shell también posee instalaciones, no se toleraría un hecho semejante", opinó el abogado, refiriéndose a la relación entre la compañía y los militares.[33]

A principios de 2000, Mitee exigió a la Shell International el pago de una indemnización a los ogoni. Al poco tiempo le incendiaron la casa y sufrió dos atentados.

La violencia continúa

Los ogoni exigen una disminución en los niveles de extracción petrolera. En cambio, el ex presidente de los Estados Unidos, Bill Clinton, presionó a Nigeria durante su visita en agosto de 2000 para que impulsara aún más la producción de petróleo.[34]

En octubre de 2000 fueron asesinados diez activistas nigerianos de la etnia de los ijaw que habían realizado una protesta contra la compañía petrolera italiana Agip.[35] En enero de 2001 murieron al menos veinte personas en enfrentamientos entre milicias locales que se disputaban el control de dos estaciones de bombeo de Shell. Al mismo tiempo, en otra región del país, cuatro kilómetros cuadrados de tierra quedaban inundados de petróleo tras la explosión de un oleoducto.[36]

Si hay algo que quedó claro ante la comisión de derechos humanos de Oputa en Port Harcourt es que no hay reconciliación posible. Porque ni los representantes de la anterior dictadura militar ni los dueños de las empresas mostraron el menor signo de arrepentimiento.

Al padre de Ken Saro Wiwa, un anciano al que los integrantes de la comisión visitaron en su casa en Ogoniland, todo esto dejó de importarle: "¿Qué es lo que quieren de mí?", dijo Jim Wiwa a los jueces. "Mi hijo está muerto y yo estoy triste."[37]

ANGOLA Y LA GUERRA POR EL PETRÓLEO

Nigeria sigue siendo el principal abastecedor de petróleo en África. Pero en poco tiempo será superada por Angola, en cuya costa acaban de descubrirse inmensos yacimientos *off shore*, es decir, yacimientos petrolíferos situados en las profundidades marinas. En la actualidad, Angola ya está produciendo un millón de barriles de petróleo crudo por día. Durante los últimos diez años, el gobierno angoleño obtuvo un ingreso de entre dos y tres mil millones de dólares anuales proveniente de las exportaciones de petróleo. Esto representa aproximadamente el 90% de su presupuesto nacional.

A través de estos ingresos, el gobierno del presidente angoleño José Eduardo Dos Santos financia una guerra civil que está devastando el país desde hace más de 25 años.

Angola era una de las últimas colonias africanas, pero el 11 de noviembre de 1975 logró independizarse de Portugal. Desde entonces, en la capital angoleña, Luanda, gobierna el Movimento Popular de Libertação de Angola (MPLA), que antes era comunista pero cuyo líder, Dos Santos, abjuró en 1991 del marxismoleninismo para adherir al capitalismo.

El MPLA tuvo el apoyo de la Unión Soviética y de Cuba hasta el fin de la Guerra Fría. El partido gobernante fue combatido por los rebeldes de la UNITA, cuyo líder, Jonas Savimbi, contó a partir de 1985 con el apoyo de los Estados Unidos. Al principio ese sustento se concretó en forma secreta, pero ya al año siguiente Savimbi recibió oficialmente 15 millones de dólares del gobierno de Ronald Reagan por su "lucha contra el comunismo".

En lugar de riqueza, miseria

La historia oficial del país habla de cuatro guerras: 1974-76, 1985-88, 1992-94 y 1998 hasta hoy. Pero en realidad, los enfrentamientos en Angola prácticamente no han cesado desde su independencia, con métodos de lucha de lo más cruentos. En este país —ubicado en el sudoeste africano, con una superficie de

113

1.250.000 kilómetros cuadrados— grandes extensiones se han vuelto inhabitables a causa de las minas terrestres. Y uno se topa por todas partes con las víctimas, en su mayoría civiles: "La gente pulula por la región arrastrándose como cangrejos despatarrados, con las piernas tullidas o amputadas, apoyándose sobre sus puños envueltos en harapos", así describe la situación el periodista norteamericano Jon Lee Anderson.[38] Más de 100.000 personas viven con amputaciones por haber pisado una mina o porque alguna les explotó cerca.

A todo esto, Angola es un país rico. Además de petróleo, posee grandes reservas de cobre, diamantes, oro, hierro, algodón, azúcar, arroz, tabaco y peces. Tiempo atrás supo ser el tercer productor mundial de café. Sin embargo, "exceptuando las fábricas de prótesis" (Anderson), hoy ya no queda ninguna industria productiva. Más del 80% de los 12 millones de angoleños viven en la pobreza. Tres de cada diez niños mueren antes de alcanzar la edad de cinco años. El número de muertos por causa de la guerra civil trepa a más de cien mil. Hay dos millones y medio de refugiados.

La culpa es de la guerra, que gira básicamente en torno al enriquecimiento personal de las elites locales.

La explotación del petróleo al servicio del tráfico de armas

Esta guerra se lleva a cabo con armas que fueron compradas con dinero occidental. El líder de los rebeldes, Jonas Savimbi, controla las grandes minas de diamantes del país. Desde que la ONU prohibió las importaciones en junio de 1998, las piedras preciosas llegan a las joyerías de Occidente sólo a través de grandes rodeos (ver "Industria electrónica").

El gobierno, por su parte, financia la guerra con los ingresos provenientes de la explotación petrolera. El régimen, resistido largamente por los Estados Unidos, probó suerte sobre todo con Francia. A comienzos de los años noventa, el ministro del Interior de ese país, el ultraconservador Charles Pasqua, se puso del lado del presidente Dos Santos. Y junto con él, la compañía petrolera francesa Elf.

Angolagate

Jean-Christophe Mitterrand, hijo del ya fallecido presidente francés François Mitterrand, ofició como mediador. Los sucesos que salieron a la luz tras su arresto en diciembre de 2000 se conocen en Francia como "Angolagate": Francia luchó por conseguir una influencia mayor en África. Para ello contó con la ayuda de traficantes de armas que enviaron armamento por un valor de más de 500 millones de dólares al presidente angoleño Dos Santos, mientras que los Estados Unidos seguían apoyando al líder de los rebeldes, Savimbi.

Por su desempeño como mediador, Mitterrand junior recibió 1,8 millones de dólares... en una cuenta en Suiza. "Entretanto, las Naciones Unidas fueron expulsadas de Angola, ¿pero a quién le importa?", escribió el periodista Ulrich Wickert en el semanario *Die Woche*[39]: "Gracias a la ayuda de Francia, Dos Santos tiene las mejores cartas. Ahora, de golpe y porrazo, todos los países occidentales acosan al jefe de la dictadura del petróleo. Y es que los yacimientos petrolíferos que las compañías americanas descubrieron frente a las costas de Angola prometen generar ganancias incalculables, de modo que la lucha entre Francia y Norteamérica es, en realidad, la lucha entre dos compañías petroleras: la francesa Elf y la norteamericana Chevron. Hay miles de millones en juego."

Esta lucha se desarrolla a costa de la población angoleña. Incluso los Estados Unidos, cuyas importaciones de petróleo provienen en más del 8% de Angola, se han puesto del lado del gobierno angoleño. Unas veinte compañías petroleras retozan en este país devastado por la guerra civil y planean inversiones multimillonarias para los próximos años. Además de Chevron y del consorcio TotalFinaElf, están, entre otras, BP/Amoco, Texaco, Shell, Agip y Exxon Mobil, la empresa matriz que agrupa a Esso y a Mobil.

Corrupción

Todas ellas contribuyen a financiar la guerra. De los cientos de millones de dólares que pagan las multinacionales del petróleo para obtener sus derechos de explotación, más de la mitad habría sido utilizada para las ofensivas militares contra la UNITA. Una parte se destina oficialmente a la compra de armas y el resto se escurre por los oscuros canales de la corrupción y se destina a las "provisiones" y al tráfico ilegal de armas.

La agrupación inglesa Global Witness, defensora de la ecología y los derechos humanos, acusa a militares angoleños de alto rango de utilizar su participación en las ganancias del petróleo para comprar armas a la mafia rusa y revenderlas al gobierno por medio de testaferros. "Una parte importante de los petrodólares de Angola contribuye al enriquecimiento personal y a satisfacer las necesidades de la elite gobernante". Según esta agrupación, las multinacionales petroleras se han transformado en cómplices de una catástrofe humanitaria. Por eso se les exige transparencia en sus datos de producción y en los pagos a las autoridades angoleñas, así como también que rompan relaciones comerciales con todo grupo que esté sospechado de traficar armas. Según Global Witness, la única empresa que hasta ahora entregó una declaración de transparencia de este tipo es BP/Amoco.[40]

SUDÁN: EL PETRÓLEO CUESTA SANGRE

Desde su independencia en 1956, el régimen militar de Sudán ha venido realizando un genocidio sistemático contra la población del África Negra que habita el sur del país. Casi 2 millones y medio de personas murieron a causa de las masacres, la guerra, el hambre y los destierros masivos. Pueblos enteros borrados del mapa, miembros de comunidades cristianas encerrados y quemados vivos en sus iglesias, innumerables personas esclavizadas o torturadas hasta morir.

En 1992, desde la capital y sede gubernamental Jartum, la junta militar (de carácter fundamentalista islámico) declaró que el genocidio contra los sudaneses del sur era una "guerra santa". Esa guerra se lleva adelante, en parte, con niños soldados que el ejército del gobierno recluta en las calles de Jartum y arrastra al frente sin que sus padres lo sepan.

En el sur de Sudán existen pozos de petróleo que atesoran hasta tres mil millones de barriles de crudo. En esa región se extrae petróleo desde agosto de 1999. Allí se enfrentan las tropas del régimen militar, células del Ejército de Liberación Popular de Sudán (SPLA) y diversas milicias de menor envergadura. "Al mismo tiempo, todos llevan adelante una guerra contra la población civil", escribe Sarah Reinke, miembro de la Asociación para Personas Amenazadas.[41] "En realidad, los pueblos dinka y nuer, en cuyas tierras se halló el petróleo, podrían ser ricos. Pero allí reinan el hambre y la muerte."

Los ingresos provenientes de la exportación del petróleo brindan estabilidad al régimen militar, que financia su guerra con ese dinero. Hassan Al Turabi, líder del Frente Islámico Nacional (NIF), actualmente en el gobierno, declaró públicamente en abril de 1999 que las ganancias provenientes del petróleo se utilizan para comprar armas.[42] El gobierno destina aproximadamente la mitad de su presupuesto nacional, un millón de dólares por día, a la guerra contra el sur de Sudán. Los ingresos provenientes de las exportaciones de petróleo se calculan en alrededor de 400 millones de dólares por año.

Las que llevan a cabo la explotación son las compañías petroleras canadienses, suecas, chinas, francesas y austríacas. La organización de ayuda británica Christian Aid asegura que estas empresas son "cómplices del despoblamiento sistemático de amplias regiones del país, así como de los crímenes contra civiles, de los cuales decenas de miles fueron asesinados o expulsados de las regiones que circundan a los campos de petróleo", y exige que dichas compañías se retiren de Sudán.[43]

Según este informe, dado a conocer el 15 de marzo de 2001, las compañías petroleras están seriamente involucradas en la guerra que el gobierno lleva adelante contra los sudaneses del sur y colaboran con el régimen militar, y a cambio los militares protegen sus instalaciones y continúan con las violaciones a los derechos humanos.

"La guerra comenzó con la explotación petrolera", afirma un líder nuer citado en dicho informe. "Destruyeron todas nuestras haciendas, todo lo que está en los alrededores de los campos de petróleo."

"Quemaron todos los pueblos a lo largo de la ruta", cuenta otro. "El gobierno no quiere gente cerca del petróleo."

Un informe de Amnistía Internacional también denuncia la complicidad de las petroleras occidentales en los crímenes cometidos en Sudán: "Cuando las tropas del gobierno, en nombre de la seguridad, violan derechos humanos en las zonas de extracción petrolera, las empresas extranjeras hacen la vista gorda."[44]

"La población civil que vive en los alrededores de los campos de petróleo se convirtió en blanco premeditado de maltratos", dice Maina Kiai, director de Amnistía Internacional en África. Su lista de ataques documentados parece un informe desde el infierno.

Así, las tropas del gobierno "limpiaron" los alrededores de la ciudad de Bentiu, ubicada en medio de la zona petrolífera, con ráfagas de ametralladoras disparadas desde un helicóptero y bombardeos efectuados desde los Antonov rusos. A esto se agregaron tropas de tierra que echaban a la gente de sus casas. Hubo fusilamientos masivos de hombres, hubo mujeres y niños clavados a los árboles con clavos de hierro. En otros pueblos, los soldados degollaron a los niños y asesinaron civiles de sexo masculino incrustándoles clavos en la frente.

Las tropas rebeldes, que luchan por la independencia del sur de Sudán, también intentan lograr el dominio sobre las regiones ricas en petróleo. Un ex líder rebelde confesó que sus soldados habían ejecutado a un gran número de civiles, violado y secuestrado mujeres e incendiado aldeas enteras.

Para proteger al personal y a las instalaciones de las compañías que construyen los oleoductos, incluso se llegó a reclutar soldados afganos y malayos pertenecientes a la agrupación extremista islámica de los muyahidín. También a ellos se los acusa de haber cometido crímenes aberrantes contra civiles. Una de esas compañías, que suministró más de 500 kilómetros de tuberías a Sudán, es la alemana Mannesmann AG.

Según Amnistía Internacional, la relación entre la compra de armas y las exportaciones de petróleo también es evidente: se afirma que, por ejemplo, el mismo día que los primeros barriles de petróleo abandonaron Sudán, desembarcó allí un cargamento de armas polacas. También hay documentos que prueban otros envíos de armas procedentes de China y Bulgaria.

El informe de Amnesty detalla también cuáles son las compañías involucradas en la explotación de petróleo en el sur de Sudán. Entre ellas se encuentran el consorcio francés Total-FinaElf, al igual que la italiana Agip y la petrolera austríaca OMV, de cuya denominación anterior, ÖMV, se decía en otros tiempos, a modo de elogio, que era la abreviatura de *Österreicher mit Verantwortung*, es decir, Austríacos con Responsabilidad (ver postura de OMV en la ficha correspondiente).

Las empresas BP/Amoco y Shell, acusadas por la agrupación Christian Aid de tener participación en compañías petroleras que operan en Sudán, niegan dicha imputación. En cambio, la firma británica Rolls Royce admitió haber enviado motores diésel a Sudán con los cuales el petróleo se bombea hacia las terminales de exportación en el mar Rojo. Sin embargo, el vocero de Rolls Royce, Martin Brody, dio a entender en declaraciones al periódico británico *The Guardian* que, a raíz de las críticas recibidas por parte de los grupos de derechos humanos, se replantearían las relaciones comerciales con Sudán.[45]

OTROS PROYECTOS CONTROVERTIDOS RELACIONADOS CON EL PETRÓLEO

Chad y Camerún

Amnistía Internacional teme que un proyecto petrolero diseñado para otros países africanos, Chad y Camerún, pueda "desencadenar una enorme tragedia humana".[46] Las empresas Esso, Chevron y Petronas se disponen a explotar un gran yacimiento situado en el sur de Chad. A partir de 2003 se excavarían allí unos 300 pozos de sondeo. El petróleo cruzaría Camerún a través de un oleoducto subterráneo de 1.050 kilómetros de longitud y llegaría hasta la ciudad portuaria de Kribi. "Tememos que este proyecto lleve a un empobrecimiento de la población, a una destrucción de las estructuras sociales generada por el desplazamiento de los habitantes y a una destrucción ambiental masiva en la zona de explotación y a lo largo del oleoducto", dice Günter Schönegg refiriéndose al proyecto petrolero Chad/Camerún que encara la empresa alemana AG.

"La zona de explotación petrolífera viene funcionando desde hace años como escenario de un conflicto armado entre los militares de Chad y distintos grupos armados de la oposición", agrega Barbara Lochbichler, secretaria general de Amnistía Internacional en Alemania. "Con este proyecto de explotación petrolera, el conflicto podría recrudecerse. Además, los defensores de derechos humanos, los políticos y los periodistas que critican el proyecto ya están siendo perseguidos, y sus vidas corren peligro."

Tendrían que ser evacuadas por la fuerza ciento cincuenta familias que viven en los campos de petróleo y miles de familias en los alrededores del futuro oleoducto. Los campos de cultivo y el agua potable quedarían contaminados. En la región costera, que alberga un parque nacional y una de las playas más hermosas de Camerún y donde los hombres viven de la pesca y del turismo, se destruirían esas fuentes de ingresos. El pago de indemnizaciones no estaría previsto, o el monto previsto sería escandalosamente bajo. De ese modo, esta gran región se encuentra bajo la amenaza de sufrir una situación similar a la vivida en Nigeria.

El país más grande del mundo dispone de inmensas reservas de petróleo y gas. La mayor parte de ellas se encuentra en Siberia. Según cálculos de la agrupación ecologista Greenpeace, allí se derraman año tras año 15 millones de toneladas de petróleo a través de los oleoductos averiados.[47]

El suelo y el agua están altamente contaminados. Inmensas lagunas de petróleo destruyen el hábitat de hombres, animales y plantas. El profesor Veniamin Khudoley, médico y especialista en oncología oriundo de San Petersburgo, informa sobre Komi, la región de explotación petrolera situada en el nordeste de la Rusia europea: "Entre 1995 y 1997, el noventa por ciento de los habitantes de Komi estaban enfermos. La permanente contaminación de petróleo en el agua potable y en los alimentos compromete la salud de la población. Mucha gente sufre de cáncer, de afecciones pulmonares y en la sangre y de daños en los sistemas inmunológico y nervioso." Greenpeace tuvo acceso a informes rusos oficiales, según los cuales sólo en la región de Komi habría alrededor de 220.000 toneladas de petróleo contaminando las zonas de explotación.

Un tercio de los oleoductos tiene más de 30 años y no recibe mantenimiento alguno. Por cada tanque de cincuenta litros que se llena de gasolina o de gasoil, los oleoductos averiados de Rusia derraman diez litros de crudo. Greenpeace responsabiliza de ello no sólo al gobierno ruso, sino también a las compañías petroleras occidentales. Alemania le adquiere a Rusia alrededor del treinta por ciento de su petróleo crudo, del cual la mayor parte fluye a través del Drushba, el oleoducto más largo del mundo. Este conducto, de 4.000 km de longitud, transporta el crudo hacia las refinerías de Schwedt y Leuna, en la región oriental de Alemania.

Schwedt pertenece a Ruhroel (filial de Veba), a RWE-DEA, así como a Agip, Elf y Total.

La refinería Leuna pertenece a la compañía Elf.

Greenpeace señala que las compañías occidentales que adquieren petróleo y gas a Rusia se limitan a sacar los dividendos obtenidos gracias a su explotación y exige que al menos participen en el mantenimiento del oleoducto Drushba. A propósito, el término ruso "drushba" significa "amistad".

Indonesia

En 1998, la revista de actualidad económica *Business Week* acusó a la compañía petrolera Mobil Oil de "complicidad" con las fuerzas armadas bajo el mando del general Suharto, por entonces dictador de Indonesia.[48] En 1980, separatistas indonesios comenzaron a atacar centros de producción de Mobil. Ese mismo año se proclamó la ley marcial. Como consecuencia, hubo ejecuciones masivas y desapareció mucha gente.

Algunas de esas masacres se cometieron en las inmediaciones de la planta de producción de Mobil, en la provincia de Aceh. Tras la caída del general Suharto, un comité de derechos humanos indonesio informó a la opinión pública en 1999 sobre la existencia de numerosas fosas comunes con cadáveres de cientos de personas, muchas de las cuales habían sido torturadas.

Mobil negó cualquier tipo de vinculación con los asesinatos. Sin embargo, la empresa admitió haber enviado víveres, combustible y equipamiento a los soldados encargados de custodiar las instalaciones de Mobil. De acuerdo con la información suministrada por agrupaciones de derechos humanos indonesias, parte de ese equipamiento habría sido utilizado para cavar las fosas.

Myanmar

La petrolera francesa Total y su socia americana Unocal, mancomunadas con la empresa estatal Myanmar Oil & Gas Enterprise (MOGE), vienen explotando yacimientos de gas natural en Myanmar (la ex Birmania), desde 1996. La Liga Internacional por los Derechos Humanos (FIDH) acusa a ambas compañías de haber sacado provecho de las violaciones a los derechos humanos perpetradas por los militares birmanos en varias aldeas durante la instalación de un oleoducto. Asegura que la gente fue expulsada de la zona de explotación con la fuerza de las armas. También habla de trabajos forzados y ejecuciones arbitrarias. Ambas compañías niegan cualquier vinculación directa con los crímenes. Tanto Total como Unocal ven su presencia en Myanmar como una bendición para la población.

"En vista de la situación real del país, esa pretendida protección no suena muy convincente", escribe el periodista francés Roland-Pierre Paringaux.[49]

La junta militar que gobierna desde 1998 fue criticada en reiteradas ocasiones por los Estados Unidos, la UE y las Naciones Unidas. En este país del sudeste asiático, la tortura y la esclavitud están a la orden del día. Por eso muchas empresas internacionales decidieron retirarse del país, señalando lo insostenible de la situación; entre ellas, firmas muy conocidas, como Heineken, Pepsi Cola, Levi Strauss, Motorola y la petrolera Texaco.

Según declaraciones formuladas por la líder opositora Aung San Suu Kyi, galardonada con el Premio Nobel de la Paz, Total se ha convertido entretanto en el "mejor sostén" del régimen militar.

LA CADENA ALIMENTARIA

*Para que en Europa puedan consumirse alimentos baratos,
muchas empresas recurren al trabajo infantil, la esclavitud, la
explotación, el maltrato a los animales y la destrucción del
medio ambiente. Con sus campañas publicitarias, compañías
como Nestlé ponen incluso en riesgo la vida de los lactantes.
Sin embargo, existe una alternativa: el Comercio Justo.*

Su precio era de unos 25 euros por unidad. No mucho. Por eso
Amadou Bamba, el dueño de la plantación de cacao, se apu-
ró a llevar dos. La primera de las mercancías compradas lleva el
nombre de Abou, la segunda dice llamarse Adama. Abou y
Adama tienen diez años. Desde que fueron adquiridos por su
actual dueño tres años atrás, ambos se desloman trabajando en
sus plantaciones junto con veinte niños más de entre ocho y
catorce años de edad. Trabajan siete días a la semana, desde las
seis de la mañana hasta las nueve de la noche, sin descanso.

Tres años atrás, un desconocido había encarado a los dos
niños en la estación de ómnibus de Sikasso, al sur de Malí, cerca
de su pueblo natal. "Nos ofreció trabajo y dinero", contaban
Abou y Adama al periodista francés Sönke Giard.[1] Y como los
niños, que por entonces tenían siete años, eran pobres, inexper-
tos y pasaban hambre, aceptaron la propuesta. El tratante los
llevó 800 km hasta una aldea llamada Toulé, en el centro de
Costa de Marfil, al oeste de África, y allí los vendió a Amadou
Bamba, quien los envió a su plantación de cacao sin pagarles un
centavo.

Custodiados y asediados por perros, amenazados con láti-
gos y machetes, los niños sudan bajo un calor abrasador. Descalzos, hunden el arado en la tierra; al que se lastima le escupen un
poco sobre la herida. Después, vuelta al trabajo. "Jadean como si

fueran viejos asmáticos, con los ojos sin vida, con la cabeza gacha colgando entre los hombros caídos", cuenta Giard. Cuando Abou intenta huir, lo castigan obligándolo a pasar el día entero al rayo del sol, desnudo y con las manos atadas en la espalda. Después de la jornada de trabajo, obligan a los otros niños a observar cómo Bamba lo azota con el "chicote".

Niños esclavos en las plantaciones de cacao

La agrupación de derechos humanos Terre des Hommes informó que hasta la fecha unos 20.000 niños provenientes de Malí fueron secuestrados y llevados a las plantaciones de cacao de Costa de Marfil.[2] Estos niños son golpeados, maltratados y explotados. "Lo que ocurre allí se llama lisa y llanamente esclavitud", dice Pierre Poupard, quien está al frente de UNICEF (Fondo de las Naciones Unidas para la Infancia) en Malí. "La mayoría ni siquiera sabe de dónde proviene, menos que menos dónde está. Los que intentan escapar del horror corren peligro de ser azotados o incluso asesinados por sus dueños."[3]

Entre 1441 y 1880, los distintos terratenientes coloniales europeos embarcaron como esclavos a 60 millones de africanos, muchos de ellos a través de Costa de Marfil. La ex colonia francesa se independizó en 1960. Sin embargo, con el tráfico de niños —se calcula que en África Occidental hay un total de 200.000 niños usados como mano de obra barata— se ha desarrollado una nueva forma de esclavitud. Por paradójico que suene, la culpa la tiene la riqueza del país: Costa de Marfil es el primer productor mundial de cacao.

Hambre de chocolate

Desde que Cristóbal Colón descargó en 1502 un saco lleno de granos de cacao en la corte española, el chocolate se convirtió en el dulce más popular de Europa. Casi la mitad de los dulces y las golosinas contienen chocolate. En Europa Central, cada año se consumen entre nueve y diez kilos de chocolate puro por cabeza. Esto equivale a casi dos barras de 100 gramos por semana por persona.[4] Y eso sin contar las pastas untables y las bebidas hechas con cacao.

El producto final se elabora en su mayor parte en los Estados Unidos y en Europa. Con 260.000 toneladas de cacao procesado, Alemania se ubica en tercer lugar, detrás de Holanda y de EE.UU. En 1998 hubo una producción de más de 700.000 toneladas de alimentos a base de chocolate, por un valor de casi 3.500 millones de euros.

El ochenta por ciento del cacao que importa Alemania proviene del oeste de África. En el mundo se procesan casi tres millones de toneladas de cacao, de los cuales Costa de Marfil, Ghana, Camerún y Nigeria exportan más de la mitad.[5]

Para explotar las tierras se traen trabajadores golondrina de los países limítrofes del norte. En Costa de Marfil trabajan alrededor de 2 millones de malienses. En el oeste de África hay alrededor de un millón doscientas mil familias de pequeños agricultores y un total de 11 millones de aparceros que viven de la producción de cacao.

Sin embargo, el margen de ganancias para los pequeños agricultores es extremadamente pequeño. Por ejemplo, una productora mediana de cacao gana con su cosecha anual alrededor de 340 euros.[6] La principal causa de ello son los bajos precios en el mercado mundial: en los últimos veinte años fluctuaron entre los 870 y los 4.000 euros por tonelada, con una fuerte tendencia a la baja. Esto obliga a los agricultores a reducir al mínimo sus costos de producción, para lo cual los niños esclavos, que no cuestan más que un plato de polenta diario, vienen como anillo al dedo.

Las empresas alimenticias hacen bajar los precios

Los precios bajos van a parar a la cuenta de un puñado de empresas alimenticias, europeas y norteamericanas, que transforman el cacao en chocolate. "La producción mundial de cacao está en manos de unas pocas firmas que poseen una red mundial de establecimientos agrícolas, plantaciones, fábricas y organizaciones comerciales", nos informa Gerhard Riess, del sindicato austríaco *Agrar/Nahrung/Genuß*: "Esas compañías están en condiciones de imponer su voluntad a la totalidad del sector."[7]

Estas empresas dominantes a las que Riess se refiere son marcas muy conocidas (ordenadas según sus cifras de venta en el rubro golosinas):

- Nestlé (Suiza), con sus marcas After Eight, Baci, KitKat, Lion, Nesquik, Nuts, Smarties, etc.
- Mars (EE.UU.), con Balisto, Banjo, Bounty, M&M, Mars, Milky Way, Snickers, Twix, etc.
- Philip Morris/Kraft Jacobs Suchard (EE.UU.), con Bensdorp, Daim, Finessa, Kaba, Milka, Mirabell Mozart-kugeln, Suchard, Toblerone, etc.
- Ferrero (Italia), con Duplo, Ferrero-Roché, Hanuta, productos "Kinder", Mon Chérie, Nutella, etc.[8]

La situación empeora a causa de una reglamentación de la Unión Europea, que (otra vez, presionada por las empresas) ha permitido que desde marzo de 2000 el chocolate contenga una menor proporción de manteca de cacao, del orden de un 5% sobre el peso total. Nestlé y compañía quieren sustituir la manteca de cacao por aceite de palma y otras grasas que serían más baratas que el cacao. Pero para los países productores esta reglamentación representa una pérdida anual de 580 millones de euros. Los principales afectados son los pequeños agricultores, que cubren casi el 85% del mercado: esta reglamentación los ha privado de su única fuente de ingresos.[9]

Mercenarios contra los agricultores

Brasil es el cuarto productor mundial de cacao, después de Costa de Marfil, Ghana e Indonesia. La mayor parte de las extensas plantaciones de cacao de la zona de Bahía pertenece a grandes latifundistas millonarios, los *fazendeiros*. Muchos de ellos ni siquiera viven allí mismo, sino en Río de Janeiro, Nueva York o París. En los campos de cacao trabajan más de 150.000 personas, muchas de ellas contratadas en forma temporaria. El salario promedio ronda los 43 euros por mes.[10] Y como con esa cantidad no se puede alimentar a una familia, es necesario que ayuden todos, incluso los niños y los ancianos, que por unos 30 euros hacen el trabajo, a veces hasta en la "estufa", el horno de secado, moliendo granos de cacao y pulpa a 60 grados para que la pasta quede sin grumos.

En los últimos años los agricultores han intentado ocupar tierras para trabajarlas ellos mismos. Pero los latifundistas los expulsan, ayudados por la policía y por sus propios mercenarios, los *pistoleiros*. Desde 1986 ya hubo 120 personas asesinadas o heridas.

Las plantas de cacao, desarrolladas en extensos monocultivos, son especialmente propensas a las plagas. Para combatirlas se utilizan grandes cantidades de insecticidas altamente tóxicos, que pueden provocar cáncer, enfermedades cutáneas, esterilidad y trastornos en los sistemas nervioso, respiratorio e inmunológico. La mayoría de los campesinos que utilizan los rociadores son analfabetos y no entienden las instrucciones de uso de esos productos agroquímicos. Según Gerhard Riess, experto en alimentos, las compañías fabricantes (entre ellas BASF, Bayer, Hoechst, Shell y Monsanto) no toman suficientes medidas para prevenir los graves daños de salud que ocasionan sus productos.

Bananas venenosas

Existe otro alimento afectado por un problema similar: la banana. En enero de 2001, el periódico berlinés *die tageszeitung* publicó el caso de Lucas Barahona, un trabajador bananero de Nicaragua: "Los médicos me dijeron que me fuera a mi casa a esperar la muerte. La mía, la de mis hijos, la de toda mi familia."[11] Barahona, de 44 años de edad, tiene cáncer de huesos. Su hijita de 10 años es tan menuda que parece que tuviera cuatro. Y su hijito de cuatro todavía parece un bebé. Ni siquiera puede pararse solo. Ellos son parte de las 22.000 víctimas nicaragüenses del *Nemagón*, un producto fabricado en los Estados Unidos y utilizado por lo menos hasta fines de los años setenta para evitar que las bananas se agusanaran. El producto se utilizó sin tomar suficientes medidas de precaución e incluso fue aplicado desde aviones. En Olanchito, una ciudad de provincia en el norte de Honduras, el médico Omar González dio la voz de alerta en febrero de 1998: en su hospital, casi el 1% de los niños nacía sin cerebro. González atribuyó esto al uso de Nemagón.

Nemagón es la marca comercial del dibromocloropropano (DBCP), un producto agroquímico catalogado por la Organización Mundial de la Salud (OMS) como de alta toxicidad. En los años cincuenta, las compañías Dow Chemical y Shell Oil lanzaron al mercado el DBCP como un económico pesticida. Los experimentos con animales realizados por ellas mismas determinaron ya en 1958 que pequeñas dosis de DBCP causaban esterilidad, atrofia testicular y lesiones mayores en pulmones, hígado y riñones. Sin embargo, ambas compañías ocultaron en un principio estos resultados, minimizándolos al presentarlos ante las autoridades norteamericanas como "no trasladables a los seres humanos".[12]

En 1977 se prohibió el DBCP en los Estados Unidos. Sin embargo, las empresas bananeras norteamericanas habrían seguido usándolo en Latinoamérica durante varios años más. En 1998, en Honduras se descubrieron depósitos subterráneos con barriles de DBCP pertenecientes a la compañía Standard Fruit (Dole).[13]

Alrededor de 25.000 ex trabajadores bananeros de Latinoamérica y Asia iniciaron demandas de indemnización contra las transnacionales Chiquita, Dole y Del Monte, y también contra Shell y Dow Chemical. Chiquita, por ejemplo, se negó a pagar un resarcimiento a los trabajadores afectados, mientras que las compañías fabricantes del producto buscaron lograr acuerdos extrajudiciales, reacción que los demandantes interpretan como una confesión de culpa.[14]

Los plaguicidas causan dos millones de muertos

La Organización Mundial de la Salud (OMS) estima que son más de dos millones las personas que mueren cada año a causa de los pesticidas. Según la Coordinación contra los Peligros de Bayer, en la isla filipina de Mindanao los bananales se rociaban entre dos y tres veces al mes desde el aire con *Nemacur*, un pesticida desarrollado por dicho laboratorio alemán. Este principio activo también está catalogado por la OMS como "sumamente peligroso" (tipo 1a). Los habitantes de los alrededores no quedan a salvo del veneno ni siquiera dentro de sus chozas. La exposición prolongada puede causar fiebre, irritación en los ojos, náuseas, sensación de mareo, diarrea crónica, erupciones cutáneas, asma e incluso cáncer.[15]

"Los niños que han estado jugando en la calle regresan a sus casas tosiendo y quejándose de que les duelen los ojos", relata Alona Tabarlong, del pueblo de Kamukhaan, donde este pesticida de Bayer se aplica en los bananales de Del Monte y de Chiquita.[16] En Kamukhaan los bebés suelen nacer enfermos o con malformaciones. Muchos padecen graves afecciones cutáneas de origen congénito. Es común que los lactantes mueran en el momento del parto o poco después.

En un informe reciente, la Comisión de Derechos Humanos de la ONU denuncia las graves enfermedades que provocan los pesticidas de Bayer en Mindanao. Allí se menciona, además del Nemacur, otro producto de Bayer: *Baycor*. El informe habla de una "situación alarmante que involucra el tráfico ilegal de pesticidas" y de "daños a la vida y a la salud generados por el uso indebido de estos productos en algunos países en vías de desarrollo". Señala también que en Camboya, por ejemplo, circulan más de cincuenta tipos de plaguicidas peligrosos. "Uno de ellos, el *Folidol*, es un producto sumamente peligroso fabricado por Bayer AG."[17]

En las distintas páginas web de Bayer se siguen ofreciendo tanto el Folidol como el Nemacur y el Baycor.[18]

La banana: un símbolo político

Cada año se exportan más de once millones de toneladas de bananas, en su mayor parte a los Estados Unidos y a Europa. Los países de la UE otorgan al Tercer Mundo ciertos beneficios arancelarios que, sin embargo, deberán eliminarse (tras una disputa de nueve años con los Estados Unidos y ante la amenaza de sanciones comerciales): compañías norteamericanas como Chiquita se sentían perjudicadas, y ahora quieren volver a exportar más bananas a Europa.[19] Las organizaciones gremiales temen que los precios "sigan en caída libre", lo cual empeoraría aún más la situación social de los trabajadores bananeros.[20]

Hace mucho tiempo que el fruto sin carozo ocupa el centro de los intereses políticos. Fue el canciller alemán Konrad Adenauer quien, poco después de que finalizara la Segunda Guerra Mundial, sentó las bases para su difusión en Europa Central quitando a las importaciones de bananas las restricciones arancelarias. A partir de entonces, el símbolo de crecimiento económico pasó a ser: a cada ciudadano su banana.

La cosa continuó cuando en 1989 cayeron el Muro de Berlín y la Cortina de Hierro. Los ciudadanos de la RDA se abalanzaron sobre las góndolas de los supermercados de Berlín Occidental, llevándose a sus casas el "fruto de la reunificación" en grandes cantidades. Y algunos políticos austríacos se apostaron en la plaza principal de Bratislava para repartir bananas en persona entre la población eslovaca: vean qué gusto tan dulce tiene el libre mercado.

Explotación de las "repúblicas bananeras"

Pero lo que para unos significa progreso y bienestar económico, para otros es lisa y llanamente una explotación neocolonial. Las estructuras del mercado mundial, que condenan a los trabajadores bananeros a condiciones de trabajo infrahumanas y una paga injusta, contribuyeron a perjudicar la reputación que tiene la fruta amarilla: "Las técnicas actuales de producción impulsan a las transnacionales a una perpetua consecución de nuevas tierras (y menores costos laborales), dejando atrás ecosistemas devastados y vidas destruidas", critica la Unión Internacional de los Trabajadores de la Alimentación.[21]

Las tres grandes empresas frutícolas, Chiquita (United Brands), Dole (Standard Fruit) y Del Monte, controlan el comercio de bananas desde hace alrededor de cien años. Ellas producen, compran y distribuyen entre el 65 y el 70% de las exportaciones en todo el mundo. La construcción de su posición hegemónica degradó a muchos países latinoamericanos hace ya varias décadas a la categoría de "repúblicas bananeras", en las cuales las empresas con poderío económico a menudo tenían más peso político que los representantes oficiales del pueblo. Estas empresas norteamericanas se apropiaron de grandes extensiones de tierra y se aseguraron el control sobre los medios de transporte y comunicación. Dentro de este contexto, sobornaron a funcionarios y derrocaron a los gobiernos latinoamericanos que, a través de reformas agrarias, intentaban asegurarle un ingreso mínimo a la población rural.

Hasta el momento, las huelgas de los trabajadores fueron

brutalmente reprimidas. En 1999 se produjeron despidos masivos en tres plantaciones pertenecientes a una subsidiaria guatemalteca de Del Monte; acto seguido, doscientos hombres armados hasta los dientes atacaron a la dirigencia gremial, que había organizado una protesta masiva contra los despidos. Presionada por la opinión pública, Del Monte se vio obligada a tomar distancia de los hechos de violencia.[22]

Desde entonces, los dirigentes sindicales están apostando cada vez más a informar a los consumidores: "Hoy en día, las campañas públicas tendientes a imponer normas laborales y ambientales mínimas en la industria bananera tienen mucho eco entre los consumidores y son cada vez más eficaces."

Naranjas amargas

Gracias a una de esas campañas, otro alimento pasó a ocupar hace algunos años el centro de la atención pública: la naranja. Más precisamente, el jugo de naranja. Los alemanes toman casi diez litros de jugo de naranja por año. Y en Austria el consumo per cápita es de aproximadamente veinte litros.

Más del 90% del volumen consumido en Europa proviene de Brasil. Con alrededor de 650.000 toneladas anuales, la Unión Europea es el principal comprador del jugo concentrado brasileño, cuya producción total ronda el millón de toneladas. A todo esto, la Unión Europea tiene dificultades para hacer llegar a los consumidores su propio excedente de naranjas (que provienen en su mayor parte de España). La razón es muy simple: el jugo de naranja brasileño es mucho más barato.

El porqué es evidente: mientras los europeos pagan alrededor de 1 euro por cada litro de jugo, los cosecheros brasileños reciben en promedio cuatrocientas veces menos: sólo un cuarto de centavo. Un pequeño porcentaje se va en transporte y almacenaje; la parte del león se la llevan las grandes compañías, que producen y comercializan el jugo de fruta y tienen enormes márgenes de ganancia.

En Europa, siete de las diez compañías más grandes son alemanas. Las marcas más conocidas las producen la Eckes AG (Granini, Hohes C, Dr. Koch, Fruchttiger, entre otras), Procter & Gamble (Punica) y Coca Cola (Minute Maid y Cappy).

Una buena parte de las naranjas se cosecha al noroeste de San Pablo, la gran metrópoli industrial de Brasil. Allí, el inmigrante alemán Carl Fischer comenzó a industrializar el cultivo a mediados de los años sesenta. Al día de hoy, cinco familias ejercen su dominio sobre más de 150 millones de naranjos y alrededor de 70.000 cosecheros.

La cosecha se controla con tecnología ultramoderna: un simple clic en el mouse, y en las pantallas de las computadoras de la planta procesadora Paraná Citrus, por ejemplo, aparecen todas las hileras de árboles que ya están listos para la recolección en un radio de cincuenta kilómetros. Desde allí se indica cada día a los cosecheros dónde tienen que trabajar.

Según Helmut Adam, de TransFair Austria, una organización que compra productos del Comercio Justo a los países del sur, el salario de estos trabajadores se encuentra alrededor de un tercio por debajo del mínimo necesario para la subsistencia.[23] Y desde la reforma legal de 1995, los cosecheros, que ahora pasaron a tener el estatus de "empresarios independientes", ni siquiera cuentan con un seguro social.

Por cada cajón de naranjas, los asalariados reciben el equivalente a unos 0,15 euro. Si llegan al máximo rendimiento y llenan 80 cajones en un día, reciben un jornal inferior a los 12 euros. El monto necesario para cubrir sus necesidades básicas se asemeja al de Europa Occidental. La época de cosecha se extiende como máximo seis meses; durante lo que resta del año, los trabajadores carecen de ingresos, ya que prácticamente no existen otras fuentes laborales en la región.

Los bajos salarios conducen al trabajo infantil

Como casi ningún cosechero está en condiciones de mantener a su familia, también hay muchos niños que trabajan en las plantaciones. Niños de entre diez y catorce años de edad tienen que cargar bolsas de naranjas de 25 kilos durante catorce horas al día. Según cálculos de la central obrera CUT, en 1994 el 15% de los cosecheros de naranja de San Pablo tenían menos de 14 años. En 1996, en la región de Itápolis, uno de cada tres niños de origen pobre seguía trabajando de cosechero.[24]

Desde que las asociaciones de derechos humanos y los sindicatos denunciaron esta situación, la mayoría de las compañías occidentales que producen jugos de fruta prohibieron el trabajo infantil entre sus proveedores. La Asociación Brasileña de Exportadores de Cítricos (Abecitrus) también asumió en 1999 el compromiso de respetar en forma consecuente la prohibición de trabajo infantil y, al mismo tiempo, prometió generar proyectos de ayuda a los niños con fondos creados especialmente a tal fin. Daniela Kapellari, gerente de Ventas de Rauch, la marca de jugos de fruta líder en el mercado austríaco, declaró en una entrevista para el libro *Prost Mahlzeit! Essen und Trinken mit gutem Gewissen* (¡Buen provecho! Comer y beber con conciencia): "El trabajo infantil realmente era un tema hace cinco, seis años. Pero ahora estamos en condiciones de probar que ya no se contratan más niños como cosecheros."[25]

Algunas agrupaciones de derechos humanos, como la Agencia Südwind, consideran que esta afirmación es un poco aventurada. Aun cuando se está comprobando en todas partes una disminución del trabajo infantil motivada por la presión de la opinión pública, cada tanto aparecen nuevos estudios e informes de testigos oculares, de acuerdo con los cuales todavía hay menores de 14 años deslomándose en los naranjales.[26]

Lo que pasa es que la prohibición de las empresas no solucionó el problema central: los salarios bajos. Y es probable que sigan sin solucionarlo si no existe presión por parte de los consumidores.

Consultada sobre la posibilidad de importar jugo de naranja a través del Comercio Justo, la gerente de Ventas de Rauch dijo que no rechazaba ideas de ese tipo, pero que "en definitiva, los números tienen que cerrar."

McDonald's y los pecados de la carne

Una empresa que hace tiempo está en la mira de muchas organizaciones de consumidores es la cadena de comida rápida McDonald's. Cada cuatro horas se inaugura un nuevo McDonald's en algún lugar del planeta. Las sucursales del imperio de la hamburguesa, unas 30.000, ya están diseminadas por 118 países. El 36% de los ingresos de la empresa proviene de Europa.[27]

La cadena de restaurantes más grande del planeta es, al mismo tiempo, el principal comprador mundial de carne vacuna y, en los Estados Unidos, el primer comprador de carne en general.

McDonald's ya era criticada en los años ochenta porque la mayor parte de la carne que iba a parar al estómago de los estadounidenses —en forma de rodaja, entre dos rebanadas de pan blanco— provenía de Sudamérica. Enormes superficies de selvas tropicales sucumbieron allí ante la necesidad de obtener tierras de pastoreo para el ganado de esta multinacional norteamericana.

En 1997, durante un sonado juicio de la multinacional contra dos de sus críticos en Londres, trascendió que a lo largo de esa década McDonald's había seguido exportando carne vacuna brasileña hacia Suiza y Gran Bretaña. Los testigos confirmaron ante el tribunal que estancias brasileñas y costarricenses continuaban proveyendo carne vacuna a la empresa norteamericana. Según sus declaraciones, las estancias estaban ubicadas en terrenos pertenecientes a la selva, cuyo desmonte obligó a expulsar a parte de la población nativa.[28]

En la actualidad, la carne que se sirve en las 5.200 sucursales europeas de la cadena proviene del ganado europeo. Más de 30.000 toneladas anuales de carne vacuna pasan por la picadora sólo para los McDonald's alemanes. Esto equivale al 40% de la producción total de carne bovina en Baviera. Sin embargo, en la Unión Europea, alrededor de un tercio del forraje necesario para alimentar el ganado es importado. La mitad de esas importaciones procede de países del llamado Tercer Mundo. Allí se destinan enormes extensiones de terrenos a la siembra del forraje, terrenos que por lo general son los más fértiles y favorecidos por el clima y que quedan de ese modo inutilizables para la producción local de alimentos.

Para obtener carne, en el mundo se destinan al engorde 1.300 millones de cabezas de ganado bovino. Aproximadamente la mitad de la cosecha mundial de cereales, es decir, 600 millones de toneladas anuales, se utiliza como forraje. En Brasil, la quinta parte de los terrenos cultivables ya está ocupada con forrajes para los países de la UE.[29] Al mismo tiempo, crece el hambre: las vacas de los ricos se comen el pan de los pobres.

Los gases expelidos por los bovinos recalientan el planeta

Más allá de lo dicho, el consumo masivo de carne también es cuestionable desde el punto de vista ecológico. La cría de bovinos, por caso, contribuye en gran medida al recalentamiento terrestre. Alrededor del 85% de los cambios climáticos originados por la agricultura son atribuibles a la producción de forrajes. La culpa es (fuera de broma) del gas metano que expele cada tanto el estómago de los rumiantes. "Por lo tanto —tal como concluyó acertadamente una comisión de expertos del Parlamento alemán—, una vaca promedio puede generar el mismo efecto invernadero que un automóvil promedio."[30]

Animales torturados por la industria del fast-food

Las entidades protectoras de animales también critican los métodos utilizados por las empresas de *fast-food*. En los establecimientos industrializados, los animales viven en un espacio muy reducido y son tratados como máquinas. A los toros se los castra sin anestesia. Por lo general, no hay ventilación ni espacio para pastar. La alimentación se realiza sobre la base de pienso concentrado, el cual suele ser enriquecido con hormonas y antibióticos para que los animales crezcan y se desarrollen con mayor rapidez... y lleguen antes al matadero. Sin embargo, muchas de estas criaturas sobreengordadas mueren mientras son transportadas al matadero o incluso antes.

Por esa razón, la organización People for the Ethical Treatment of Animals (PETA) recurrió a métodos drásticos para protestar contra las prácticas aberrantes instrumentadas en los establecimientos proveedores de las cadenas de *fast-food*. Frente a los restaurantes de la cadena McDonald's de 23 países, los activistas repartieron unas cajitas similares a las que la empresa prepara para los niños. Pero estas cajitas contenían fotos y muñequitos que imitaban a animales cruelmente sacrificados. La reacción no se hizo esperar: En agosto de 2000, McDonald's anunció que se ocuparía de implementar condiciones de producción menos crueles hacia los animales.[31] En abril de 2001, Burger King, la segunda cadena norteamericana de *fast-food*, cedió también a la presión de la calle y prometió realizar mejoras.[32] Eso sí, entre efectuar esos anuncios y lograr un tratamiento más ecológico o justo hacia los animales todavía hay un largo trecho.

La crisis de la vaca loca pone bajo presión a las empresas de hamburguesas

A todo esto, las hamburgueserías se encuentran bajo una inmensa presión, sobre todo desde que se desató la crisis de la vaca loca en Europa y desde que la fiebre aftosa se propagó rápidamente a principios del año 2001. La encefalopatía espongiforme bovina (EEB) condujo a la matanza de millones de cabezas y a una crisis agrícola generalizada, primero en Gran Bretaña y a partir de la segunda mitad del año 2000 también en el continente europeo. Al día de hoy, el número de muertos a causa de la enfermedad de Creutzfeld-Jakob (a la cual se la relaciona con la EEB) ya asciende a unas cien personas. Esta coyuntura estuvo a punto de provocar el colapso del mercado de la carne bovina. Una de las empresas más afectadas por la crisis fue el líder mundial, McDonald's.

A principios de 2001, la gerencia de la multinacional informó que sus ventas en Europa habían caído un diez por ciento en el trimestre anterior. La caída fue atribuida, por lo menos en parte, al miedo de los consumidores frente al mal de la vaca loca.[33] En tan sólo tres meses (desde enero hasta comienzos de abril) la cotización de las acciones de McDonald's descendió bruscamente un 22 por ciento.[34] Para colmo de males, el 13 de enero se notificó un presunto caso de EEB en la fábrica de carne italiana Cremonini, proveedora exclusiva de la empresa de las hamburguesas.[35]

"Las vacas locas... ¿aniquilarán al BigMac?", planteaba con preocupación una revista norteamericana a propósito de estas cuestiones.[36] Si así fuese, pagarían por una vez los pecadores. Porque los bovinos, que en realidad son herbívoros, fueron alimentados con harina de origen animal, y fue eso lo que llevó a la propagación de la epidemia en Europa. El crecimiento perverso de la cría industrializada no es nada más ni nada menos que la consecuencia lógica de la filosofía de McDonald's: una filosofía que busca aumentar las ganancias a cualquier precio. "El mal de la vaca loca se está convirtiendo en la peste del comercio globalizado", afirma James L. Watson, un profesor de Harvard que conoce a fondo el consorcio de las hamburguesas. Según él, McDonald's y la EEB son engranajes de un mismo sistema.[37] Dentro de ese sistema Watson incluye también a la tecnología genética.

Desde 1996, los envíos hechos por las empresas norteamericanas a Europa también contienen forrajes modificados genéticamente. En julio de 2000, la organización ecologista Greenpeace comprobó que McDonald's alimentaba con soja transgénica a los pollos, a los mismos que luego vendía como McNuggets y hamburguesas McPollo. Fueron necesarias las protestas de los consumidores para que la empresa declarara que, a partir de abril de 2001, dejaría de utilizar productos modificados genéticamente.[38]

La tecnología genética: un arma maravillosa

Uno de los argumentos que se esgrimen recurrentemente para apoyar el uso de la tecnología genética en la agricultura es su posible utilización para combatir el hambre en el mundo. Según datos aportados por la FAO (Organización de las Naciones Unidas para la Agricultura y la Alimentación), más de 800 millones de personas, es decir, casi el 15 por ciento de la población mundial, están afectadas directamente por el hambre. Mientras tanto, la población mundial va creciendo año tras año: Se estima que para el año 2050 la cifra alcanzará los 10.000 millones. En la actualidad, somos poco más de 6.000 millones.

A través de la manipulación de la información genética de las plantas, las empresas agrícolas pretenden aumentar la producción de alimentos de tal manera que "nadie más tenga que pasar hambre". Así de sencillo. Gracias a la manipulación, las plantas podrían "aprender" a crecer rápidamente y en gran número, incluso en condiciones adversas, y, además, se volverían inmunes a las plagas y las enfermedades.

Demasiado bello para ser cierto. En realidad, el hambre en el mundo no se debe tanto a una producción agrícola insuficiente sino más bien al reparto injusto de esas riquezas. Bastan como ejemplo los casos de explotación agrícola mencionados en este capítulo.

"Contratos esclavistas"

Para la naturalista india Vandana Shiva, la tecnología genética acentúa aún más la explotación de los países pobres. Las empresas patentan las semillas que desarrollan, argumentando que tienen derecho a recibir una compensación por sus inversiones en investigación. De modo que si un agricultor utiliza porotos de soja de la firma Monsanto, no puede seguir cultivándolos como hizo desde siempre, sino que debe volver a comprar las semillas tras cada cosecha.

"Es una suerte de contrato esclavizante, a los granjeros se les prohíbe reutilizar sus semillas, un derecho que les había pertenecido desde siempre", dice la ganadora del Premio Nobel alternativo, y agrega: "El cultivo propio se considera delito. Las actividades normales del campo se califican como un delito por el cual uno puede ser perseguido, multado y encarcelado. De ese modo corremos peligro de caer en una nueva forma de colonialismo industrial en el que no sólo los campesinos, sino también países enteros pierden sus derechos."[39]

Por lo tanto, el interés principal de las multinacionales que disponen de tecnología agrícola es comercializar su producción agropecuaria. Quienes tienen una visión crítica como Vandana Shiva temen que un puñado de empresas controle gran parte de las reservas alimentarias mundiales y llegue a tener un poder insospechado. A la cabeza de ese grupo se encuentra la compañía suiza Syngenta (la fusión de Novartis y AstraZeneca). Le siguen Monsanto (EE.UU.), Aventis (Francia), BASF (Alemania) y DuPont (EE.UU.).

La tecnología "Terminator": hasta la vista, granjero

Algunas de estas compañías acaban de desarrollar un nuevo método genético que torna innecesarios los contratos mordaza anteriormente mencionados: se trata de la tecnología "Terminator". Este método permite desactivar la capacidad germinativa de todas las semillas producidas por una planta, obligando a los campesinos a realizar la compra año tras año. En enero de 2000, la compañía norteamericana Delta Pine and Land Seed Company, la mayor productora mundial de semillas de algodón, anunció su primera aplicación comercial.[40]

Sobre todo en los países pobres, esto está fuera del alcance de la gente. En la mayoría de las regiones hay variedades adaptadas localmente que se cultivan desde hace varias generaciones y que crecen incluso en condiciones climáticas adversas. Sin embargo, justamente en esos países existen muchos pedidos de patentamiento. La sospecha es inevitable: primero las empresas intentan acaparar el mercado con ofertas económicas o directamente regalando semillas, para que luego, tras haberse adaptado a los nuevos cultivos, los agricultores terminen dependiendo de otros obsequios.

Los pequeños regalos conservan la dependencia

La sospecha no es infundada, tal como demuestra otro ejemplo extraído de la industria alimenticia. En los años setenta, Nestlé y otras compañías del ramo se convirtieron en el blanco de las críticas lanzadas por las organizaciones de ayuda. A través de campañas publicitarias millonarias, inducían a las madres jóvenes a que alimentaran a sus bebés con productos artificiales. Para ello utilizaron recursos perversos: tras señalar las aparentes desventajas de la leche materna, las empresas donaron leche en polvo a maternidades, mujeres embarazadas y madres.[41]

En general, las consecuencias fueron nefastas, sobre todo en los países en vías de desarrollo. Las mujeres aceptaban agradecidas los regalos de sus benefactores occidentales y dejaban de darles el pecho a sus hijos. A pesar de que en los lugares sin acceso al agua potable la alimentación con leche en polvo es peligrosísima para los lactantes, las compañías insistieron en que la leche en polvo era más sana que la leche materna. Cuando se acabaron los regalos generosos, muchas madres ya se habían quedado sin leche en los pechos, de modo que dependían por completo de la alimentación artificial. Sólo que ahora debían pagarla muy cara.[42]

En marzo de 1981, la Organización Mundial de la Salud promulgó un Código Internacional de Comercialización de Sucedáneos de la Leche Materna. Este documento impuso restricciones a la publicidad de alimentos para bebés y prohibió terminantemente que se distribuyeran en forma gratuita o más barata. En 1982, Nestlé publicó directivas de marketing propias, basadas aparentemente en el código internacional de la OMS, pero consideradas absolutamente insuficientes por UNICEF y otras organizaciones. Sólo tras la presión intensa y los boicots llevados a cabo en numerosos países con la consigna "Nestlé mata a los bebés", la empresa decidió suscribir en 1984 el código de la OMS.

Las empresas violan el código

Se suponía que con esa firma todo estaría en orden. Se suponía. Porque las empresas siempre encuentran la forma de burlar las prohibiciones. La página web de la International Baby Food Action Network (IBFAN) registra numerosos casos en que se transgreden las restricciones publicitarias de la OMS.[43] Además de Nestlé (lista de productos en la ficha correspondiente), también reciben críticas Hipp, Milupa, Danone, Abott, Humana, Heinz, Gerber (Novartis), Mead Johnson (Bristol-Myers Squibb), entre otros.

En diciembre de 1999, un ex colaborador de Nestlé en Pakistán acusó a la compañía de haber cometido graves violaciones al código de la OMS y de haber sobornado sistemáticamente a funcionarios del área de salud paquistaní, a pesar de que en ese país mueren miles de niños a consecuencia de la alimentación con leche en polvo. "Para aumentar las ventas, sobornábamos a los pediatras y engatusábamos a las madres de los lactantes", le confió el arrepentido a la revista alemana *Stern*.[44] Un informe televisivo sobre este escándalo había sido anunciado por la emisora alemana ZDF, pero fue retirado de un día para el otro tras una intervención de la compañía suiza.[45]

Según UNICEF, el 84 por ciento de los bebés en Paquistán se alimentaba por entonces con productos sustitutos de la leche materna. Un negocio muy lucrativo, teniendo en cuenta sus 130 millones de habitantes. Nestlé informa tanto en Internet como en los envases de sus productos que la leche materna "es el mejor alimento para su bebé y el más sano", pero el problema es que de cada cuatro mujeres paquistaníes sólo una sabe leer y escribir.[46]

A raíz de sus constantes violaciones al código de la OMS, las empresas de alimentos para bebés no sólo están enfrentadas al Fondo de las Naciones Unidas para la Infancia (UNICEF) y a la IBFAN, sino también a la Organización Internacional del Trabajo (OIT), a la World Alliance for Breastfeeding Action (WABA) y a otros organismos.[47]

El sida como recurso de marketing

Las empresas han iniciado ahora una nueva arremetida para acercar de todos modos sus productos a la mujer: Nestlé y compañía sostienen que sólo la distribución gratuita de alimentación para lactantes puede impedir el contagio del virus VIH a través de la leche materna.

La propagación del virus ha tomado dimensiones de epidemia, sobre todo en África. Según datos aportados por el Programa Conjunto de las Naciones Unidas sobre el VIH/sida, los países al sur del Sahara tienen, en promedio, un 9% de mujeres embarazadas infectadas con el VIH. A nivel mundial, ya han muerto de sida 3,8 millones de niños, y se calcula que 3,4 millones de ellos fueron contagiados por madres VIH positivas.

Si a esas madres se les suministrase alimento para bebés, muchos de esos niños podrían sobrevivir, afirman las empresas alimenticias. El prestigioso periódico económico *Wall Street Journal* incluso acusa a UNICEF de consentir "la muerte de millones de niños" al negarse a que las compañías distribuyan sus productos en forma gratuita.[48]

En principio, UNICEF no está en contra de que se entreguen productos sustitutos de la leche a las madres VIH positivas.[49] Lo que ocurre es que, en realidad, la proporción de contagios a través de la leche materna es relativamente baja (alrededor del 15 por ciento). Desde que estalló la epidemia del sida hace unos veinte años, un total de entre 1,1 y 1,7 millones de niños contrajeron el virus por esta vía, calcula UNICEF. La mayor parte de los contagios se producen ya en el seno materno, durante el embarazo. Además, el acceso al análisis de sida en África es un lujo que muy pocos pueden darse: sólo el 5 por ciento de los infectados sabe que es VIH positivo.[50]

Un millón y medio de niños mueren a causa de la alimentación artificial

De todos modos, si la leche en polvo se suministra a la buena de Dios, sin que las madres se hayan hecho el análisis de sida, es probable que haya que lamentar muchas más víctimas fatales que las que pueden producirse con el amamantamiento, dado que la lactancia materna ofrece un riesgo de contagio relativamente bajo. Según la OMS, más de un millón y medio de niños mueren cada año precisamente por no haber sido amamantados. La principal causa de mortalidad son las infecciones diarreicas y otras enfermedades similares. Como el acceso al agua potable en las regiones subdesarrolladas constituye una excepción, la leche en polvo por lo general tiene que diluirse en aguas contaminadas con bacterias. De ahí que la leche de biberón sea la principal causa de contagio y muerte.

"Un niño alimentado a mamadera tiene una probabilidad seis veces mayor de morir de diarrea que un niño amamantado naturalmente", dice Urban Jonsson, director regional de UNICEF para el Este y el Sur de África. "Nestlé lo sabe y, sin embargo, sigue publicitando sus sustitutos de la leche materna."[51]

Por esa razón, UNICEF exige que la alimentación artificial se entregue bajo ciertos requisitos: únicamente a madres infectadas y sólo bajo estrictas condiciones de higiene. Básicamente, lo que busca este organismo es que exista un mayor acceso al test de VIH y a los medicamentos para el sida.

Además, la directora de UNICEF, Carol Bellamy, se puso en contacto con las empresas alimenticias para poder ofrecer —en los casos probados de VIH positivo— leche en polvo como sustituto de la leche materna. Pero las conversaciones fracasaron, según UNICEF por las constantes violaciones al código de la OMS y porque los fabricantes querían manipular nuevamente las donaciones con fines publicitarios, con lo cual se corría el riesgo de que también comenzaran a usar leche en polvo las madres sanas.

Porque si estos productos penetran en el inconsciente de las masas como panacea para evitar el sida infantil, las compañías podrán obtener pingües ganancias, incluso en los países más pobres. La presencia internacional de Nestlé, junto con la de Coca Cola, ya es temible: quien haya estado en África habrá

144

podido observar que en muchos países los negocios están abarrotados de productos importados Nestlé, cuya gran popularidad evidentemente está ligada a su imagen "moderna". Mientras tanto, la población rural, que carece de oportunidades para promocionar sus productos, suele tener grandes dificultades a la hora de vender la propia cosecha.

Explotación en Europa

En Europa Occidental, la industria alimentaria globalizada también es responsable de graves violaciones a los derechos humanos y laborales. La compañía alemana Aldi, la cadena comercial austríaca Billa (perteneciente al grupo Rewe), además de McDonald's, Unilever y otras empresas, están acusadas de ofrecer condiciones laborales precarias y salarios bajos y de avasallar los derechos gremiales. En el año 2000, los sindicatos franceses organizaron un levantamiento contra la empresa Aldi, que hacía trabajar a sus empleados hasta 60 horas sin pagarles las horas extras.[52]

Walter Sauer, de la central sindical austríaca ÖGB, afirma que la compañía Billa, la cual tras la caída de la Cortina de Hierro estableció varias sucursales en Europa del Este, impide de modo muy sutil la organización gremial de sus empleados: "Hace dos años, en Billa Hungría se echó a rodar el rumor de que todo el que iba a los sindicatos ocuparía el primer lugar en la lista de despidos y no sería contemplado para los aumentos salariales. Como consecuencia de ese rumor, de un día para el otro casi todos los empleados se retiraron del sindicato", afirma el referente de ÖGB para el exterior[53]. Si bien el gerente general de la filial húngara de Billa (al igual que su casa central austríaca) negó haber ejercido ese tipo de presión, no cabe duda de que muchos trabajadores se sintieron fuertemente intimidados.

Ayudantes de cosecha extranjeros como máquinas de bajo costo

Los más afectados por el abuso y la explotación son los inmigrantes que llegan a Europa y los trabajadores golondrina. Por ejemplo, los ayudantes de cosecha extranjeros que trabajan en

Alemania, Austria y Suiza a cambio de salarios míseros. En Austria, esos hombres, degradados al rango de máquinas cosechadoras, ni siquiera tienen derecho a una jubilación o a un seguro social. Cuando la temporada llega a su fin, corren el riesgo de ser deportados.

Pogrom contra los africanos del norte

Pero en el sur de España la situación es peor aún. En febrero de 2000, una pequeña ciudad andaluza a orillas del Mediterráneo, en la provincia de Almería, se hizo tristemente célebre: durante varios días, numerosos habitantes de El Ejido salieron a la calle a perseguir ayudantes de cosecha marroquíes con bates de béisbol y destruyeron sus precarias viviendas junto con los pocos bienes que poseían los africanos.

El 5 de febrero, un marroquí con trastornos mentales había asesinado a una española de 26 años. Ese hecho fue la mecha que encendió la locura colectiva. Una multitud azuzada por consignas racistas se movilizó en toda la región clamando por una venganza mortal. Los locales pertenecientes a marroquíes y a agrupaciones de derechos humanos fueron destruidos; las personas de tez oscura fueron amenazadas. La policía permaneció inmóvil, observando los actos vandálicos sin intervenir. Algunas pandillas de jóvenes marcharon con bates de béisbol y barras de hierro hacia el barrio de los inmigrantes, destruyendo negocios y mezquitas y atacando a todo africano que caía en sus garras. Acompañada por gritos de júbilo de la muchedumbre, la turba racista incendió las barracas de los inmigrantes, hechas de madera, piedra y toldos, y persiguió hombres, mujeres y niños hasta los invernaderos, en los cuales miles de ellos habían buscado refugio. Entretanto, un comando de trescientos policías reprimía una manifestación pacífica de algunos cientos de marroquíes que convocaban con los brazos en alto a un cese de la violencia.

Sacudidas por los informes de la prensa internacional, las autoridades intervinieron con decisión, aunque para ello debieron pasar tres días. Más de sesenta personas resultaron heridas. Que no haya habido muertos es, según opinan testigos oculares, algo rayano en el milagro.[54]

La provincia de Almería se especializa en el cultivo intensivo de frutas y hortalizas. Los invernaderos ocupan aquí una superficie de 30.000 hectáreas. Miles de pequeñas empresas familiares emplean (generalmente en forma ilegal) a miles de extranjeros, en su mayoría marroquíes. Las estimaciones oficiales hablan de entre 15.000 y 25.000 "ilegales", que, al no tener permiso de residencia ni contrato laboral, están absolutamente librados al arbitrio de sus empleadores. Las autoridades lo saben, pero se quedan mirando sin hacer nada, porque sin los trabajadores extranjeros la abundante cosecha probablemente se echaría a perder. Y, al fin y al cabo, de esa cosecha depende el bienestar de toda la región.

Desde que Juan Enciso es el alcalde de El Ejido, las intimidaciones a los inmigrantes están a la orden del día.[55] Ya en 1998, extremistas de derecha habían ejecutado cruelmente a un agricultor y quemado vivos a otros dos marroquíes. Estos ataques y otros similares jamás fueron esclarecidos. Muchos sospechan que detrás de todo esto hay mercenarios de los empresarios agrícolas, que buscan amedrentar a los trabajadores. El alcalde Enciso proviene de una familia que administra la Agroejido, una de las principales compañías del sector.

Las empresas de Europa Central se quedan con las ganancias

El ochenta por ciento de las hortalizas que se exportan desde España proviene de la provincia de Almería. En sus 32.000 invernaderos, la región produce anualmente alrededor de 2,8 millones de toneladas de frutas y verduras, que en su mayor parte se exportan a Alemania. Pero en febrero de 2001, por ejemplo, la cadena de supermercados austríaca Billa (perteneciente a la compañía alemana Rewe) también promocionaba fresas, tomates y ajíes "frescos de España": "Los aromáticos tomates de la provincia de Almería" están allí a sólo 1,45 euro. Y dos "ajíes frescos y sabrosos", también de la zona de El Ejido, ya se consiguen por 0,73 euro.[56]

Por sembrar y cosechar estos productos, un trabajador marroquí recibe apenas 20 euros al día, mientras que un español gana por lo menos el doble.[57] Para ello, tiene que deslomarse en su trabajo, soportando el abrasador calor andaluz bajo la cober-

147

tura plástica de los invernaderos, donde la temperatura suele superar los 50 grados. Además, está expuesto a las emanaciones que se desprenden de los fertilizantes y los pesticidas, cuyo uso es imprescindible en la agricultura intensiva. Un estudio especial realizado en 1996 investigó 506 casos graves de intoxicación con esos pesticidas, de los cuales un 5% derivó en la muerte de los pacientes.[58]

"Trabajamos y vivimos debajo del plástico"

La mayoría de los inmigrantes vegeta en casillas de emergencia, en casas o depósitos abandonados. El 55 por ciento no tiene agua potable ni instalaciones sanitarias ni letrinas.[59] "Trabajamos debajo del plástico y vivimos debajo del plástico", precisa uno de ellos.[60]

Estas condiciones han llevado a las tensiones sociales que, hasta ahora, alcanzaron su pico máximo en el pogrom de febrero de 2000.

Pero siempre se puede rescatar algo: finalmente una empresa reaccionó ante un pedido firmado por 4.000 clientes. La cadena de supermercados suiza Migros va a investigar más de cerca las condiciones de vida y de trabajo de los peones rurales africanos en Almería. De comprobarse las acusaciones, Migros encargará su mercadería a algún otro proveedor, anunció la gerencia comercial en enero de 2001.[61] Pero un mero cambio de proveedor no ayudará a cambiar la situación. Sería más atinado que utilizaran el poder que tienen como compradores mayoristas para lograr mejores condiciones laborales para los peones rurales y controlar su cumplimiento. Lo que sucede es que esto redundaría en mejores sueldos y, en consecuencia, en precios más elevados para los alimentos importados.

Dado que, hasta el momento, ninguna compañía importante quiere dignarse a ello, Tobias Müller (integrante de una delegación enviada por el Foro Cívico Europeo para investigar los hechos acaecidos en El Ejido) llega a una conclusión clara: "En realidad, no deberíamos comer más tomates ni fresas de España. Se producen en condiciones éticamente injustificables."[62]

Pero entonces, ¿qué se puede comer?

Desde este punto de vista, no podríamos comer nada más, pensarán algunos. No es así. Porque en ningún otro rubro existen tantas alternativas como en el sector alimenticio. Sobre todo desde la crisis de la vaca loca, parece haber comenzado un cambio de mentalidad que ya se refleja en las góndolas de los supermercados en forma lenta pero ininterrumpida.

En este contexto, el mercado más importante del futuro es la agricultura orgánica. La resolución Nº 2092/91[63] de la UE determina claramente qué es lo que debe contener un producto con la etiqueta "Bio". Esto incluye disposiciones muy precisas sobre el cultivo orgánico de las materias primas, el trato digno a los animales y el procesamiento ecológico. La utilización de tecnología genética y de aditivos nocivos para la salud está prohibida.

Las tiendas naturistas no siempre están a la vuelta de la esquina y, además, suelen ser relativamente caras. Pero cada vez hay más supermercados que ofrecen productos orgánicos.[64] Vale la pena averiguar.

El hecho de que un producto lleve el rótulo "Bio" no es sinónimo de que haya sido fabricado en forma socialmente aceptable. En los cultivos orgánicos alemanes, por ejemplo, es posible encontrar ayudantes de cosecha polacos que trabajan sin seguro social y por 3 euros la hora.[65] Pero, en la mayoría de los casos, con sus estructuras más pequeñas y diseñadas a largo plazo, la agricultura ecológica al menos crea puestos de trabajo de mejor calidad que los de la producción industrial. Además, numerosos establecimientos se han impuesto a sí mismos estándares sociales elevados, y los hacen controlar porque saben que sus clientes son sumamente exigentes en cuanto a las condiciones de producción.

Generalmente conviene privilegiar los productos de la región por sobre aquellos que tuvieron que ser transportados durante largos trayectos. Desde el punto de vista europeo, por ejemplo, la fruta de Europa Central no sólo causa menos daños ambientales que la sudamericana (debido a que el transporte requiere trayectos más cortos); por lo general, tampoco fue recolectada por niños explotados en las plantaciones casi hasta la muerte.

149

Comercio Justo

Sin embargo, a causa de las condiciones climáticas, muchos productos alimenticios como el café, el té, el cacao y las frutas tropicales no pueden cultivarse en Europa. Por eso existen organizaciones comerciales como TransFair y Max Havelaar[66], que no sólo garantizan salarios y condiciones de trabajo decentes, sino también un cultivo y un procesamiento ecológicos. Comprando sus productos, uno asegura la creación de estructuras sustentables y, con ello, la supervivencia de muchos pequeños agricultores.

Estos productos están identificados con logos especiales del Comercio Justo y no sólo se ofrecen en las denominadas "tiendas globales", sino también, cada vez más, en los supermercados.[67] Como siempre, también aquí, la demanda, la averiguación y la presión de los consumidores obligan incluso a las grandes empresas a recurrir al Comercio Justo.

PAN Y CIRCO

Muñecas Barbie, monstruos de Pokémon, autitos de colección, Teletubbies, el ratón Mickey... Nuestros hijos están todo el día rodeados de juguetes. Algunos son fabricados por personas que, a su vez, también son niños. Esto ocurre en los países de mano de obra barata, en Asia, entre sangre, sudor y lágrimas.

É rase una vez una niña pobre, llamada Xiao Shen, que vivía en la pequeña aldea rural de Zhongyuan, en el centro de China. Su vida no era sencilla. Tenía que comer arroz todos los días, carne había sólo en algunas fiestas. Xiao Shen tenía que estar todos los días con el agua a la altura de las rodillas ayudándole a su padre en la cosecha del arroz. Cada vez que cerraba los ojos, soñaba con una vida mejor, con salidas al cine en una ciudad desconocida, con ropa linda, hasta con un auto... y con el príncipe que algún día llegaría. Todas las noches ponía una vela en la ventana para que el príncipe pudiera encontrar el camino hacia ella. Pero el príncipe nunca llegó. A Zhongyuan no llegó.

Por eso, un día, Xiao Shen decidió marcharse. Decenas de veces había oído historias acerca de un país mejor detrás de las montañas. Se puso de acuerdo con sus mejores amigas, que compartían su mismo destino y soñaban sus mismos sueños.

Antes del amanecer se marcharon sigilosamente de sus casas. Un camionero las llevó hasta la ciudad más próxima. Y así siguieron viajando y viajando, dejando atrás muchas ciudades, siempre en dirección al sur. Recorrieron dos mil kilómetros. Como el viaje era largo y el dinero muy poco, dependían de la buena voluntad de los automovilistas que accedieran a llevarlas. Por las noches, Xiao Shen lloraba, se preocupaba por sus padres. En su habitación había dejado una nota en la que les decía a su padre y a su madre que no se preocuparan, que pronto se comunicaría con ellos y les enviaría dinero.

Por fin, Xiao Shen y sus amigas llegaron a destino: a la ciudad de Shenzhen, una zona de libre comercio en el sur de China, en la frontera con Hong Kong. Allí había trabajo, allí había dinero, y tal vez allí sus sueños se harían realidad.

Explotadas para fabricar juguetes Chicco

Esto sucedió a comienzos de 1993 y no fue ningún cuento de hadas.[1] Xiao Shen conoció a dos empresarios llamados Huang Guoguang y Lao Zhaoquan, quienes buscaban empleadas para su Zhili Handicraft Factory. Allí se fabricaban juguetes que luego distribuía la empresa italiana Artsana S.p.A./Chicco.

Xiao Shen se convirtió en una de las 472 empleadas de la factoría. Tenía la impresión de que allí las cosas le iban incluso peor que en su casa, en la pequeña aldea, junto a los búfalos acuáticos. Trabajaba en la fábrica Zhili sin descanso, de sol a sol, pero, al igual que las demás, recibía a cambio un salario que sólo le alcanzaba para sobrevivir. A veces eran unos 26 euros mensuales, otras veces eran 40.

Como los dos gerentes comerciales vivían acosados por el temor de que sus empleadas les robaran la mercadería, transformaron la fábrica en una suerte de cárcel. Pusieron rejas a todas las ventanas y clausuraron todas las salidas de emergencia. Los inspectores estatales fueron sobornados para que hicieran la vista gorda.

Un incendio

Ahora Xiao Shen vivía día y noche tras las rejas, ya que, al igual que las demás empleadas, también dormía en la fábrica. Uno de los tres pisos servía como alojamiento, otro como depósito de mercaderías.

Y entonces, la tarde del 19 de noviembre de 1993, se produjo un incendio que se extendió rápidamente por todo el edificio. En todas partes había productos químicos altamente inflamables. Xiao Shen y las demás intentaron huir. Pero ¿hacia dónde?

Todas las ventanas tenían rejas, todas las puertas estaban clausuradas.

Doscientas personas, en su mayoría mujeres jóvenes, algunas de no más de 16 años, fueron alcanzadas por el fuego y gritaron pidiendo auxilio. Xiao Shen consiguió forzar una ventana enrejada en el segundo piso. Tuvo que tomar una decisión: o moría quemada, o saltaba. Decidió saltar y se quebró los dos tobillos. Algunas de sus amigas de la aldea de Zhongyuan no lograron escapar de las llamas. En total murieron 87 personas calcinadas, y otras 47 sufrieron heridas graves.

Xiao Shen pasó cuatro meses en el hospital hasta que sus pies estuvieron medianamente recuperados.

Condenas muy leves para los culpables

Una semana antes de que se produjera la catástrofe, el cuerpo de bomberos de la ciudad de Shenzhen le había hecho notar al dueño de la fábrica, el empresario de Hong Kong Lo Chiu-Chuen, que sus medidas de seguridad contra incendios eran insuficientes. Después de la tragedia, tanto él como sus dos gerentes comerciales, Huang Guoguang y Lao Zhaoquan, fueron juzgados. El dueño de la factoría fue condenado a dos años de prisión y a pagar al gobierno chino una indemnización por el equivalente a unos 960.000 euros.[2]

Estos dos empresarios, que habían puesto tras las rejas a sus empleados, estuvieron en la cárcel tan sólo un par de meses. Ahora administran una fábrica nueva en la localidad de Dongguan, apenas cincuenta kilómetros al norte del lugar del siniestro.

Al parecer, siguen trabajando para la empresa italiana de juguetes Artsana S.p.A./Chicco.[3]

Una lista

Como consecuencia del incendio en Zhili, en 1994 se unieron en Hong Kong numerosas agrupaciones sindicales y de derechos humanos para formar la Toy Coalition, y así luchar contra las terribles condiciones imperantes en las fábricas chinas. Se lanzó una campaña internacional.

Pasaron tres años hasta que el gerente responsable de Artsana S.p.A./Chicco, Michele Catelli, finalmente se mostró dispuesto a pagar a los 130 damnificados (heridos graves y familiares de los fallecidos) un total de aproximadamente 155.000 euros, lo cual representaba 1.190 euros por persona.

La suma total se depositó en 1997 en una cuenta de Cáritas Hong Kong para ser abonada en cuanto se presentara una lista oficial de todas las víctimas. La Toy Coalition logró reunir el nombre y la dirección de cincuenta damnificados. Sin embargo, Artsana S.p.A./Chicco se negó a efectivizar el pago, aduciendo que las autoridades chinas debían presentar una lista completa y autorizada. Pero eso era imposible, ya que éstas habían rechazado de plano cualquier colaboración en el asunto por temor a aparecer como corresponsables de la catástrofe y así "perder la cara", como se dice en China.

Sin comentarios

Desde entonces han transcurrido ocho años, y hasta el momento ninguna de las víctimas recibió un solo centavo de manos de la compañía italiana.

En octubre de 1999, los abogados de Artsana S.p.A./Chicco declararon que el dinero ya había sido distribuido hacía rato a tres talleres chinos para fabricar prótesis y construir tres escuelas. Pero esos proyectos sociales no tienen ninguna relación con la catástrofe. Dado que esto constituye claramente una malversación de los fondos destinados a las víctimas, la Toy Coalition de Hong Kong inició una campaña internacional de boicot a los juguetes Chicco para recordarle a la empresa italiana su responsabilidad para con las víctimas.

Consultado por el periódico *South China Morning Post* de Hong Kong, Fabrizio Goldoni, gerente de las oficinas de Chicco en ese país, se negó rotundamente a hacer declaraciones sobre los fondos malversados.[4]

Kader Toy Factory en Bangkok

La tragedia ocurrida en la Zhili Toy Factory no es un hecho aislado. Seis meses antes, en mayo de 1993, se había desencadenado un incendio en la fábrica Kader Toy Factory, en las cercanías de Bangkok. Allí se fabricaban juguetes de las empresas norteamericanas Mattel ("Barbie") y Hasbro ("Monopoly", "Pokémon", "Teletubbies"). A pesar de que anteriormente ya había habido dos incendios, en los cuales un obrero había muerto y muchos habían resultado gravemente heridos, las medidas de seguridad seguían siendo insuficientes.

El sistema de alarma para incendios estaba dañado, no había extinguidores automáticos ni salidas de emergencia. El edificio tenía cuatro pisos, todos repletos de materiales altamente inflamables. Unas 1.110 personas intentaron escapar de las llamas. Pero, al igual que en la fábrica Zhili, estaban como atrapadas en una jaula: muchas de las ventanas tenían rejas, las puertas estaban trancadas.

¿Cuántos y cuánto?

Tras el incendio se contabilizaron 188 muertos y 469 heridos.

Una investigación realizada posteriormente comprobó que en la fábrica incluso trabajaban niñas de 13 años. En ese entonces, el salario mínimo establecido por ley en Bangkok era del equivalente a 5,10 euros por día. Pero ni siquiera eso se respetaba en la Kader Toy Factory: los dueños pagaban sólo 2,50 euros. A veces obligaban a los empleados a trabajar 19 horas seguidas. Por cada hora extra, los trabajadores recibían un plus de 0,90 euro.

Economía global, moral regional

Los muertos y los inválidos de por vida, tantos los de la Kader Toy Factory como los de la Zhili Toy Factory, son víctimas de un proceso global. Los dueños de las firmas mencionadas viven de los encargos de las compañías internacionales, cuyo interés es producir mercaderías de marca al menor costo posible. Esto aumenta sus ganancias, ajusta los salarios y disminuye las medidas de seguridad en las plantas de producción. Los últimos orejones del tarro son las personas que fabrican todas esas mercaderías deslumbrantes que compramos en los negocios.

Las empresas invierten allí donde la producción es más barata. Esto puede observarse con gran claridad en la industria del juguete. En los últimos veinte años hubo un enorme flujo de inversiones desde un continente hacia otro. Hace 35 años, Estados Unidos era el mayor productor de juguetes. Más tarde, en los años setenta, las compañías norteamericanas radicaron su producción en los denominados "tigres asiáticos": Hong Kong, Taiwan, Corea del Sur.

Un paraíso para las empresas

Cuando en esos países comenzaron a subir lentamente los salarios y se formaron los sindicatos, la caravana inversionista se trasladó hacia Tailandia, Indonesia, Malasia y Filipinas.

Y, sobre todo, hacia China. Porque, para las multinacionales, China es un paraíso. Hay un orden político estable, los sindicatos están prohibidos, las imposiciones gubernamentales son mínimas, las autoridades se dejan sobornar y el costo de vida es muy bajo. No es de extrañar que, en la actualidad, alrededor de un tercio de los juguetes se fabrique en China.

Desde hace algunos años, las empresas invierten también en Vietnam. Allí las condiciones reinantes son muy similares a las de China.

El mercado del juguete es gigantesco. Cuantos menos niños nacen en los países industrializados, más dinero se gasta en sus juguetes. En Alemania, por caso, el gasto anual en este rubro es de unos 178-204 euros per cápita.[5]

Walt Disney

Dentro del negocio de los juguetes y los sueños infantiles, la Walt Disney Company es un pez bien gordo. A mediados de 1998, la compañía terminó una película nueva, *Mulan*, que apuntaba al público chino. Este film de dibujos animados trata de una leyenda china muy famosa en la que una mujer de nombre Mulan se disfraza de hombre, ingresa en el ejército y lucha hasta alcanzar una gran victoria para su país.[6]

La compañía Disney quería utilizar el film como un vehículo para captar el mercado cinematográfico chino.

Pero al principio no todo salió como estaba planeado. Como la Walt Disney Company también había patrocinado la película *Siete años en el Tíbet*, y el gobierno chino la había desaprobado por considerarla una crítica a su política de ocupación en dicha región, la exhibición de *Mulan* en China fue desautorizada.

Sin embargo, la Walt Disney Company no se dio por vencida y, por medio de negociaciones, consiguió que a partir de febrero de 1999 *Mulan* llegara a los cines chinos.

El ratón Mickey en China

Con respecto a sus negocios en China, Walt Disney no sólo apunta a los consumidores, sino que además fabrica allí los muñequitos de sus famosos personajes: el ratón Mickey, el pato Donald, Bambi, Cenicienta y todos los demás.

Pero en China, el ratón Mickey tiene una segunda cara: "¡Cuidado con las fábricas de Disney en los patios traseros del sudeste asiático!", advierte la agrupación crítica de consumidores Hong Kong Christian Industrial Committee, y reparte carteles que muestran a Mickey con unos colmillos filosos, dispuestos a morder. A principios del año 2001, esta agrupación publicó un informe donde se denunciaban irregularidades en doce fábricas chinas que proveían productos a la Walt Disney Company.[7]

El ratón Mickey es malo

¿Cuáles eran las imputaciones?[8]: que se obligó al personal a trabajar hasta dieciocho horas por día, los siete días de la semana, a menudo durante meses ininterrumpidos, en condiciones —al menos en parte— peligrosas. La mayoría de las jóvenes, algunas de no más de dieciséis años, trabajaban por un salario de hambre de entre 38 y 63 euros mensuales. Este monto se encuentra por debajo del salario mínimo dispuesto por ley, si se tiene en cuenta la cantidad de horas de trabajo. A modo de comparación: el director gerente de la Disney Company, Michael Eisner, gana 6,25 millones de euros. También mensuales.[9]

Gran parte de las horas extras no se pagó. Las compañías solían abonar los sueldos con un retraso de entre uno y dos meses.

Las operarias informaron sobre la mala calidad de la comida que les servían y sobre lo repletos que estaban los pabellones para dormir: tenían que compartir los cuartos hasta entre 24 personas. Además, las sometían a castigos humillantes. A pesar de lo dispuesto por las leyes chinas, la mayoría de las operarias no recibía seguro social ni de salud por parte de sus empleadores.

Los controles de los inspectores oficiales eran anunciados de antemano a las compañías, de modo que éstas siempre tenían tiempo suficiente para poner todo en orden. Las operarias eran obligadas a firmar recibos de sueldo falsos. Además, tenían que practicar las respuestas "correctas" a eventuales preguntas que pudieran surgir. Las menores de edad debían abandonar la fábrica mientras durase la inspección.

No es cuento

Un año antes, el Hong Kong Christian Industrial Committee había publicado un informe similar sobre irregularidades en cuatro fábricas chinas que también producían para Disney.[10] ¿Cómo reaccionó la compañía? Frenó inmediatamente sus pedidos a tres de las cuatro firmas, logrando de ese modo mantener limpia su imagen. Como ya no había trabajo, las operarias fueron despedidas.

Para impedir que la Walt Disney Company se limitara otra vez a un mero cambio de fabricante y dejara en la calle a las víctimas de las irregularidades, la organización mencionada ocultó el nombre de las empresas en su nuevo informe del año 2001.[11]

El informe exhorta a la empresa norteamericana a aplicar de una buena vez las reglas de comportamiento social (*codes of conduct*) que ella misma se impuso y a asegurar el cumplimiento de determinados estándares mínimos por parte de los fabricantes. Asimismo exige que Disney instruya a sus empleados acerca de sus derechos y que los incluya en el control de las condiciones laborales.

¿Cuál fue la reacción de la Disney Company ante estas acusaciones? Silencio, negación, ocultamiento. Una receta probada.

La conclusión amarga del Hong Kong Christian Industrial Committee: "Disney no es un caso aislado, sino un ejemplo emblemático de lo que hoy en día está ocurriendo en todo el mundo."[12] Y: "Sin la participación de los obreros en el control, los *codes of conduct* publicados por las compañías terminan siendo solamente una propaganda."

No es un caso aislado

En la isla de Macao, que desde 1999 pertenece a China, y en la isla caribeña de Haití también salieron a la luz irregularidades cometidas en las fábricas que producen para Disney.[13]

En la Megatex Factory, en Puerto Príncipe, la capital de Haití, los obreros fueron amenazados por sus superiores en octubre de 1998: si seguían intentando organizarse en forma gremial, serían despedidos y sufrirían la violencia en carne propia. En Haití, las alusiones al uso de violencia se consideran amenazas de muerte encubiertas. Al menos siete trabajadores fueron despedidos por sospechas de actividades gremiales.

La "Cajita Feliz" de McDonald's

El Hong Kong Christian Industrial Committee no sólo investigó las fábricas de la compañía Disney, sino también las de McDonald's. Esta cadena de comida rápida trabaja en estrecha colaboración con la empresa de dibujos animados. Prueba de ello es que en sus restaurantes no sólo se venden hamburguesas, sino también las llamadas "Happy Meals" (Cajitas Felices): al pedir determinados menús, los niños reciben de regalo un muñequito de Disney.

A mediados de 2000, el Committee publicó un informe sobre

prácticas irregulares en cinco fábricas del sur de China que pertenecían a la empresa Pleasure Tech Holdings de Hong Kong. Una de esas fábricas lleva el nombre de City Toys.[14] El informe habla de trabajo infantil y de documentos falsificados en los cuales los operarios figuran con una edad mayor que la real. Durante las inspecciones, a los niños los encierran para que todo quede en orden.

La paga que reciben las obreras por una jornada de ocho horas es de aproximadamente 1,50 euro. Generalmente tienen que trabajar quince horas al día, desde las siete de la mañana hasta las diez de la noche. Cuando hay muchos pedidos, no pueden tomarse ni un solo día libre. Se trabaja sin descanso de lunes a domingo. No existe seguro social ni seguro de salud.

Los trabajadores pernoctan en la fábrica, en unos pabellones que tienen hasta dieciséis camas por habitación (y por las cuales se les cobra unos cuatro euros mensuales).

Todas estas prácticas contravienen las disposiciones legales en China.

Aladino y la lámpara maravillosa

Y a todo esto, ¿qué tiene para decir la empresa que realizó los encargos? McDonald's rechazó todas las acusaciones. Que no vio ni oyó nada. Que no, que trabajo infantil no hay.[15] De todos modos, el Committee pudo comprobar que en julio de 2000 unos 160 niños de doce y trece años de edad trabajaron por un breve lapso en la fábrica City Toys. La versión oficial de la firma es que tenían por lo menos 15 años. Su trabajo consistía en vestir con trajes de colores a los muñequitos plásticos de Aladino. Los niños tenían una jornada laboral de doce horas.

A mediados de 2000, uno de los niños, nacido en 1988 y llamado Xiao Fung, se lamentaba ante el Hong Kong Christian Industrial Committee: "No me gusta este lugar. El trabajo es muy duro. Nos hacen trabajar hasta las nueve de la noche."

El periódico *South China Morning Post* informó que alrededor de 400 de los 2.000 empleados de la fábrica City Toys eran niños y que debían pasar la noche en unos catres sin colchón. El director de la fábrica declaró que no tenía conocimiento de que hubiese trabajo infantil pero que intentaría corroborarlo.[16]

Cuando el tema comenzó a cobrar interés más allá de la prensa local, McDonald's envió de inmediato un equipo de investigación a las fábricas.[17] Tras controlarse los documentos de todos los presentes, se procedió a despedir a varios cientos de los entre dos mil y tres mil empleados.

La empresa publicó un comunicado de prensa en el que afirmaba que el trabajo infantil estaba estrictamente prohibido y que se realizaban asiduos controles.[18]

Pero finalmente McDonald's tuvo que admitir que había habido "problemas con los salarios, la duración de la jornada laboral y los registros". Todos los pedidos hechos a la fábrica City Toys fueron cancelados y transferidos a otras empresas.

De este modo, quienes tuvieron que pagar por los negociados de la compañía fueron nuevamente los trabajadores.

Metano, benceno y Cajita Feliz

McDonald's también fabrica los muñequitos para su Cajita Feliz en Vietnam. KeyHinge Toys es una empresa con más de mil empleados. También aquí, la mayoría son mujeres jóvenes.[19]

Dos agrupaciones sindicales, Asia Monitor Resource Center y Toy Coalition, denuncian una intoxicación masiva con acetona ocurrida el 21 de febrero de 1997. Unas 220 operarias se enfermaron por culpa de las fuertes emanaciones de este solvente incoloro que, al inhalarse, puede provocar náuseas, mareos y pérdida del conocimiento. 25 operarias se desmayaron, tres fueron llevadas al hospital.

La fábrica se negó a pagar el costo del tratamiento médico, pese a que las trabajadoras ganaban escasos 6 centavos de euro por hora (con una jornada promedio de diez horas, los siete días de la semana). El sueldo de algunas de las muchachas no superaba los 4,32 euros por 70 horas semanales.[20]

El entonces vocero de McDonald's, Walt Riker, tomó las cosas con calma: "Esas denuncias son absolutamente exageradas. No hubo ninguna intoxicación."[21] Riker dijo que McDonald's había controlado la calidad del aire de la fábrica: "No encontramos nada. Verificamos todo a fondo. Pusimos a la empresa bajo la lupa."

161

Riker negó rotundamente haber tenido conocimiento de otras denuncias similares, referidas a casos graves de intoxicación ocurridos en fábricas chinas que también producían muñequitos para la Cajita Feliz. A todo esto, en enero de 1992 hubo incluso tres víctimas fatales a causa de intoxicaciones con benceno.[22]

Vía libre a Die Cast

Comparadas con Vietnam o China, las condiciones laborales en Tailandia han mejorado bastante. Basta con repasar el conflicto de Maisto, empresa que fabrica los autos de colección de las marcas Die Cast y Tonka. Dueña de la marca es la May Cheong Toy Products Factory Ltd. de Hong Kong, que tiene sucursales en todo el mundo y provee a cadenas de supermercados líderes de Norteamérica, como Wal-Mart, y a importantes empresas del sector, como Hasbro ("Pokémon", etc.).

En febrero de 2000, la dirección de la empresa anunció que cerraría una de sus fábricas tailandesas, la Maisto Manufactoring, y que los trabajadores serían reubicados en un nuevo establecimiento de la zona.[23]

Para ese entonces, la fábrica tenía más de 400 empleados, en su mayoría mujeres, que recibían un jornal de 3,60 euros, lo cual estaba por debajo del salario mínimo fijado por la ley. Además, en la empresa había un perverso sistema de multas, por ejemplo por usar "zapatos que no se ajustan al uniforme de trabajo".

Maisto les comunicó a los empleados que en la nueva planta ganarían menos dinero.

El 28 de marzo de 2000, 174 empleados fueron trasladados a la nueva fábrica. Por cierto, ésta resultó ser un centro de producción a medio terminar, en el que todavía no había máquinas en funcionamiento, sino apenas unos baños desoladores. Tampoco había salidas de emergencia ni indumentaria adecuada para protegerse de las agresivas sustancias químicas. Los empleados se negaron a trabajar en esas condiciones. ¿Cuál fue la reacción de Maisto? Despidió a todos los obreros sin pagarles los salarios pendientes.

Pero Tailandia no es China. En Tailandia, los sindicatos están permitidos. Se desarrolló una campaña internacional de solidaridad, y a los cuatro meses la dirección de la empresa cedió. Así se dio cumplimiento a todas las exigencias de los huelguistas. Los trabajadores fueron reincorporados e indemnizados.

¿Happy end?

La mayor empresa de juguetes del mundo, Mattel ("Barbie"), de origen estadounidense, comenzó ya en 1995 con la elaboración de ciertos estándares mínimos y normas obligatorias para sus fabricantes.[24] A partir de 1997, sus unidades de producción en todo el mundo tuvieron que atenerse a esas reglas. Mattel incluso llegó a encargar los controles a expertos independientes de prestigio internacional. Estos expertos tienen acceso libre a todos los documentos de la empresa y pueden interrogar a todos los empleados. En 1998 se publicó un primer informe del grupo de control.

La agrupación sindical Asian Labour da su opinión al respecto: "Según se pudo constatar, todas las plantas de fabricación se atienen en mayor o menor medida a las reglas. Por supuesto que hay cosas para mejorar. Por ejemplo, las visitas de inspección a las fábricas no deberían anunciarse con antelación. Pero estos problemas no son tan significativos como para tener que convocar a los consumidores a boicotear los productos de Mattel."

¡Atención!

Luego del cierre de la redacción (fines de mayo de 2001), nos informaron que 120 víctimas y familiares de los muertos en el incendio de la fábrica Zhili recibirían en julio de ese año una donación de la firma italiana Chicco. A cada uno de ellos le sería destinada una suma de 1.250 dólares estadounidenses. (Correo electrónico de la Hong Kong Christian Industrial Committee, enviado el 12 de junio de 2001 a Hans Weiss.)

Este ejemplo muestra la eficacia de las campañas internacionales.

POR UN PUÑADO DE DÓLARES

La industria de la moda y de los artículos deportivos no está
dispuesta a invertir un centavo para lograr condiciones
laborales dignas en sus plantas proveedoras. Para salvar
su imagen, Nike & Co. establecieron normas de conducta.
Pero a menudo esto no hace más que empeorar la situación.

P ara realizar una costura, la joven tiene veintidós segundos y
medio. La máquina de coser traquetea sin descanso, hasta
doce horas por día. Siempre el mismo movimiento, siempre pasando los mismos dos trozos de tela por debajo de la aguja.
Junto a la máquina se amontonan las pacas. Ochenta remeras
por hora es la cuota que se debe cumplir. El que no lo logra tiene
que quedarse después de hora sin que le paguen. Si no, pierde
todo su jornal.

Julia Esmeralda Pleites trabajaba en la fábrica Formosa, en El
Salvador. Allí cosía remeras para Nike y Adidas. Por 5 euros
diarios. La mitad de esa suma pagan las costureras por su vian-
da en el comedor: en el desayuno, porotos y café; de almuerzo,
una porción de pollo con arroz. A esto se suman los 35 euros que
Julia Pleites debe abonar mes a mes por el departamento de 12
metros cuadrados que habita junto con su madre y su hijita de
tres años. El ómnibus ida y vuelta hasta su lugar de trabajo
cuesta 0,77 euro. Como un día llegó tarde porque el dinero ya no
le alcanzaba para el viaje en ómnibus, la joven de 22 años fue
despedida. En el acto. Y sin recibir el resto de su salario. "Debemos pedir dinero prestado para sobrevivir"[1], cuenta la joven,
que ya no sabe cómo hacer para pagar sus deudas. Y ella que
quería ahorrar algo para que su hija pudiese ir a la escuela...

El destino de Julia Esmeralda Pleites es igual al de millones
de empleados, en su mayoría mujeres, que se desempeñan en

la industria textil en todo el mundo. Alrededor del noventa por ciento de las prendas que recalan en los mostradores europeos se confeccionan en zonas de libre comercio[2] ubicadas en China, en el sudeste asiático, en Centroamérica y en Europa del Este. Las grandes firmas europeas y norteamericanas de ropa deportiva no tienen ni un solo centro de producción propio, sino que compran toda su mercadería al mejor postor en el mercado del *hard discount*. Los precios bajan y bajan y bajan: las factorías de Tailandia compiten con las "maquilas" mexicanas (tal el nombre de los talleres de costura de América Central) por lograr el menor costo. Suele suceder que en una misma máquina se cosan, uno detrás del otro, los distintos modelos de marcas que compiten entre sí.

Las grandes marcas limitan su accionar al diseño y a la publicidad. Y allí sí que no escatiman en gastos. El precio de un modelo nuevo de zapatillas Nike, Adidas o Reebok no baja de los 100 euros. Pero de ese dinero los fabricantes reciben apenas el 12%, y encima tienen que restarle los costos de materiales y de producción. Dentro de esos costos, los salarios representan una porción insignificante: de acuerdo con cálculos realizados por la campaña Clean Clothes (Ropa Limpia, movimiento internacional por condiciones laborales dignas), una costurera recibe en promedio apenas el 0,4% sobre el valor de venta de las zapatillas. Considerando 100 euros, esto equivaldría a 40 centavos.

La tailandesa Suthasini Kaewlekai trabajó durante once años para la firma Par Garment, cuya cartera de clientes estaba compuesta por marcas tan conocidas como Nike, Adidas, Puma, Asics, Fila, Gap y Timberland. Esta pequeña y delicada mujer cuenta en thai (su lengua materna) que, al igual que la mayoría de las costureras, ella sólo recibía un salario mínimo de 162 baht al día, es decir, 4,80 euros.[3] "Para vivir, eso no alcanza. Y tampoco tenemos seguro social. A todo esto, la gerencia nos había asegurado 300 baht (8,90 euros) diarios y once días de vacaciones al año. Pero durante meses no nos pagaron ni siquiera el salario normal." Por esa razón, algunas trabajadoras acudieron a la Justicia; entre ellas, Suthasini Kaewlekai.

Partirles el cráneo y llevarlas a la tumba

Los jueces del tribunal laboral de Thanya Buri sugirieron a las costureras que se dieran por satisfechas con el cuarenta por ciento del salario acordado, alegando que la empresa estaba atravesando una crisis financiera, recuerda la mujer. Como las delegadas del personal no quisieron aceptar esta propuesta, uno de los jueces dijo: "Ustedes son unas testarudas. Si yo fuera su empleador, no sólo las despediría, sino que además me buscaría a alguien que les partiera el cráneo." Luego, los jueces volvieron a preguntarles qué querían hacer. Pero como ellas insistieron en su derecho a recibir el salario pactado, los jueces cerraron la causa con las siguientes palabras: "Pronto irán a parar a la tumba." En mayo de 1999, Suthasini Kaewlekai y sus compañeras de lucha fueron despedidas.

Las entidades de derechos humanos coinciden en que los derechos de los empleados están siendo más pisoteados que nunca, sobre todo desde la crisis económica que afectó a los "tigres" del sudeste asiático. Los empresarios aprovechan la inestabilidad política y económica para negociar rebajas en los impuestos y ajustes en el ámbito social. Para ello cuentan con el apoyo del Banco Mundial y del Fondo Monetario Internacional, que operan en los países altamente endeudados del Tercer Mundo defendiendo ante todo los intereses de los acreedores occidentales. La enorme presión que ejerce la deuda obliga a muchos países de Asia, África y Latinoamérica, pero también a buena parte del ex bloque comunista, a mantener el salario mínimo debajo de la línea de pobreza, ya que, de otro modo, el Estado ni siquiera estaría en condiciones de pagarles a sus propios empleados. Quienes sacan partido de esta situación son las multinacionales, que se escudan cínicamente en el salario mínimo estipulado por el Estado.

36 centavos más para un salario digno

"En sí, sería muy razonable crear puestos de trabajo en los países pobres, radicando la producción fuera de los países ricos", opina Christian Mücke, de la campaña Clean Clothes.[4] Pero para poder hablar de inversiones en esos países también habría que pagar salarios que aseguren un nivel de vida adecuado y que además permitan generar reservas. Y Mücke sabe que, "obviamente, un salario digno en Bangladesh no es lo mismo que un salario digno en Alemania. Además, sería contraproducente exigir eso. Sólo se crearían tensiones sociales. Hay que posibilitar una vida decente dentro de las condiciones locales." Aunque Mücke cree que aún se está muy lejos de eso.

Por ejemplo, si los 150.000 obreros textiles de Indonesia ganaran apenas 11 euros más por mes, no sólo podrían vivir dignamente sino que también podrían enviar a sus hijos a la escuela. Y el precio de las zapatillas se incrementaría nada más que en 0,36 euros.[5] Pero en las condiciones actuales, los niños se ven obligados a trabajar porque el ingreso familiar no alcanza.

Dumping en el mercado local

En la práctica, con sus políticas de precios, las empresas disminuyen aún más los estándares en los países afectados. "Obviamente las empresas producen allí donde es más barato. Para ellas, un pequeño aumento en los salarios no tendría ninguna incidencia", dice Mücke, "pero eso sencillamente iría en contra de su filosofía de mercado. Si una plaza se torna siquiera una pizca más cara a causa de las mejoras sociales, inmediatamente se trasladan a otra. Por lo tanto, si un país eleva los estándares sociales, corre el riesgo de que los inversores se vayan a algún país vecino. Lo único que necesita la industria textil es alquilar cualquier taller e instalar las máquinas de coser. Y antes de que uno pueda darse cuenta, ya volvieron a desmontarlas." A su paso suelen dejar decenas de miles de desocupados.

Condiciones laborales infrahumanas

La tremenda presión competitiva impuesta por las empresas repercute no solamente en los salarios, sino también en las condiciones laborales. "En la fábrica hace muchísimo calor", dice Julia Esmeralda Pleites, refiriéndose a la situación en la planta Formosa, proveedora de Adidas y Nike. "La fábrica tiene muy mala ventilación. Una transpira y el cuerpo se reseca. El polvo te tapa la nariz. Para ir al baño o a tomar agua hay que pedir permiso. El personal de seguridad te controla el pase, ya que no se puede ir más de una o dos veces al día. Los sanitarios están sucios, no hay papel higiénico. Tampoco hay agua potable. Cuando nos íbamos de la fábrica, teníamos que soportar unos controles humillantes. El personal de seguridad femenino que nos revisaba a las mujeres nos manoseaba por todos lados."

Julia Pleites dice que cuando contratan a una mujer tras el período de prueba, le hacen pagar un test de embarazo. "Si está embarazada, vuela enseguida. También nos pagamos el seguro social, pero para ir a la clínica no te dan el día."

Según Pleites, en la fábrica Formosa los sindicatos están prohibidos. "Si se enteraran de que alguien pertenece a un sindicato, lo echarían inmediatamente. Todos tienen miedo."

Acoso sexual

Según la Campaña Ropa Limpia, alrededor de la mitad de las operarias que trabajan en la fábrica Formosa son menores de dieciocho años. Tal es el caso de María, una joven de quince años que desde 1997 se pasa doce horas por día detrás de la máquina de coser. María dice haber sido acosada una vez por un capataz: "Me agarró del brazo y me dijo que yo le gustaba mucho y que si no tenía ganas de encontrarme con él. Yo me negué y le dije que me dejara en paz, a lo que él me respondió que yo no tenía noción del error que estaba cometiendo."[6] Por supuesto que en el Primer Mundo este tipo de cosas también ocurren; pero en los talleres de costura de la industria textil, el abuso sistemático de mujeres (y a veces incluso de niños) no parece ser la excepción, sino la regla.

La costurera Marlene Vega le contó al semanario alemán *Stern*[7] la siguiente historia: "Dos hombres me agarraron y me arrastraron hacia el auto de Mr. Sharp", el hijo del director de la fábrica. "Jimmy te quiere a ti. No es un pedido, es una orden", dijeron los hombres. La muchacha consiguió zafarse. A la mañana siguiente fue despedida.

Adidas prometió investigar estas acusaciones y mejorar las condiciones de trabajo en la fábrica Formosa. Pero a los imputados no se les pudo probar nada. Las víctimas aseguran que ni siquiera fueron interrogadas.

Ropa oscura para que no se vean las manchas de sangre

Las obreras textiles no sólo están expuestas al acoso sexual directo. En Indonesia, por ejemplo, la ley autoriza a las mujeres a tomarse dos días sin goce de sueldo durante la menstruación, ya que el acceso a los baños de la fábrica es limitado y la mayoría de las indonesias no pueden pagarse toallas femeninas ni analgésicos. Sin embargo, son muy pocas las mujeres que hacen uso de ese derecho, dado que en tal caso deberían atenerse a las sanciones. "Durante su período, decenas de miles de mujeres visten ropa interior oscura y blusas largas para que no se noten las manchas de sangre", señala un equipo de investigación en su informe sobre las plantas proveedoras de Gap, Tommy Hilfiger, Polo, Nike, Adidas, Fila y Reebok. Una operaria dice que le pidieron que se sacara la ropa interior para demostrar que estaba menstruando. Como se negó a hacerlo, fue tildada de embustera.[8]

La revista *Stern* también se ocupa del destino de Rong Wu, una mujer china que fue secuestrada por traficantes de esclavos y llevada hasta Saipan, una isla del Pacífico, donde debía coser camisas para Tommy Hilfiger, Polo/Ralph Lauren, Gap y Donna Karan. El informe habla de golpizas y de jornadas de trabajo de 14 horas por un salario mensual de 200 dólares estadounidenses, de los cuales la mitad se va en el alquiler de una pieza de apenas veinte metros cuadrados compartida por doce mujeres. Pasado algún tiempo, Rong Wu se ve obligada a trabajar como prostituta para saldar sus deudas.

Las prendas que se producen anualmente en Saipan, valuadas en mil millones de dólares, son "Made in USA". Y es que desde la Segunda Guerra Mundial la isla está patrocinada por los Estados Unidos. Además de que así se eliminan los aranceles a la importación, esto da una buena imagen frente a los consumidores. Pero también les trajo problemas a las empresas: en un lugar donde se producen artículos "Made in USA" también deberían regir las leyes de ese país, argumenta el abogado norteamericano Albert Meyerhoff, quien en 1999 culpó (entre otras) a la empresa de indumentaria Tommy Hilfiger señalando que "con la ayuda de los fabricantes locales (...) ha implantado —ya sea en forma consciente, por negligencia o indolencia— un sistema de esclavitud". Actuando en nombre de miles de trabajadoras, Meyerhoff reclamó los salarios retenidos. La demanda colectiva hacía referencia a tests hormonales y abortos forzados. En vista de la presión de la opinión pública, algunas de las empresas se declararon dispuestas a pagar indemnizaciones y a dejar de trabajar (en Saipan) con aquellos fabricantes que no respeten las exigencias mínimas del derecho laboral.

Todo es cuestión de imagen

En junio de 1996, la revista norteamericana *Life* publicó fotos de niños paquistaníes cosiendo pelotas de fútbol con el logo de Nike: la "pipa". A partir de ese momento —o incluso desde antes— al rubro textil le ha llegado el agua al cuello. Decenas de miles de niños fabricaban pelotas para Nike, Adidas, Reebok y otras marcas muy conocidas. Muchos de ellos habían sido vendidos a sus empleadores como esclavos y marcados con un hierro candente como si fuesen ganado.[9] Informes sobre trabajo infantil, explotación, trabajos forzados, violencia y ataques sexuales a jóvenes operarias amenazan desde entonces la imagen de aquellas empresas que gustan de presentarse, sobre todo ante el público joven, como modernas y abiertas al mundo. Esa imagen se ve cada vez más empañada, especialmente desde que se publicaron notas sobre las condiciones de producción existentes en los *sweatshops*, es decir, los "sudaderos" utilizados por las empresas para fabricar sus artículos de marca. En estas factorías, ubicadas en los patios traseros del mundo, trabajan mayormente mujeres, que se desloman haciendo incontables horas extras detrás de las máquinas de coser a cambio de salarios miserables. "Allí trabajan chicas de 15 años, que al cabo de un par de temporadas terminan destruidas", asegura el austríaco Christian Mücke, quien visitó en persona algunos *sweatshops* centroamericanos.

Para pulir su imagen, la mayoría de las grandes empresas establecieron normas de conducta (*codes of conduct*) similares a las que exigen las campañas anti-*sweatshops* y los sindicatos (véase la Carta Social al final del capítulo). Sin embargo, parece bastante improbable que esas normas sean puestas efectivamente en práctica. "De todas las empresas occidentales acusadas de abusos, sólo un diez por ciento —siendo generosos— hizo algo razonable para mejorar las condiciones laborales", critica el profesor de Economía norteamericano Prakash Sethi en un artículo publicado por el semanario *Business Week*.[10]

"Sin un monitoreo realizado por organizaciones independientes y sindicatos, las supuestas mejoras son casi imposibles de constatar", se queja Christian Mücke, de la campaña Clean Clothes. "Pero las empresas siguen negándose, como siempre." O apelan a métodos de control que más que para destapar irregularidades sirven para cuidar su propia imagen. Tal es el caso de una serie de informes confeccionados por gente de la misma compañía o por instituciones pagas, que, obviamente, investigan como le conviene a quien realizó el encargo. O bien los resultados permanecen bajo llave, como aquel informe evaluativo de la consultora Ernst & Young, que reveló en 1997 las condiciones desastrosas de un proveedor de Nike en Vietnam. Mala suerte para Nike: el documento llegó a manos del *New York Times* y causó un gran revuelo en la opinión pública.[11]

Además, Mücke denuncia que en casi todas las normas de conducta autoimpuestas faltan dos criterios fundamentales: "En primer lugar, el derecho a un salario digno. Y en segundo, el derecho a formar consejos de fábrica libres y sindicatos independientes."

Un derecho básico: el de autoorganizarse

Mücke cree que este derecho es en realidad el eje de la cuestión, que únicamente la autoorganización *in situ* de los trabajadores ofrece una protección duradera y efectiva contra los maltratos. "El tema sindical es tan candente que rara vez lo que se dice termina traduciéndose en los códigos." No hay duda: si los empleados pudiesen negociar sus sueldos en convenios colectivos y recurrir eventualmente a una huelga, a las empresas les sería imposible disponer a gusto y *piacere* de la enorme masa de asalariados. Pero las grandes marcas actúan con demasiada permisividad: incluso en aquellos países donde los sindicatos y los consejos de fábrica están dispuestos por la ley, consienten las amenazas a los trabajadores, de tal modo que éstos se ven impedidos de defender libremente sus intereses. O directamente establecen su producción en países como China, donde los sindicatos libres están prohibidos.

La coordinadora tailandesa de derechos humanos, Junya Yimprasert, coincide en que si no se garantiza el derecho a la libre reunión y organización, las demás concesiones tienen muy poco valor, ya que nadie puede controlar su cumplimiento. "Los empresarios se sirven incluso de las mafias locales para actuar contra los sindicatos", afirma esta licenciada en Ciencias Sociales.[12]

Yimprasert dirigió una investigación de dos años en plantas tailandesas que proveen artículos internacionales de marca. Incluso fue invitada por Reebok a monitorear todos sus centros de producción entre enero y mayo de 1999, pero en todo ese tiempo no se le permitió hablar a solas con los obreros ni siquiera una vez. La investigadora puso especial atención en los efectos de los códigos de conducta, que las multinacionales gustan tanto de mencionar cada vez que vuelven a convertirse en el blanco de las críticas.

"En Tailandia, esos *codes of conduct* existen desde 1992. Contienen, entre otras cosas, lineamientos relacionados con la edad mínima, los derechos laborales y los estándares de seguridad y ambientales." Pero parece que, por lo general, los empleados no tienen ni idea de la existencia de tales códigos. "A menudo ni siquiera se traducen a la lengua del lugar, o bien están colgados solamente en las salas de recepción de visitas, adonde los obreros no tienen acceso." La activista percibe ciertas mejoras, por ejemplo, en lo referente a la limpieza y la seguridad de los lugares de trabajo. Pero dice que el trabajo a destajo a cambio de un salario mínimo y con horas extras no remuneradas sigue siendo moneda corriente.

Los códigos de conducta sólo empeoran las cosas

"En general, tengo la impresión de que los códigos de conducta sólo sirven para tranquilizar la conciencia de los consumi-

173

dores europeos y estadounidenses", concluye, lapidaria, la socióloga. Y agrega: "En lo que respecta a los propios trabajadores, los códigos sólo han empeorado las cosas."

¿Cómo es eso?

"Porque las grandes marcas no se hacen cargo de los gastos que demanda, por ejemplo, la instalación adicional de matafuegos o de sanitarios." La investigación consigna que, en una firma, Nike desembolsó sumas exorbitantes para construir una cascada artificial. En cambio, "la mayoría de las mejoras que se exigen en los códigos tienen que costearlas las empresas proveedoras. Ahora resulta que los empresarios quieren que los obreros trabajen todavía más duro para recuperar esos gastos. Las multinacionales saben que los códigos incrementan el costo, pero no quieren pagarlo. Y si una planta eleva sus costos de producción a causa de los códigos, ellos simplemente se trasladan a otro lado, inclinándose por los lugares más baratos: de Tailandia a China, de China a Vietnam y así sucesivamente."

Junya Yimprasert lo dice con todas las letras: "En lugar de intervenir y regular la relación de los fabricantes con los trabajadores, las grandes empresas cierran los ojos. Las normas de conducta sólo sirven a efectos de su propia propaganda. Los obreros están peor que antes. Las compañías que exigen determinados estándares, pero que no ponen el dinero para costearlos, están metiendo la mano en el bolsillo de los trabajadores."

Carta Social para el comercio con indumentaria

La Carta Social para el comercio con indumentaria es la declaración de compromiso que la Campaña Ropa Limpia presentó a todas las grandes empresas textiles. Su contenido se ajusta a los estándares mínimos de la Organización Internacional del Trabajo (OIT). Sin embargo, hasta hoy, estos requerimientos básicos sólo fueron suscriptos por tres empresas: Migros, Switcher y Veillon. Estas firmas suizas también participan de un proyecto piloto tendiente a lograr un control independiente de las relaciones laborales en sus plantas proveedoras.

Las empresas se comprometen a cumplir con los siguientes requisitos en lo referente a su propia producción, a sus subcontratistas y a sus plantas proveedoras. Asimismo, se comprometen a permitir controles independientes en dichos ámbitos:

Libertad de organización
Los trabajadores tienen derecho a organizarse libremente. Pueden afiliarse a sindicatos independientes y a otras entidades sectoriales de su preferencia sin tener que pedir autorización previa para hacerlo. También tienen derecho a ser representados en las paritarias por las organizaciones que ellos elijan. Durante la realización de las paritarias, los empleados no se verán sujetos a ninguna traba improcedente.

Salarios adecuados
El salario de los empleados debe alcanzar para cubrir al menos sus necesidades básicas (alimento, vestimenta, vivienda) y las de los familiares a su cargo. El salario equivaldrá al menos al salario mínimo fijado por la ley del respectivo país.

Jornada laboral
La cantidad de horas trabajadas por semana y la reglamentación vigente en lo que respecta al pago de horas extras se corresponderán con las normas fijadas por la OIT: 8 horas por día o bien 48 horas por semana.

Seguridad
Las condiciones laborales para las áreas de seguridad y salud responderán a las normas fijadas por la OIT.

Edad mínima
Los empleadores deberán respetar la edad mínima de 15 años fijada por la OIT para la mano de obra.

Protección frente a la discriminación
En lo que respecta al desempeño y a la retribución salarial de los trabajadores, los empleadores deberán fomentar la igualdad en el trato. Esto significa que los empleadores no podrán consentir ninguna clase de discriminación motivada por la raza, el color de piel, el sexo, las convicciones políticas o religiosas, el origen social o el país de procedencia.

Eliminación del trabajo forzado
No se recurrirá al trabajo forzado.

Relaciones laborales estables
Las disposiciones de derecho social y laboral tendientes a lograr relaciones de ocupación estables no deberán eludirse por medio de contratos de trabajo u otros subterfugios.

EXPORTACIÓN DE PROBLEMAS

Los bancos y las empresas europeas invierten miles de millones de dólares en grandes proyectos en África, Asia y Latinoamérica, a menudo en detrimento de la gente y de su sustento vital. Continentes enteros van hundiéndose en un pantano de deudas, mientras las multinacionales tienen cada vez más ganancias.

Hermut Kormann es el vivo retrato de un gran industrial. Traje cruzado, anillo de sello, cigarros. Cuando alguien le habla, gira el hombro, como si fuese un atrevimiento mirarlo de frente a la cara. Y después dice frases como: "Somos responsables frente a nuestros inversores." ¿Y frente a la sociedad? "Lo que la sociedad quiere de nosotros es que construyamos centrales de energía." ¿Y si las centrales que construyen provocan víctimas? "Eso no nos compete."[1]

Kormann es miembro del Consejo de Administración de Voith, una subsidiaria de Siemens. Esta empresa alemana produce turbinas y otros elementos para grandes proyectos, tales como la represa de Tres Gargantas en China o el proyecto Maheshwar en la India. Allí construirán una central hidroeléctrica con una potencia de 400 megavatios. Pero en el futuro embalse también quedarán sumergidos 162 pueblos. Según la empresa abastecedora, 20.000 habitantes deberán ser expulsados de la próspera región a orillas del río Narmada, con lo cual perderán su sustento vital sin ser indemnizados como corresponde.

El proyecto Maheshwar es parte de un proyecto más amplio que prevé la construcción de 30 centrales hidroeléctricas grandes, 135 medianas y alrededor de 3.000 más pequeñas. Un dique de 36 metros de altura y un kilómetro de longitud represará la reserva de agua a lo largo de unos 40 kilómetros. En 1993, el gobierno indio otorgó la concesión del proyecto a la compañía privada S. Kumar. A Siemens se le encargó el envío de turbinas y generadores para la central hidroeléctrica a cambio de una participación del 17 por ciento en la sociedad propietaria.

50.000 personas pierden su sustento vital

Hermann Warth, de la Comunidad de Expertos en Políticas de Desarrollo, fue contratado por el gobierno alemán en el año 2000 para investigar el proyecto. Según cálculos de Warth, el número de personas que serían desplazadas por la fuerza y que, de ese modo, perderían la base de su sustento, asciende por lo menos a 35.000. Pero, al mismo tiempo, esta próspera región otorga empleo a unas 15.000 personas más. El río es la fuente de trabajo e ingresos para miles de agricultores, pescadores, lancheros y removedores de arena. "Toda esa gente venera al Narmada como madre y sustentadora", cuenta Warth.[2]

Esas estructuras sociales maduras no se destruyen sólo con las migraciones. A falta de tierras sustitutas, se intenta indemnizar con dinero a los propietarios (y, dentro de este grupo, sólo a los hombres). Warth afirma que hasta el momento no hay una sola familia que haya recibido nuevas tierras como indemnización y que, con el dinero que les dan, es imposible comprar tierras de la misma calidad en el mercado libre. Señala además que la compra de nuevas tierras se dificulta debido a que las empresas involucradas hicieron intervenir a abogados y martilleros que cobran comisiones de hasta un 30% por conseguir los correspondientes terrenos compensatorios.

Por todas esas razones, la población del valle del Narmada se opuso al proyecto y ejerció una resistencia basada en la no violencia. Con todo, la policía reaccionó de manera brutal frente a las ocupaciones pacíficas de las obras en construcción y las manifestaciones. Un anciano fue perseguido y asesinado por la policía montada. Miles de personas fueron detenidas temporariamente, entre ellas 150 intendentes y concejales. Muchos de los detenidos, incluso mujeres y niños, fueron maltratados. En

1998, la National Commission for Women del gobierno indio ratificó que existieron violaciones a los derechos humanos relacionadas con el proyecto de la central hidroeléctrica.

Al menos siete potenciales inversores se retiraron del proyecto debido a su escasa compatibilidad social, cuenta Warth. Voith Siemens aún sigue estando en él. Hermut Kormann, miembro del Consejo de Administración, no ve dónde está el problema. Niega impasible cualquier responsabilidad empresarial: "La sociedad ha elegido empresas para motorizar la economía y gobiernos para organizarla."

Resistencia a lo Gandhi

Evidentemente, el gobierno indio lo hace muy bien. Allí, Voith Siemens también está involucrada en el proyecto de la represa de Tehri. Con una altura planeada de más de 260 metros (la tercera de Asia en magnitud), esta central servirá para represar uno de los afluentes del Ganges. Esto provocaría inundaciones que afectarían a 107 aldeas ubicadas en la parte india del Himalaya y también a la ciudad más próxima a la represa, Tehri, que posee numerosos templos históricos y jardines palaciegos del siglo XVIII. Para llevar a cabo el proyecto, sería necesario desplazar a unas 100.000 personas.

En abril de 2001, miles de lugareños ocuparon la obra en construcción para reclamar contra su desalojo. La protesta fue brutalmente reprimida por la policía. Más de cincuenta manifestantes quedaron detenidos, entre ellos el líder del movimiento de protesta, Sunderlal Bahuguna, un hombre muy respetado en toda la India. Bahuguna, de 75 años, es un ex discípulo y compañero de lucha de Gandhi. Ya en 1996 había obligado al gobierno a detener las obras en la represa de Tehri y a reevaluar el proyecto tras una huelga de hambre de 74 días. El 24 de abril de 2001, en la cárcel de Nueva Tehri, el anciano volvió a iniciar una huelga de hambre por tiempo indeterminado junto con otros presos. Para impedir que se realizaran más protestas, el gobierno indio dispuso que cualquier reunión de más de cuatro personas sería disuelta por medio de la fuerza policial.

La represa más grande del mundo

En China, Siemens dirige un consorcio empresarial cuyo objetivo es suministrar turbinas (por un valor de alrededor de 348 millones de euros) para la represa de Tres Gargantas. Este proyecto, el más grande de su tipo hasta el momento, incluye la construcción de un embalse de alrededor de 650 kilómetros a lo largo del río Yangtsé y prevé generar una potencia de 18.000 megavatios. El costo total asciende a unos 46.700 millones de euros. Otras estimaciones hablan incluso de 81.500 millones.

El proyecto ha recibido duras críticas internacionales, ya que entre 1,3 y 1,9 millones de personas tendrían que ser desplazadas forzosamente de la zona. La compañía de tecnología suiza ABB, que también forma parte del proyecto, confirmó lo de los traslados forzosos, pero argumentó que "el gobierno chino no considera los traslados como un problema, sino como una posibilidad que se le brinda a la gente pobre de mejorar sus condiciones de vida".[3] En cambio, los agricultores afectados se quejan de que los fondos previstos para el pago de indemnizaciones fueron malversados por funcionarios gubernamentales. Ante una agrupación noruega de derechos humanos, Goa Di y Guo Yufang, dos exiliados chinos, criticaron duramente la intervención de las compañías occidentales: "La relación entre el gobierno chino y la mafia de la central hidroeléctrica puede definirse como la relación entre un tirano y su asistente."[4]

Riesgo asegurado

Para proyectos de la magnitud de Tres Gargantas se necesita un amplio acceso a los créditos. Pero a la hora de exportar hacia países política o económicamente inestables, estos créditos representan un riesgo muy grande. Crisis monetarias, guerras, golpes de Estado, expropiaciones, catástrofes ambientales: todo esto puede transformar un proyecto lucrativo en un verdadero fiasco. Sin embargo, para impulsar las exportaciones y garantizar puestos de trabajo en el país, muchos gobiernos otorgan seguros estatales a los créditos, asumiendo de ese modo buena parte del riesgo. En buen romance: si un proyecto en el exterior fracasa y fue aprobado por el seguro estatal de créditos, el contribuyente cargará con la mayor parte de las pérdidas empresariales.

Quien se hace cargo de este negocio en Alemania es la compañía de seguros de crédito Hermes AG; en Austria lo hace el Kontrollbank; en Suiza, la ERG (Garantía de Riesgos de Exportación).

En noviembre de 1999 el gobierno de la República Federal de Alemania aprobó el otorgamiento de una garantía Hermes por 50 millones de euros al holding Siemens. Así respaldó el suministro de quince transformadores a China, a pesar de las protestas masivas realizadas por organismos ambientales y de derechos humanos. A esto hay que agregar los 248 millones de euros otorgados como garantía provisoria a través de un holding bancario integrado por el Dresdner Bank, el Deutsche Bank y otros. Poco tiempo atrás, el Parlamento alemán había sancionado una resolución que condenaba al gobierno chino por su invasión al Tíbet. "Es evidente que con la garantía Hermes lo que se buscaba era reanudar las relaciones con China", opina un experto.[5]

"En definitiva, la participación de Siemens en este proyecto demencial fue financiada por el Commerzbank, el Dresdner Bank, el Instituto de Crédito para la Reconstrucción y el Deutsche Genossenschaftsbank", afirma Heffa Schücking, de Urgewald, una organización que aboga por los derechos humanos y el medio ambiente. No se sabe a ciencia cierta a cuánto ascendería el monto.[6] Michael Kruse, responsable del sector de créditos a las exportaciones en el Ministerio de Economía alemán, sólo señala que la participación de su país es tan pequeña que "prácticamente no tenemos ningún tipo de influencia sobre el proyecto total".[7] Finalmente, una vocera de la aseguradora Hermes dice que el monto por el cual los contribuyentes alemanes responden por los envíos a China es de "casi 205 millones de euros". [8]

A comienzos de 2001 el sistema estatal Hermes tenía que ser reformado. Durante una conferencia de la Comisión Mundial de Represas[9] realizada en Berlín, un representante del gobierno exigió que los créditos a las exportaciones también fueran analizados en función de su utilidad para las políticas de desarrollo. Pero el sector defiende sus intereses con uñas y dientes frente a la supuesta ola de mandatos ecológicos y de derechos humanos. "¡Nos quedaríamos sin nada!", dijo Kormann, el representante de Siemens, que evidentemente veía que la corriente arrasaría con sus ganancias. "Sería una violación al sistema; después de todo, somos nosotros los que pagamos."

Dos meses después, lo único que quedó en la nada fueron los objetivos del gobierno. En el futuro, las únicas que se quedarán sin garantías estatales serán las centrales atómicas. Para el resto de los casos, los criterios éticos no entrarán en consideración.[10]

Exportación de megaproyectos

La industria paga los créditos cubiertos por la aseguradora Hermes sólo cuando todo sale bien. Cuando las inversiones fracasan, el que paga es el contribuyente. Pero sin lugar a dudas, los que se llevan la peor parte son los habitantes de aquellos países elegidos por la megaindustria occidental para concretar proyectos que en casa no están permitidos: construir represas gigantescas y centrales atómicas y buscar riquezas en el subsuelo sin que molesten obligaciones ecológicas ni charlatanes humanitarios.

Entre 40 y 80 millones de personas perdieron sus tierras debido a la construcción de grandes represas. Mientras que en Europa Central existen normas muy estrictas en lo que atañe a la magnitud y la tolerancia ambiental de los proyectos hidroeléctricos, en África, Asia y Latinoamérica se construye sin ton ni son, con estándares claramente inferiores a los europeos.

En lo que respecta al aprovechamiento de la energía atómica, la industria alemana ya había posado su mirada lujuriosa en los países del Este antes de que se tomara la decisión de abandonar la carrera nuclear. En esos países, Siemens participa junto con otras compañías en proyectos de reactores que hoy en día ya no podrían construirse en Europa Occidental debido a sus bajos estándares de seguridad.

En Eslovaquia, Siemens colaboró desde 1996 hasta 1998 en la construcción del reactor nuclear Mochovce. Ese tipo de reactores, de diseño soviético, es considerado como uno de los más peligrosos de toda Europa. Hermes otorgó una garantía de 75 millones de euros para cubrir el riesgo de exportación. Siemens opera también en Argentina, Brasil, China, Hungría, la República Checa y otros países, donde participa en la construcción o el equipamiento de reactores chatarra (ver ficha correspondiente).

Los grandes bancos occidentales también están involucrados en controvertidos negocios en los países más pobres. En Indonesia, la Sociedad Nacional de Minería está haciendo excavaciones desde 1994 al sudoeste de Yakarta, la capital, para encontrar oro y plata. En 1997, el Hypo Vereinsbank de Alemania financió el proyecto mediante un crédito de alrededor de 15 millones de euros. En 1998, un trabajador de una mina de oro fue asesinado por las fuerzas de seguridad de dicha sociedad indonesia. Además, se realizaron voladuras sin las medidas de seguridad necesarias, como consecuencia de las cuales, sólo en 1998, perdieron la vida por lo menos veinte mineros. En julio de 2000, cientos de trabajadores de las minas de oro realizaron una protesta contra el trato violento que reciben de las fuerzas de seguridad. Algunos de ellos denunciaron haber sido golpeados y maltratados.[11]

Desde comienzos de los años noventa, más de setenta países en vías de desarrollo reformaron su marco legal para atraer inversiones hacia el área de la minería. Se redujo la carga impositiva sobre el sector, se otorgaron grandes subvenciones. Los costos ambientales y sociales suelen ser muy altos: la explotación de combustibles y metales trae aparejado un enorme consumo de energía y de agua; además, suele generar desechos tóxicos que se deponen sin tomar suficientes medidas de seguridad.

Las 2.400 toneladas de oro que se produjeron en 1997 en todo el mundo dejaron un saldo de 725 millones de toneladas de escombros entremezclados con ácidos tóxicos y solventes como el cianuro. Estas sustancias tóxicas contaminan los ríos y los mares, privando a la población de su sustento vital.

En 1996, una filial del Dresdner Bank concedió a la compañía minera australiana Aurora Gold un crédito de alrededor de 35 millones de euros para explotar minas de oro en Indonesia. La empresa expulsó, en algunos casos haciendo uso de la fuerza, a unos 20.000 miembros de las etnias dayak siang, murung y bekumpai, las cuales buscan oro allí desde hace mucho tiempo. Además, la firma sería responsable de que los ríos de la zona estén contaminados con aguas residuales provenientes de las minas. En el año 2000, los lugareños ocuparon potenciales sitios de excavación de la Aurora Gold. A raíz de ello, fueron expulsados violentamente por cuerpos de elite de la policía indonesia.[12]

Exportación de deudas

El hecho de que el Estado atenúe el riesgo de las inversiones a través de sus garantías alienta a las grandes industrias a instrumentar proyectos que perjudican las políticas de desarrollo. Muchos de los créditos otorgados tan alegremente sumen a los países más pobres en deudas millonarias. Un ejemplo de esto son las centrales nucleares Angra 2 y 3, que están ubicadas justo en una zona sísmica de la costa brasileña.

Los dos reactores comenzaron a construirse hace ya más de veinte años. El proveedor de las instalaciones: KWU, subsidiaria de Siemens. Pero Angra 2 sólo empezó a suministrar energía a partir de julio de 2000. Se calcula que esta puesta en marcha tardía le costó al país unos 5.100 millones de euros. Y aún no se sabe a ciencia cierta si Angra 3 podrá ponerse algún día en funcionamiento. Allí también se invirtieron miles de millones inútilmente. La construcción sufrió una demora por motivos políticos, ya que a comienzos de los años ochenta, los reactores también contemplaban la posibilidad de producir armas nucleares para la dictadura militar brasileña de aquel entonces. Sin embargo, los gobiernos civiles que vinieron más tarde ya no mostraron ningún interés en ellos.

"Los alemanes nos vendieron una tecnología que ellos ya no usan, y nosotros les pagamos con dinero que no tenemos", se quejaba el ex ministro de Economía brasileño Delfim Netto.[13] Y es que Brasil está muy endeudado. En 1998, su deuda ascendía a casi 250.000 millones de euros. El 31 de diciembre de 1999, bancos alemanes otorgaron créditos a Brasil por un monto de 10.600 millones de euros. Angra también fue financiada a través de créditos otorgados por bancos alemanes que a su vez estaban cubiertos por Hermes.

El Dresdner Bank, por caso, planeó durante mucho tiempo financiar la finalización de Angra 3, a pesar de que hacía rato se sabía que la central nuclear no era rentable. Hasta la Comisión Nacional Brasileña de Energía Atómica admitió que la energía proveniente de la central nuclear costaba casi el doble que la generada por gas natural.[14] Sin embargo, después de que el gobierno alemán anunciara en el año 2000 que finalmente había resuelto revocar su decisión de otorgar una garantía Hermes por la finalización de Angra 3, parece que al Dresdner Bank se le calmó bastante la sed de aventuras financieras.

La que sí pudo recuperar su dinero gracias a la garantía Hermes fue Siemens.[15] La compañía cobró un total de 2.900 millones de euros por Angra 2, y por el reactor número 3 ya había recibido 1.400 millones.[16]

Siemens y los bancos alemanes, que cobraron intereses millonarios por sus créditos, se convirtieron así en los únicos ganadores dentro de este desastre. Entre los perdedores figuran, por un lado, los contribuyentes alemanes: cuando los países importadores no pueden pagar más a sus proveedores alemanes, es la República Federal de Alemania quien se hace cargo de las pérdidas de las empresas, todo gracias a Hermes. Pero el que lleva la peor parte es Brasil, que ha vuelto a transformarse en deudor de Alemania.

Éste es sólo un ejemplo entre muchos. En este caso, las empresas alemanas aprovecharon para sus propios fines la política nuclear de la dictadura brasileña. En definitiva, esa clase de inversiones contribuyó a que numerosos países fuertemente endeudados tuvieran que recortar de manera drástica el presupuesto en las áreas de educación y salud.

En julio de 2001, el periodista argentino Alejandro Olmos le ganó al Estado un juicio espectacular, que había iniciado hacía más de 17 años y cuyo final no llegó a vivir. Olmos probó que buena parte de la deuda externa de su país se había originado violando la Constitución Nacional. Por esa razón, la deuda no debería pagarse. Los militares que gobernaron al país desde 1976 hasta 1983 se enriquecieron gracias a los créditos del extranjero. Y ahora la deuda recae sobre las espaldas del pueblo argentino.[17]

El endeudamiento conduce a la miseria

La transferencia de capital de los países industrializados a los países "en vías de desarrollo" ascendió en la última década a casi un billón y medio de euros. Un número de trece cifras. Las inversiones extranjeras directas, mayormente financiadas por holdings de bancos internacionales, representaban más de un

185

tercio de esa inyección de capital; otro cuarto provenía de diferentes créditos bancarios.

Para que no haya malentendidos: lo que todos esos países necesitan son inversiones. Las más urgentes serían para las áreas de educación y salud y para crear estructuras económicas sustentables. Esto no significa que los inversores no puedan obtener ganancias. Al contrario. Sin embargo, muchas de las inversiones extranjeras se hacen a tan corto plazo que los únicos beneficiarios son los bancos y las multinacionales, que suelen dejar tras de sí montañas de deudas en los países receptores de las inversiones.

Exportación del déficit bursátil

Sobre todo en el caso de los grandes bancos y sus inversoras, existe una tendencia cada vez más marcada a buscar ganancias rápidas con inversiones a corto plazo en los llamados *emerging markets*, los mercados emergentes de Latinoamérica y Asia. En 1990, ese tipo de inversiones que los países industrializados realizan en los países en desarrollo (por ejemplo, a través de acciones y préstamos) sobrepasaron el volumen de las inversiones directas (por ejemplo, la creación de empresas).

En la última década, ese flujo fugaz de capitales condujo a varias crisis monetarias: en 1994, al llamado efecto "tequila" de México; en 1997, al derrumbe económico total de los tigres asiáticos; en 1998, a las crisis económicas en Rusia y en Brasil. En los países afectados, quedó como saldo una sociedad devastada. La crisis asiática provocó un drástico aumento del índice de desocupación. La inflación galopante deterioró el poder adquisitivo. Mucha gente ya no puede comprar ni siquiera los alimentos de la canasta básica. A causa de la crisis de 1997, el número de habitantes que viven en la pobreza en los países del sudeste asiático, denominados "países de la esperanza" en la década del ochenta, trepó a los 90 millones de personas.[18]

Cuando se trata de operaciones financieras a corto plazo, los actores más importantes son los bancos. En Londres, el principal centro mundial de operaciones con moneda extranjera, el 83 por ciento de las compras y ventas recae sobre los bancos. Por un lado, ellos administran los fondos correspon-

186

dientes al patrimonio de sus clientes; por el otro, hacen sus propios negocios especulando con títulos.[19]

Especular con la pobreza

Entre esos negocios hay, por ejemplo, transacciones realizadas con moneda extranjera, que no sólo sirven para financiar y asegurar operaciones internacionales, sino que también persiguen fines especulativos. En esas operaciones se compra una determinada cantidad de una moneda a un precio bajo para volver a venderla luego a un precio mayor.

Dentro de ese tipo de especulación entran las operaciones a plazo, en las que el especulador apuesta (como en el casino) a que el valor de determinada moneda "débil", por ejemplo el real, se modifique al cabo de un plazo determinado en relación con una moneda "fuerte", como puede ser el dólar. Si el saldo es positivo, la diferencia queda como ganancia. En 1999, una comisión parlamentaria del Senado brasileño investigó ese tipo de operaciones a plazo y acusó al Deutsche Bank y a otros grandes bancos de haber logrado ganancias especulativas durante la crisis monetaria de Brasil valiéndose de información confidencial obtenida ilegalmente.[20]

En Brasil, la mayoría de las operaciones especulativas se desarrollan en la Bolsa de Valores y Comercio. En 1999, 24 bancos se alzaron con alrededor de 5.000 millones de euros en un lapso de apenas tres semanas. La mayor parte de esas ganancias se las llevó el Citibank, de Estados Unidos: 800 millones de euros. El Deutsche Bank, con 200 millones, figuró entre los diez primeros. Al mismo tiempo, las especulaciones le costaron al Tesoro brasileño unos 3.500 millones de euros.[21]

La deuda de los bancos alemanes

Los principales países deudores del denominado Tercer Mundo destinan gran parte de su presupuesto a pagar intereses y a devolver capital a los países industrializados. Con un total de 115 mil millones de euros, los bancos alemanes son los principales acreedores privados de los países en desarrollo.[22]

De hecho, los bancos han contribuido en gran medida al surgimiento de esas deudas. El instituto alemán Südwind investiga desde hace años las condiciones del comercio internacional, y en el libro *Grandes bancos alemanes: ¿en deuda con las políticas de desarrollo? (Deutsche Großbanken entwicklungspolitisch in der Kreide?)*[23], plantea que las causas de la crisis de endeudamiento actual deben buscarse sobre todo en los comienzos de los años setenta.

Luego de la primera crisis del petróleo, en los años 1973 y 1974, el mercado financiero se encontró con un enorme excedente de capital que provenía de los países productores de petróleo y buscaba posibilidades de inversión. Los bancos, sobre todo los norteamericanos, comenzaron a otorgar créditos a clientes de países en desarrollo a tontas y a locas, sin evaluar previamente su solvencia. En muchos casos, los beneficiarios de los créditos fueron gobernantes corruptos que destinaron el dinero a bienes suntuarios, proyectos de corte populista y a la compra de armas. Como en ese entonces los intereses eran muy bajos, se acumularon grandes cantidades de "capital negativo".

Pero a comienzos de la década del ochenta las condiciones macroeconómicas cambiaron. La carrera armamentista norteamericana y la política de estabilización de los países industrializados provocaron un aumento en los intereses. Cuando México, el gran deudor latinoamericano, declaró la cesación de pagos en 1982, la sangre ya había llegado al río. Muy pronto hubo decenas de países tan endeudados que la devolución del crédito se tornó imposible. Así fue como surgieron los "programas de refinanciación de la deuda", primero en 1989 y después en 1996. Estos programas, diseñados sobre todo para los países de África y también para algunos de Latinoamérica y Asia, consistieron básicamente en el otorgamiento de nuevos créditos para que esos países pudiesen afrontar los vencimientos de las deudas contraídas. Pero los nuevos créditos vinieron acompañados de una serie de condiciones impuestas por el Banco Mundial y el FMI: los países que los recibían debían suscribir "programas de reestructuración", en los que se comprometían a realizar un ajuste fiscal y a bajar el gasto público. En la práctica, esto significó el fin de la financiación para numerosas escuelas, instituciones sanitarias y programas públicos de infraestructura. Además, en muchos países se redujo el salario mínimo para poder pagarles a los empleados del Estado. Éste es uno de los motivos por los cuales a las multinacionales les resulta tan sencillo fabricar sus productos en países en desarrollo, donde los gastos de personal están muy por debajo del mínimo vital (véase también en los capítulos "Indumentaria" y "Alimentos").

Los grandes bancos occidentales, en cambio, no tienen mayores inconvenientes con la refinanciación. Siguen lucrando con los intereses, mientras que buena parte de sus créditos están garantizados por seguros estatales como el Hermes.

El desastre natural del endeudamiento externo

El ejemplo de Mozambique ilustra lo disparatadas que pueden llegar a ser las situaciones a las que lleva el endeudamiento en los países afectados. En febrero de 2000, el sur de ese país africano quedó destruido y anegado tras ser arrasado por tornados y lluvias intensas. Los primeros días del tifón ya habían arrojado un saldo de entre setecientos y ochocientos muertos. Y más de cuatro millones y medio de personas terminaron perdiendo todo lo que tenían.[24]

Ya antes de que se produjera esta catástrofe, Mozambique estaba entre los países más pobres del mundo. El setenta por ciento de su población vive por debajo de la línea de pobreza, la expectativa de vida promedio es de 43 años. Uno de cada siete niños muere antes de cumplir los cinco años. Así es la cosa en África, son sólo estadísticas que ya no conmueven a nadie. Pero, al mismo tiempo, hay índices de desarrollo que son sensacionales, incluso si se los compara internacionalmente. El producto nacional bruto registró durante los últimos años tasas de crecimiento de más del diez por ciento anual. Desde la independencia en 1975, la tasa de analfabetismo logró reducirse de más del 98 por ciento a menos dei 60 por ciento.

Se calcula que las pérdidas económicas ocasionadas por la catástrofe ascienden en total a más de 600 millones de euros. Desde febrero hasta agosto de 2000, 49 países y 30 organizaciones de ayuda realizaron diversas donaciones por un valor de alrededor de 77 millones de euros. Además, la comunidad internacional aprobó un crédito de casi 170 millones de euros para la reconstrucción del país.

Por otra parte, hay una cifra que pende como una espada de

Damocles sobre los mozambiqueños más allá de cualquier catástrofe natural: el país paga año tras año más de 67 millones de euros para hacer frente a los servicios de una deuda externa del orden de los 5.200 millones. "Es absurdo esperar que el gobierno pague una deuda que sobrepasa ampliamente el monto de la ayuda", opina Kate Horn, quien dirige la organización internacional Oxfam en Mozambique.[25]

Se exige un derecho de quiebra internacional

En el año 2000, el "año de la condonación", numerosos organismos internacionales exigieron que se reduzca la deuda de los países más pobres del mundo. Propusieron proceder como en el derecho de insolvencia: primero, una asociación internacional determina cuál es el monto necesario para cubrir las necesidades básicas de la población de un país, es decir, salud, educación e infraestructura. Una vez que ese monto está resguardado, se calcula cuánto está en condiciones de pagar el país a la comunidad de acreedores.

"¿Ayuda el perdón de la deuda a los pobres del mundo?", tal el título cuasi-religioso de un documento en el que el Hypo Vereinsbank fijó su posición respecto de este tema. Lástima que el Münchner Bank le quedó debiendo la respuesta a ese interrogante. En cambio, lo que sí se determinó fue que cualquier participación en una condonación de la deuda a los países más pobres equivaldría a una grave discriminación hacia los bancos que, a pesar del alto riesgo que eso implicaba, habían financiado las inversiones.

Los créditos a largo plazo otorgados por el Hypo Vereinsbank a países como Brasil o Indonesia están cubiertos en un 100% por los seguros de crédito a la exportación.[26]

Tobin or not to be

Para "desacelerar" el mercado internacional de capitales y lograr que las inversiones en el exterior sean más duraderas, numerosos organismos exigen que, junto con una política que apunte a la reducción de la deuda, se implemente la llamada tasa Tobin. Este impuesto, bautizado así en honor al premio Nobel James Tobin, consiste en gravar las transacciones de divisas con apenas el 0,05 por ciento. Con su aporte sería posible disminuir el volumen de las transacciones cortoplacistas en moneda extranjera, sobre cuya base se asienta la mayor parte de las operaciones bursátiles que se realizan a diario en el mundo.

Esta exigencia se dirige en primera instancia a los organismos parlamentarios nacionales e internacionales. El rédito proveniente de la tasa Tobin superaría en todo el mundo, según los cálculos, los 100 mil millones de euros anuales. Con ese dinero se podría, por ejemplo, combatir la pobreza y el desempleo, o financiar a las entidades sanitarias y educativas.[27]

Porque, ¿quién dijo que la globalización no puede estar también al servicio del hombre?

ADIDAS-SALOMON AG

"The 'best' in social
and environmental terms"

Productos, marcas

Calzado deportivo, indumentaria, artículos deportivos y accesorios de la marca Adidas
Esquís, botas para esquiar, fijaciones y patines en línea de la marca Salomon
Tablas de snowboard e indumentaria para nieve de la marca Bonfire
Elementos para bicicletas de la marca Mavic
Equipos de golf de la marca Taylormade
Indumentaria deportiva de la marca Erima

Página web

http://www.adidas-salomon.com

Datos de la firma

Ventas (2000): 5.800 millones de euros
Utilidad antes de impuestos (2000): 347 millones de euros[1]
Empleados: 13.000
Sede: Herzogenaurach (Alemania)

Imputaciones

Explotación, trabajo infantil, acoso sexual y otras irregularidades en empresas proveedoras
Con una participación del 15% en el mercado, Adidas ocupa —detrás de Nike— el segundo lugar en el ranking mundial de los fabricantes de artículos deportivos. Esta multinacional alemana tiene alrededor de 100 filiales en todo el mundo.
Según datos de la propia empresa, gran parte de los gastos del año 2000 fue destinada a publicidad, por ejemplo para posicionar la marca Adidas durante los Juegos Olímpicos de Sydney y durante la Eurocopa.
Cuando están en juego las condiciones de vida de las trabajadoras en sus plantas proveedoras, la empresa alemana es bastante menos generosa: por ejemplo, en la fábrica Yue Yuen, en China, el salario por hora es de unos 0,21 euro. Allí se trabaja entre 60 y 84 horas semanales. En la Tung Tat Garment Factory (salario: 0,24 euro por hora), las empleadas pagan multas por llegar tarde, por descansar o por hablar en el lugar de trabajo. A todo esto, existen sesiones obligatorias de gimnasia matinal.[2]
En el año 2000, trabajadoras de las empresas proveedoras de Adidas en El Salvador informaron que había niños de doce años haciendo horas extras y durmiendo en el piso de la fábrica hasta comenzar la siguiente jornada laboral. Las trabajadoras también afirmaron que eran obligadas a realizar horas extras y a someterse a tests de embarazo, al tiempo que estaban prohibi-

192

das las licencias por enfermedad y se impedía cualquier tipo de organización tendiente a formar un sindicato propio.[3] Además, continúan destapándose nuevos casos de discriminación y acoso sexual (ver "Deporte e indumentaria").

También en los talleres proveedores ubicados en Indonesia, los trabajadores (entre ellos, jóvenes de menos de 15 años) eran obligados a realizar horas extras. Las sanciones por incumplimiento incluían despidos, reclusiones, recortes en los salarios, limpieza de baños y el humillante castigo de estar parado frente a la fábrica. De acuerdo con informes de la Organización de Ayuda a los Trabajadores de Indonesia (PMK), ha habido reiterados casos de acoso sexual. Además, según la misma fuente, el salario se halla en parte por debajo del mínimo establecido por ley, y la empresa pone trabas a la actividad sindical independiente.[4]

Ante estas imputaciones, Adidas manifestó que ya había instrumentado una serie de medidas para asegurar mejoras en las condiciones de trabajo. No obstante, se hace necesario especificar cuáles son esas medidas. Hasta el momento, Adidas no ha establecido un sistema de control independiente, en el que exista un compromiso institucional de organizaciones no gubernamentales y sindicatos.

Qué podemos hacer

Los boicots no tienen mucho sentido, dado que las empresas de la competencia no son mejores. Además, estas medidas hacen peligrar los puestos de trabajo. A lo que se debe aspirar no es a que la empresa retire la producción de las plantas proveedoras, sino a que se mejoren las condiciones laborales. Exija esto a Jan Runau, Head of Corporate & Global PR, Adidas-Salomon AG, Corporate PR (o al vocero de prensa de Adidas, Oliver Brüggen) D-91074 Herzogenaurach, Alemania
e-mail: jan.runau@adidas.de
Tel.: (49-9132) 843830
Fax: (49-9132) 842624

Información adicional

http://www.saubere-kleidung.de
Delegación alemana de la Campaña Ropa Limpia, con envío de información.
http://www.fit4fair.de
Acción juvenil por mejores condiciones laborales en la industria de la indumentaria deportiva, con la posibilidad de encargar tarjetas alusivas a la campaña.
Christoph Bieber: Sneaker-Story. *Der Zweikampf von Adidas und Nike.* Fischer-TB Verlag, Francfort 2000.

AGIP (GRUPO ENI)

 "Con los combustibles Agip, usted carga calidad y protege el medio ambiente"

Productos, marcas	Combustibles y otros productos derivados del petróleo, así como gasolineras de la marca Agip
Página web	http://www.eni.it
Datos de la firma	Ventas (2000): 45.600 millones de euros Utilidad antes de impuestos (2000): 5.000 millones de euros[1] Empleados: 74.600 Sede: Roma y Milán
Imputaciones	**Financiamiento de guerra civil y tráfico de armas, destrucción del sustento vital en regiones petrolíferas, colaboración con regímenes militares**

Agip pertenece al Grupo Eni de Italia. Allí es el responsable de producir y comercializar los derivados del petróleo. El grupo empresarial produce más de un millón de barriles equivalentes de petróleo diarios (incluyendo la producción de gas natural) y apunta a incrementar esta cifra para alcanzar un millón y medio de barriles en el año 2003. Entre los productores europeos de gas natural, Eni ocupa el segundo lugar.

A la hora de hablar de violaciones a los derechos humanos y su relación con la industria petrolera, Agip es un clásico exponente. Al igual que Shell y Elf, esta multinacional opera en el delta del Níger nigeriano, donde la industria petrolera ha tenido una estrecha colaboración con los diversos regímenes militares que gobernaron el país hasta 1999 (ver "Petróleo"). Aún hoy, la actividad de la corporación continúa ocasionando los más terribles daños ambientales y destruye el sustento vital a miles de familias.

Desde 1983 Agip también opera en Angola, produciendo 55.000 barriles de petróleo por día. La empresa planea que para 2004 la extracción petrolera en suelo angoleño ascienda a 100.000 barriles diarios.[2] El país es asolado desde hace 25 años por una guerra civil, que se ha cobrado cientos de miles de víctimas y que se financia, por un lado, con diamantes y, por el otro, con petróleo. Las organizaciones de derechos humanos acusan a la industria petrolera de cooperar con el dictador José Eduardo Dos Santos y de financiar el tráfico de armas y la corrupción estatal (ver "Petróleo"). En Sudán, ya en el año 1959, se fundó la AgipSudan Ltd., que opera una red de 60 gasolineras y que en 1999 fue retransferida. Ahora hay dos filiales de Eni

(Snamprogetti y Saipem) que participan en la construcción de refinerías petroleras y oleoductos. Durante la construcción de estas instalaciones hubo reiterados hechos aberrantes, perpetrados sistemáticamente por los militares sudaneses contra la población del sur del país. Las organizaciones de derechos humanos acusan a la industria petrolera sudanesa de colaborar con el régimen militar y de financiar el tráfico de armas.

Qué podemos hacer

Las notas de protesta pueden dirigirse a:
Eni, Piazzale Mattei, 1
00144 Roma, Italia
Tel. (39-06) 59821
Fax (39-06) 5982 2141
http://www.eni.it/cgi-bin/elett2_98.pl
La mejor alternativa: viajar menos en automóvil, volar con menor frecuencia.

Información adicional

http://www.amnesty.ie/news/sud2.shtml
Informe de Amnistía Internacional sobre la industria petrolera en el sur de Sudán.
http://www.oneworld.org/globalwitness
El petróleo y la guerra en Angola.

ALDI/HOFER

Productos, marcas

Supermercados Aldi (en Austria: Hofer) con marcas propias, por ejemplo Amaroy, Choceur, Gartenkrone, Grandessa, Lomee, Milfina y Rigolta en el sector de alimentos; Almat, Caribic, Kür y Tandil, entre otras, en el sector de artículos de limpieza y productos de perfumería.

Página web

http://www.aldi.es

Datos de la firma

Ventas (2000, estimadas): 29.000 millones de euros[1]
Sucursales: 5.800 en todo el mundo
Sede: Essen y Mühlheim/Ruhr (Alemania)

Imputaciones

Presión sobre proveedores para obtener mejores precios, explotación de empleados, violación de derechos sindicales
Aldi es —aun delante de Coca Cola— la marca preferida de los alemanes[2]. Operando en el segmento *hard discount* con una participación cercana al 45%, constituye el principal vendedor de segundas marcas en el país, con una gran ventaja sobre el resto. Sin embargo, Aldi dista de ser el "negocio de la gente pobre", como hace creer el cliché. Ni siquiera el 20% de los clientes pertenece al sector de bajos ingresos.[3] Esta empresa multinacional fue fundada en 1948 por Theo y Karl Albrecht como la Albrecht-Discount. En 1961 se dividió en Aldi Nord y Aldi Süd. Desde 1963 la austríaca Hofer KG también pasó a formar parte de Aldi Süd. Aldi tiene sucursales en varios países europeos, en Australia y en EE.UU. Los hermanos Albrecht son la familia más rica de Europa y, según la revista *Forbes*, la quinta familia más rica en el mundo, con un patrimonio estimado en más de 21.000 millones de euros.
Este dinero fue ganado a costa de empleados y proveedores de todo el mundo. Porque los precios baratos no pueden atribuirse únicamente al equipamiento espartano de las sucursales; esas ofertas van en desmedro de las condiciones laborales y los salarios justos. Por ejemplo, los costos de personal en este ramo suelen oscilar entre el 10 y el 35% de las ventas. En el caso de Aldi, dichos costos se estiman en tan sólo el 2,5%. Como contrapartida, la empresa (que tiene una participación de entre el 10 y el 15% en el comercio minorista de alimentos) desembolsa el equivalente al 25% del total de los gastos publicitarios del mercado alemán.[4]

196

Los procesos de cogestión tienden a evitarse, tampoco existe ningún comité general de empresa para el grupo Aldi. A comienzos de 2000, empleados de Irlanda denunciaron que habían sido obligados a realizar horas extras sin goce de sueldo. Como consecuencia, cinco de ellos fueron despedidos. "En realidad nos echaron porque somos miembros de un sindicato y luchábamos para que la empresa lo reconociera en forma oficial", dice el comité de empresa de la filial.[5] Hacia fines de ese año los sindicatos franceses se rebelaron porque Aldi hacía trabajar a sus empleados hasta 60 horas sin pagarles horas extras.[6]

Aldi es uno de los mayores vendedores de café, té y chocolate en Alemania. Con sus precios bajos, la empresa somete tanto a los proveedores como a los competidores a una enorme presión. Las consecuencias pueden apreciarse en Asia, África y América latina, en los países que suministran las materias primas: allí surgen condiciones laborales deplorables y salarios que caen muy por debajo del mínimo vital. Algo similar ocurre con las frutas importadas e incluso con los textiles, un rubro en el que las cifras de venta de Aldi superan, por ejemplo, a las de H&M Alemania. Mientras otras cadenas como Edeka, Rewe y Spar al menos ofrecen una cantidad limitada de bienes sometidos a controles de Comercio Justo, en Aldi y Hofer la carencia de dichos productos es absoluta.

Aldi también recibió críticas a causa del bajo precio al que se ofrecían las gambas del Pacífico. La cría de camarones a escala industrial produjo un cambio total en las regiones costeras; y los manglares, tan importantes desde el punto de visto ecológico, debieron ceder paso a los criaderos de gambas. Estos criaderos generan cada vez mayor resistencia, dado que los habitantes ven peligrar su sustento vital. Como respuesta, los órganos estatales suelen recurrir a la violencia: en Bangladesh, Malasia, Indonesia e India, se registraron desalojos, arrestos, demandas judiciales ficticias y torturas, siempre con el objeto de allanarle el camino a la cría industrial de gambas.[7]

Qué podemos hacer	Compre únicamente los productos importados que provengan del Comercio Justo. Eleve sus protestas a: Aldi Supermercados, S.L., Edificio Océano II, C/ La Garrotxa, 2-4, 08820 El Prat del Llobregat, España
Información adicional	Hannes Hintermeier: *Die Aldi-Welt. Nachforschungen im Reich der Discount-Milliardäre.* Karl Blessing Verlag, Munich 1998.

197

AVENTIS

 *Aventis*

"Our Challenge is Life"

Productos, marcas	Medicamentos: Amaryl, Arelix, Batrafen, D-Fluoretten, Delix, Dematop, Euglucon, Fluoretten, Insuman Comb, Isocillin, Lasix, Novalgina, Rulid, Taxotere, Telfast, Ximovan Vacunas de la filial Behring, por ejemplo contra el sarampión, las paperas, la difteria, la tos convulsa, la polio, la gripe, la hepatitis Elementos de diagnóstico: tests de SIDA, tests de abuso de drogas, entre otros Cicatrizantes, derivados plasmáticos, coagulantes, aditivos para el ganado Herbicidas (Liberty, Balance) e insecticidas (Temic, Decis)
Página web	http://www.aventis.com
Datos de la firma	Ventas (1999): 20.450 millones de euros Utilidad antes de impuestos (1999): 1.580 millones de euros[1] Empleados: 95.000 Sede: Estrasburgo
Imputaciones	**Financiamiento de ensayos clínicos no éticos, trabas a la fabricación y comercialización de medicamentos vitales en un país en desarrollo** Aventis fue fundada en 1999 a partir de la fusión de la alemana Hoechst AG y la francesa Rhône-Poulenc S.A. Su actividad comercial se concentra en los rubros de salud y alimentación. Los comienzos de Hoechst AG se remontan al siglo XIX, a una fábrica de pintura de Höchst (suburbio de Francfort a orillas del Meno). En 1925, Hoechst se unió a otras empresas químicas para formar la IG Farben. Esta corporación colaboró con los crímenes del nazismo, por ejemplo empleando una gran cantidad de trabajadores extranjeros, prisioneros de guerra y personas sometidas a trabajos forzados; y fabricando el gas Zyklon B, para aniquilar judíos en los campos de concentración. Luego de la Segunda Guerra Mundial, la IG Farben se fragmentó en tres empresas independientes: Bayer, BASF y Hoechst. Según lo denunciado por la Coordinación contra los Peligros de Bayer, las sucesoras no brindaron una indemnización adecuada a las víctimas y parecen no tener intención de hacerlo. A comienzos de 2001, Hoechst Marion Roussel (integrante del grupo Aventis) y otras 38 empresas de la

industria farmacéutica demandaron al Gobierno sudafricano por violar el derecho de patentes. ¿Cuál era el "delito" de los sudafricanos?: en 1997 habían sancionado una ley que permitía tratar a los enfermos de SIDA con medicamentos baratos. La demanda finalmente fue retirada el 19-4-2001, cuando el hecho amenazaba con transformarse en un bochorno para las relaciones públicas internacionales de las empresas. Los activistas contra el SIDA habían acusado a los laboratorios de privilegiar "el rédito económico por sobre las vidas humanas" (ver "Medicamentos").

En la década del 90, Hoechst Marion Roussel financió un ensayo clínico de alcance internacional junto al grupo anglo-sueco AstraZeneca. El test giraba en torno al ramipril (inhibidor ACE y componente del Delix, un producto de Aventis contra la hipertensión). La crítica apunta a la empresa y a los médicos involucrados —entre ellos, 31 profesionales alemanes—, señalando que numerosos pacientes se vieron privados del tratamiento correspondiente y que, probablemente por eso, sufrieron daños (ver "Medicamentos").

En el Hospital Nyirő Gyula de Budapest, Hoechst Marion Roussel financió un estudio con la sustancia experimental M100907/3004, durante el cual muchos pacientes esquizofrénicos no recibieron ningún medicamento eficaz (ver "Medicamentos"). Según la Declaración de Helsinki, suscripta por la Asociación Médica Mundial, está prohibido tratar enfermedades graves sólo con un placebo cuando ya existen medicamentos de eficacia comprobada.[2] En julio de 1999, Hoechst Marion Roussel interrumpió el desarrollo de la sustancia M100907/3004, habida cuenta de que, en definitiva, era ineficaz para las esquizofrenias agudas.[3]

Qué podemos hacer	Proteste contra los ensayos clínicos no éticos. Envíe un correo electrónico a drrhh@aventis.com Envíe cajas vacías de medicamentos Aventis con la exhortación: ¡Basta de ensayos clínicos no éticos!
Información adicional	http://www.epo.de/bukopharma La campaña BUKO Pharma monitorea desde hace 15 años las actividades desarrolladas por la industria farmacéutica en el denominado Tercer Mundo. Esta agrupación descubrió numerosas irregularidades y logró generar cambios. http://www.arznei-telegramm.de *arznei-telegramm*, una revista especializada alemana de línea muy crítica, informa permanentemente acerca de prácticas espurias en la industria farmacéutica.

BAYER AG

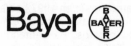 "Éxito con aptitud y responsabilidad"

Productos, marcas

Medicamentos para personas: Adalat, Aktren, Alka Seltzer, Aspirina, Canesten, Ciprobay, Glucobay, Glukometer, Lefax, Lipobay, Saroten, Talcid y Trasylol, entre otros
Medicamentos veterinarios: Baytril (antibiótico), entre otros
Herbicidas e insecticidas de uso doméstico: Autan, Baysiston, Gaucho y Tamaron, entre otros

Página web

http://www.bayer.com

Datos de la firma

Ventas (2000): 30.970 millones de euros
Utilidad antes de impuestos (2000): 2.990 millones de euros[1]
Empleados: 122.100
Sede: Leverkusen (Alemania)

Imputaciones

Importación de materias primas desde regiones con conflictos bélicos, financiamiento de ensayos clínicos no éticos, trabas a la fabricación y comercialización de medicamentos vitales en un país en desarrollo, comercialización de peligrosos herbicidas
Bayer es una de las empresas más grandes del mundo dentro de la industria química y farmacéutica. En 1925, Bayer se unió a otras empresas químicas para formar la IG Farben. Esta corporación colaboró con los crímenes del nazismo, por ejemplo empleando una gran cantidad de trabajadores extranjeros, prisioneros de guerra y personas sometidas a trabajos forzados; y fabricando el gas Zyklon B, para aniquilar judíos en los campos de concentración. Luego de la Segunda Guerra Mundial, la IG Farben se fragmentó en tres empresas independientes: Bayer, BASF y Hoechst. Según lo denunciado por la Coordinación contra los Peligros de Bayer, las sucesoras siguen sin brindar una indemnización adecuada a las víctimas. Bayer también posee un 30% del paquete accionario de Agfa Gevaert, la empresa belga de fotografía. A comienzos de los años '80, la división farmacéutica de Bayer ocupó los principales titulares en los periódicos cuando se descubrió que el soborno a los médicos era una práctica cotidiana de la firma (ver "Medicamentos").
En la década del 90, Bayer financió dos grandes ensayos clínicos en los cuales se probó el antihipertensivo llamado nitrendipina. Durante años, miles de pacientes

200

no recibieron ningún medicamento eficaz, sino un placebo. Bayer y los médicos involucrados se arriesgaron así a que numerosos pacientes sufrieran ataques de apoplejía o infartos de miocardio (ver "Medicamentos").

A comienzos de 2001, Bayer y otras 38 empresas de la industria farmacéutica demandaron al Gobierno sudafricano por violar el derecho de patentes. ¿Cuál era el "delito" de los sudafricanos?: en 1997 habían sancionado una ley que permitía tratar a los enfermos de SIDA con medicamentos baratos (ver Aventis).

H. C. Starck, una filial de Bayer, produce y comercializa polvos metálicos y cerámicos (entre otros, tántalo). Este metal desempeña un papel clave en la fabricación de teléfonos celulares, computadoras y otros productos de alta tecnología. Alrededor de una quinta parte de las existencias mundiales se obtienen en el Congo —por lo general en condiciones inhumanas— a partir de un mineral llamado coltan. Valiéndose en buena medida de intermediarios, la filial de Bayer compra aproximadamente la mitad del coltan congoleño. De ese modo contribuye a mantener una guerra que desde 1998 ha costado la vida a 2,5 millones de personas (ver capítulo "Petróleo") y muestra una absoluta falta de escrúpulos.

Bayer es uno de los mayores productores de medicamentos veterinarios. Entre otros productos, comercializa el antibiótico Baytril. Ante su uso, pueden sobrevenir agentes patógenos resistentes, que en los seres humanos ya no son tratables.[2]

En numerosos casos, los herbicidas de Bayer ocasionaron severos daños en personas o animales, sobre todo en el denominado Tercer Mundo. Por ejemplo, Baysiston[3] (utilizado en el cultivo del café), Gaucho[4] (para el girasol) y el peligrosísimo nematicida fenamifos (Nemacur)[5].

Qué podemos hacer	Eleve su protesta a: Bayer S.A., Ricardo Gutiérrez 3652, (B1605WAE) Munro, Buenos Aires, Argentina; acceda a www.bayer.com.ar/argentina y haga un clic en "Contáctenos".
Información adicional	http://www.cbgnetwork.de Coordinación contra los Peligros de Bayer, Postfach 15 04 18, D-40081, Düsseldorf, Alemania. Esta red internacional de autoayuda publica en forma trimestral la revista *STICHWORT BAYER* (CONTRASEÑA BAYER). http://www.epo.de/bukopharma La campaña BUKO Pharma monitorea desde hace 15 años las actividades desarrolladas por la industria farmacéutica en el Tercer Mundo. Esta agrupación descubrió numerosas irregularidades y logró generar cambios.

BOEHRINGER INGELHEIM GmbH

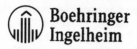 **Boehringer Ingelheim**

"Visión y liderazgo"

Productos, marcas	Medicamentos para personas: Adumbran, Berodual, Bisolvon, Buscopan, Buscopan plus, Dixarit, Dulcolax, Fucidine, Laxoberal, Mucosolvan, Rhinospray, Silomat, Spasmo Mucosolvan, Thomapyrin Medicamentos veterinarios: Matacam (contra dolores posoperatorios e infecciones caninas), Vetmedin (para una mejor circulación sanguínea en los perros)
Página web	http://www.boehringer-ingelheim.com
Datos de la firma	Ventas (2000): 6.188 millones de euros Ganancia neta (2000): 329 millones de euros[1] 27.400 empleados en 60 países Sede: Ingelheim (Alemania)
Imputaciones	**Comercialización de medicamentos ineficaces, trabas a la fabricación y comercialización de medicamentos vitales en un país en desarrollo** Boehringer Ingelheim fue fundada en 1885 en Ingelheim. Esta multinacional, que opera en todo el mundo, realiza el 95% de sus negocios con medicamentos para personas y una pequeña parte a través de medicamentos veterinarios. El producto de marca más conocida es Thomapyrin: con 17,6 millones de envases vendidos, fue el medicamento más utilizado en Alemania durante el año 2000.[2] La mixtura allí contenida, realizada a partir de tres sustancias activas diferentes, es clasificada por la consultora en medicamentos Bittere Pillen (Píldoras Amargas) como "no aconsejable".[3] A comienzos de 2001, Boehringer Ingelheim International GmbH, su filial estadounidense Ingelheim Pharmaceuticals Proprietary Limited y la filial Dr. Karl Thomae GmbH iniciaron una demanda junto con otros laboratorios, acusando al Gobierno sudafricano de violar el derecho de patentes (ver Aventis). En 1996 se descubrió que los datos sobre el efecto positivo del Asasantin (un medicamento de Boehringer Ingelheim) habían sido falseados.[4] La información provenía de 438 pacientes completamente inexistentes. El médico a cargo del estudio había recibido 1,2 millones de marcos por su trabajo, pero Boehringer Ingelheim, a pesar del engaño, no reclamó la devolución del dinero. En 1999 Asasantin fue recomendado en la *Deutsche Ärztezeitung* (Revista Médica Alemana) como un medicamento eficaz. Sin embargo, la sustancia activa con-

tenida en el Asasantin es el dipiridamol, comercializado desde 1951 y catalogado por los manuales norteamericanos ya desde mediados de la década del 80 como "absolutamente ineficaz".

Qué podemos hacer

Eleve su protesta a: Boehringer Ingelheim S.A., Tronador 4890, 1430 Buenos Aires, Argentina; e-mail: info@bai.boehringer-ingelheim.com

Información adicional

http://www.epo.de/bukopharma
La campaña BUKO Pharma monitorea desde hace 15 años las actividades desarrolladas por la industria farmacéutica en el Tercer Mundo. Esta agrupación descubrió numerosas irregularidades y logró generar cambios.
http://www.arznei-telegramm.de
arznei-telegramm, una revista especializada alemana de línea muy crítica, informa permanentemente acerca de prácticas espurias en la industria farmacéutica.

BP AMOCO P.L.C.

"Mucho más que petróleo"

Productos, marcas	Combustibles y otros productos derivados del petróleo, así como gasolineras de la marca BP y (desde julio de 2001) Aral Online-Shop: www.BPExpress.de
Página web	http://www.bp.com
Datos de la firma	Ventas (2000): 161.000 millones de euros Utilidad antes de impuestos (2000): 18.400 millones de euros[1] 98.000 empleados Sede: Londres
Imputaciones	**Financiamiento de guerra civil y tráfico de armas, destrucción del sustento vital en regiones petrolíferas, colaboración con regímenes militares** El holding BP Amoco cuenta con reservas mundiales de petróleo y gas natural por un total de 19.300 millones de barriles y extrae diariamente 2,5 millones de barriles de crudo. Al igual que otras corporaciones petroleras, BP estuvo expuesta durante años a las críticas de grupos ecologistas y defensores de derechos humanos. Luego fue una de las pocas que establecieron en diversos lugares algunos estándares mínimos para su política de extracción. Por ejemplo, esta empresa es la única que suscribió un acuerdo de transparencia a causa de sus actividades en Angola durante la guerra civil. Dado que los ingresos derivados de los ricos campos petrolíferos situados frente a la costa angoleña se utilizan en buena medida para financiar la compra de armamentos, en una carta del 6 de febrero de 2001 (según lo señalado por la ONG Global Witness) BP se mostró dispuesta a declarar públicamente los principales datos referentes a la extracción petrolera y a las finanzas para impedir que los millones del petróleo desaparecieran en la oscura red de la corrupción.[2] Sin embargo, BP sigue estando en el centro de las críticas lanzadas por organizaciones ambientales y de derechos humanos. A comienzos del año 2000, la firma adquirió acciones de la compañía petrolera china PetroChina por un valor aproximado de 628 millones de euros. Las agrupaciones de derechos humanos señalan que, con esa inyección financiera, BP también estaba apoyando indirectamente los negocios de la empresa matriz de PetroChina, la China National Petroleum

Corporation (CNPC). La CNPC opera, por ejemplo, en Sudán, donde el régimen militar ha cometido sistemáticamente hechos aberrantes contra la población en las zonas petrolíferas y en torno de ellas (ver "Petróleo"). Por citar un caso, la construcción de un oleoducto inaugurado en agosto de 1999 ocasionó continuas violaciones a los derechos humanos. Incluso, según datos de representantes eclesiásticos, 75.000 soldados chinos fueron enviados a proteger el oleoducto y actuaron en forma violenta contra la población civil.[3]

La compañía estatal china CNPC y PetroChina operan asimismo en el Tíbet, región ocupada por China. También allí fueron expulsados muchos lugareños para permitir la construcción de un oleoducto. La documentación existente demuestra que en el Tíbet se produjeron innumerables violaciones a los derechos humanos a manos de las fuerzas de ocupación chinas. Además, la explotación petrolera pone en riesgo el frágil equilibrio ecológico. Por ello las organizaciones de derechos humanos exigen que BP se desprenda de su participación accionaria en PetroChina, para no seguir financiando las intervenciones en Sudán y en el Tíbet.[4]

En 1998 se supo que BP había firmado un acuerdo con el ejército colombiano y que éste protegería sus instalaciones en una región amenazada por la guerrilla. Poco después, la organización de derechos humanos Human Rights Watch responsabilizó a la división de seguridad de la corporación de haber importado armas y de haber entrenado a la policía colombiana, tristemente célebre por su brutalidad.[5]

Qué podemos hacer

Diríjase a BP para exigir un accionar más consecuente en el área de los derechos humanos:
BP press office: tel.: (44) 207496 4076

Corporate Headquarters
BP, Britannic House
1 Finsbury Circus
London EC2M 7BA
Reino Unido
Tel. (44) 207496 4000
Fax (44) 207496 4630

Información adicional

http://www.savetibet.org
Los partidarios del Dalai Lama protestan contra BP.
http://www.gfbv.de/hilfe/urgent/oel.htm
Dossier sobre BP de la Asociación para Personas Amenazadas.
http://www.corpwatch.org/action/2000/13.html
Corporate Watch acerca de BP.

BRISTOL-MYERS SQUIBB COMPANY

 Bristol-Myers Squibb   "Para nosotros rigen los máximos estándares éticos y morales"

Productos, marcas	Medicamentos: Ampho-Moronal, Fosinorm, Iscover, Lopirin, Multilind (ungüento), Pravasin, Sotalex, Volon Amlodipin
Página web	http://www.bms.com
Datos de la firma	Ventas (2000): 21.900 millones de euros Utilidad antes de impuestos (2000): 5.640 millones de euros[1] Empleados: 51.100 Sede: Nueva York
Imputaciones	**Financiamiento de ensayos clínicos no éticos, trabas a la fabricación y comercialización de medicamentos vitales en un país en desarrollo** En 1887, William McLaren Bristol y John Ripley Myers invirtieron su dinero en una pequeña y alicaída firma de medicamentos del estado de Nueva York. De allí surgió la corporación farmacéutica Bristol-Myers, que en 1989 se unió a Squibb para conformar el por entonces segundo productor mundial de medicamentos. Al igual que en el caso de Bristol-Myers, los comienzos de Squibb se remontan al siglo XIX, cuando fue fundada en Brooklyn (Nueva York) como una empresa farmacéutica. Desde hace muchos años, Bristol-Myers Squibb es una de las empresas más rentables de los Estados Unidos. Opera principalmente en el campo de los fármacos, pero ya ha ganado también mucho dinero en el sector de la cosmética (mediante la marca Clairol) y con productos alimenticios para personas alérgicas (utilizando la marca Mead Johnson). En los últimos años, Bristol-Myers Squibb realizó grandes inversiones dentro del rubro farmacéutico a fin de desarrollar "drogas para el mejoramiento del desempeño". A comienzos de 2001, Bristol-Myers Squibb y otras 38 empresas de la industria farmacéutica demandaron al Gobierno sudafricano por violar el derecho de patentes (ver Aventis). Durante los últimos años, Bristol-Myers Squibb financió varios ensayos en esquizofrénicos. A raíz de estos tests, muchos pacientes no recibieron ningún medicamento eficaz, sino simplemente un placebo (ver "Medicamentos"). Según la Declaración de Helsinki, suscripta por la Asociación Médica Mundial, está prohibido tratar enfermedades graves sólo con un placebo cuando ya existe un medicamento probado.[2]

Qué podemos hacer	Eleve su protesta a: Bristol-Myers Squibb Company, World Headquarters, Chairman and CEO Peter R. Dolan, 345 Park Avenue, New York, NY 101540037 EE.UU.; contacto con los medios: Bonnie Jacobs, tel. (1-609) 2524089 Feedback: http://www.bms.com/feedback/data
Información adicional	http://www.epo.de/bukopharma La campaña BUKO Pharma monitorea desde hace 15 años las actividades desarrolladas por la industria farmacéutica en el Tercer Mundo. Esta agrupación descubrió numerosas irregularidades y logró generar cambios. http://www.arznei-telegramm.de *arznei-telegramm*, una revista especializada alemana de línea muy crítica, informa permanentemente acerca de prácticas espurias en la industria farmacéutica.

C&A

"La tienda de moda líder en Europa"

Productos, marcas

Tienda de moda con diez marcas propias, tales como Clockhouse, Westbury y Your Sixth Sense

Página web

http://www.c-and-a.com/

Datos de la firma

Ventas en Europa (1999): 5.000 millones de euros
Empleados: 35.000[1]
Sede: Bruselas

Imputaciones

Explotación, acoso sexual y otras irregularidades en empresas proveedoras

Esta empresa familiar, fundada en 1841 por Clemens y August Brenninkmeyer, posee alrededor de 450 sucursales dedicadas a la moda en diez países de Europa. C&A cuenta en todo el mundo con 1.400 proveedores. Sin embargo, si se incluyen los servicios tercerizados, las plantas productoras que operan para la corporación alcanzan una cifra cercana a las 6.000.[2] Tal como suele acontecer en este rubro, la identidad y el lugar de radicación de las fábricas están expuestos a un cambio constante.

El libro *C&A - Der stumme Gigant* (C&A: El gigante mudo), publicado en 1989, reveló masivas violaciones al derecho laboral y condujo a la creación de la Campaña Ropa Limpia (Clean Clothes Campaign) en los Países Bajos. A raíz de la presión ejercida por los consumidores, la empresa debió ajustarse a un código de conducta. De este modo, controla a sus plantas proveedoras a través de la organización Socam, fundada en 1996. Hay que aclarar, no obstante, que dicha organización recibe apoyo financiero de la familia Brenninkmeyer, por lo cual no es independiente.

Si bien el código de conducta rige para todos los productos y empresas subsidiarias de C&A, las entidades de derechos humanos denuncian que el derecho a la libertad de organización aún no está garantizado.

C&A rompió relaciones comerciales con numerosos proveedores luego de que Socam, su propio organismo de control, comprobara la existencia de anomalías. Lo que no se sabe es si la corporación cumplió con sus compromisos sociales frente a los empleados de esas firmas. A fines de 1999, C&A estableció un centro de formación profesional para ex trabajadores infantiles en la India. Sin embargo, la suma anual invertida para su mantenimiento (40.900 euros) es irrisoria si se la com-

208

para con el enorme daño social que ya ha sido causado en tantos ámbitos de producción.

En el año 2000, la Campaña Ropa Limpia comprobó que, bajo la amenaza de aplicar severas multas, dos establecimientos de Indonesia obligaban a los trabajadores a cumplir horas extras. Hubo arrestos para las trabajadoras que convocaban a protestas, hubo acoso sexual y, en los casos de embarazo, despidos seguidos de reincorporaciones a cambio de una paga menor. Además, se les descontaba parte del salario cuando hacían uso del "día femenino", un derecho (sin goce de sueldo) contemplado por las leyes indonesias para el período de menstruación. Ni siquiera se pagaba el salario mínimo estipulado por la ley. El informe habla de un jornal que —según el tipo de cambio— equivalía a 80 centavos de euro, sin reconocimiento de las horas extras y con un ritmo de trabajo de hasta 80 horas semanales. Por si fuera poco, había niños menores de 15 años que estaban obligados a cumplir el mismo horario que los demás trabajadores.

La empresa afirmó que las fábricas inspeccionadas (ya) no eran sus proveedoras. Pero las etiquetas colocadas en la ropa producida para C&A demostraron que durante el período de inspección la relación efectivamente había existido.[3]

En Camboya, en junio de 2000, los salarios de hambre condujeron a una huelga de varios días en las 69 empresas proveedoras de C&A, Nike, Gap, Ralph Lauren y Calvin Klein. Las operarias exigían un aumento del salario mínimo (de 45 a 78 euros aproximadamente). En caso de aplicarse, los costos de producción se incrementarían apenas en un 2,8%. Según datos de la Organización Camboyana del Trabajo, en Phnom Penh, la capital del país, el costo de la canasta básica para una familia tipo asciende a unos 212 euros.

Qué podemos hacer	Las protestas pueden enviarse a: Juan Carlos Escribano, tel.: (34-91) 6633519, fax: (34-91) 6633532, e-mail: h019@retail-sc.com
Información adicional	http://www.cleanclothes.org/companies/cena.htm Ingeborg Wick y otros: *Das Kreuz mit dem Faden. Indonesierinnen nähen für deutsche Modemultis.* Südwind-Institut, Siegburg 2000.

CHICCO (ARTSANA S. p. A.)

 "Respeto por los valores y por la dignidad"

Productos, marcas

Juguetes, cosméticos y todo para el niño y el bebé (marca Chicco)
Cochecitos y accesorios para bebés (marca Prénatal)

Página web

http://www.artsana.com

Datos de la firma

Ventas (2000): 1.140 millones de euros
Utilidad antes de impuestos (2000): 42 millones de euros[1]
Empleados: 5.500
Sede: Grandate (Italia)

Imputaciones

Irregularidades con riesgo de vida, no pago de indemnizaciones a víctimas de incendios en empresas proveedoras

Chicco es parte del grupo italiano Artsana, que opera en todo el mundo con una docena de marcas diferentes. En Alemania, por ejemplo, las marcas más conocidas son Chicco y Prénatal, que comercializan un sinnúmero de productos para embarazadas, bebés y niños de corta edad. Artsana se encuentra en el mercado desde hace más de 40 años. Prénatal, por su parte, es la marca que posee más tiendas exclusivas de artículos para bebés y embarazadas en toda Europa.

El 19 de noviembre de 1993 se desató un incendio en una de las plantas proveedoras que Chicco tiene en China: la Zhili Handicraft Factory. Los 200 empleados que estaban presentes —en su mayoría, mujeres jóvenes— intentaron huir. Pero sólo unos pocos pudieron salvarse. Porque, para evitar que los empleados robaran mercaderías, la fábrica había sido asegurada como una cárcel: las ventanas estaban enrejadas y las salidas de emergencia, bloqueadas. El edificio también funcionaba como depósito, por lo cual las llamas se extendieron rápidamente.

87 personas murieron calcinadas, 47 sufrieron graves heridas.

Al parecer, los dos directivos que habían puesto a sus empleados detrás de las rejas ahora están a cargo de una nueva planta, que también fabrica artículos para Artsana S. p. A./Chicco.

Años después, en 1997, Artsana S. p. A./Chicco se mostró dispuesta a pagar a los damnificados una cifra equivalente a 155.000 euros. Pero, hasta el momento, ninguna de las víctimas recibió un centavo por parte de la empresa italiana.

210

A fines de 1999, la empresa informó a través de sus abogados que el dinero ya se había utilizado para proyectos sociales. Vale aclarar que dichos proyectos no tenían ninguna relación con el incendio. Se trata, sin duda, de una clara malversación de los fondos destinados a las víctimas. Por este motivo, la Toy Coalition de Hong Kong inició una campaña internacional para boicotear a los juguetes de marca Chicco y obligar a la empresa a pagar las indemnizaciones correspondientes (ver "Juguetes").

En su página de Internet, Artsana S. p. A./Chicco ("Estamos en cada lugar donde hay un bebé") destaca con orgullo el código empresarial vigente desde 1998. Allí se obliga a todas las plantas de fabricación a respetar especialmente las normas relativas a horarios de trabajo y remuneración, contratación de menores de edad y cuidado de la salud de todos los empleados. "El objetivo es lograr el cumplimiento de derechos humanos y sindicales fundamentales."[2]

Qué podemos hacer

Eleve su protesta a: Artsana S.p.A. - Public Relations Department - Via Saldarini Catelli, 1 - 22070 Grandate (CO), Italia, e-mail: infoartsana@artsana.it

Información adicional

http://members.hknet.com/~hkcic/eng-zhili.htm
Página web de la Toy Coalition de Hong Kong, organización cuyo objetivo es vigilar de cerca a los fabricantes de juguetes.

NOTA:
Luego del cierre de la redacción (fines de mayo de 2001), nos informaron que 120 víctimas y familiares de los muertos en el incendio de la fábrica Zhili recibirían en julio de ese año una donación de la firma italiana Chicco. A cada uno de ellos le sería destinada una suma de 1.250 dólares estadounidenses. (Correo electrónico de la Hong Kong Christian Coalition, enviado el 12 de junio de 2001 a Hans Weiss.)
Este ejemplo muestra la eficacia de las campañas internacionales.

CHIQUITA BRANDS INTERNATIONAL INC.

"The world's perfect food"

Productos, marcas	Bananas y jugos de fruta de la marca Chiquita
Página web	http://www.chiquita.com
Datos de la firma	Ventas (2000): 2.500 millones de euros[1] Sede: Cincinnati (Ohio, EE.UU.)
Imputaciones	**Explotación de trabajadores en las plantaciones, utilización de peligrosos herbicidas**

Explotación de trabajadores en las plantaciones, utilización de peligrosos herbicidas

Desde que se estableció como la primera "banana de marca" en la década del 60 ("¡Nunca diga que una Chiquita es sólo una banana!"), la fruta de esta multinacional estadounidense es líder indiscutida en el mercado. La empresa fue fundada en 1899 con un nombre que luego se haría famoso: United Fruit Company. Para conseguir su objetivo —controlar al máximo el comercio bananero mundial—, cualquier recurso le era válido.

A raíz de su política expansiva, la United Fruit Co. pronto fue bautizada como "el pulpo". La empresa fue acusada de explotar a los trabajadores, sobornar a los funcionarios, presionar a los gobiernos y reprimir brutalmente las huelgas. Una y otra vez, tropas norteamericanas intervinieron en países latinoamericanos para imponer, con la fuerza de las armas, los intereses de esta corporación de la fruta.

En 1954, cuando tropas mercenarias financiadas por los Estados Unidos llevaron a cabo el golpe contra el Gobierno guatemalteco, la "Yunai" (tal como se conocía allí a la United Fruits) tuvo una activa participación. El presidente democráticamente electo Jacobo Arbenz había intentado implementar una reforma agraria para entregar tierras yermas a los campesinos desposeídos. La United Fruit Company, dueña de gigantescos latifundios improductivos que serían expropiados a cambio de un resarcimiento, vio peligrar de ese modo no sólo sus ganancias sino, sobre todo, su influencia política.[2]

En 1969, United Fruits se fusionó con AMK (una empresa de carnes) para formar la United Brands Co. Este gigante del rubro alimenticio, además de dedicarse a las bananas, comerció con helados, restaurantes tipo *drive-in*, flores y bienes inmuebles y le suministró carne vacuna a McDonald's desde América Central. En 1990, la corporación adoptó el nombre de su producto líder, la banana Chiquita. Ese mismo año, en Honduras, el sindicato de trabajadores bananeros Sitraterco inició una huelga contra una filial de la empresa; los militares pusieron fin a la medida argumentando que los huelguistas constituían una "amenaza para la democracia hondureña".[3]

En el año 2000, en Costa Rica, una empresa contratista de Chiquita despidió a numerosos sindicalistas de nacionalidad panameña. Asimismo, realizó un trabajo conjunto con la policía y las autoridades de migraciones para impedir su eventual reingreso a Costa Rica. Allí el salario semanal no llega a los 30 euros.[4]

Como consecuencia del sistema de monocultivos imperante en Latinoamérica, existe un uso generalizado de herbicidas. En las plantaciones de bananas costarricenses se utilizan productos químicos que están prohibidos en sus respectivos países de origen. Los casos fatales de intoxicación ya son reiterados. Según datos del periódico *La República*, solamente en 1997 hubo 827 personas intoxicadas a causa de los pesticidas. Además, en las últimas décadas, más de 10.000 hombres quedaron estériles en Costa Rica debido al contacto con el nematicida DBCP[5] (ver "Alimentos").

La influencia empresarial a nivel político no ha disminuido. El 25 de enero de 2001, la compañía demandó a la Comisión de la Unión Europea, reclamando 564 millones de euros en concepto de indemnización por daños y perjuicios. Según las razones esgrimidas por la empresa, Europa ofrecía ventajas impositivas a las importaciones de África y del Caribe, lugares en donde las bananas aún siguen siendo producidas en buena medida por pequeños agricultores.[6] Ante la presión y la amenaza de posibles sanciones, la UE debió elevar su cupo para la importación de productos pertenecientes a firmas de origen norteamericano.[7]

Qué podemos hacer	Compre únicamente bananas que provengan del Comercio Justo. Infórmese en BanaFair, Langgasse 41, D-63571 Gelnhausen, Alemania, teléfono (49-6051) 83660 Fuente de abastecimiento en Alemania: http://www.banafair.de/banane/bezug.htm
Información adicional	http://www.banafair.de BanaFair informa acerca de las campañas actuales e importa bananas de pequeños productores, que obtienen la fruta en forma independiente, fuera del ámbito de las corporaciones multinacionales. http://www.bananalink.org.uk Grupo británico de presión contra la explotación en el comercio bananero. http://www.members.tripod.com/foro_emaus/foro emaus.html Red de trabajo por los derechos humanos y la protección ambiental en las plantaciones de banana en Costa Rica.

HEINRICH DEICHMANN-SCHUHE GmbH & CO. KG

"¡Zapatos de marca a un precio increíble!"

Productos, marcas	Zapaterías Deichmann y Roland, con las marcas 5th Avenue, Janet D., Graceland, Medicus, Memphis One, Falcon, Landrover, Bären Schuhe, Victory En Suiza: zapaterías Dosenbach y Ochsner
Página web	http://www.deichmann.com
Datos de la firma	Ventas (1998): 1.790 millones de euros[1] Empleados: 19.000 Sede: Essen (Alemania)
Imputaciones	**Condiciones de trabajo riesgosas y destrucción del medio ambiente en empresas proveedoras** Con sus más de 1.700 locales en los diferentes países, el grupo Deichmann es el mayor comerciante de zapatos de Europa. El jefe de la empresa, Heinrich Deichmann, de 75 años de edad, dice ser un cristiano convencido. En el periódico de su fundación Wort und Tat (Palabra y Hecho) muestra una gran cantidad de fotos rutilantes, vanagloriándose de ser un benefactor que en sus numerosos "viajes hacia la mugre y la miseria" ayuda a los indigentes de la India. En la página web de la propia firma puede leerse: "Deichmann es una empresa familiar que cree en los valores tradicionales, cristianos, y los adapta a los tiempos que corren. (...) Pero los objetivos de la empresa también se reflejan en el trato humano hacia nuestros empleados. (...) Deichmann no sólo habla del compromiso social, sino que lo pone en práctica: por ejemplo, desde hace más de veinte años, apoyamos a personas indigentes en la India y en Tanzania."[2] El periódico *tageszeitung* afirma que en la India se fabrican 3 millones de pares de zapatos para Deichmann; y que la idea es elevar esa cifra hasta alcanzar los 10 millones de pares. "Por los 'zapatos de marca a un precio increíble' también pagan dos millones de trabajadores de curtiembres en la India. Día a día están expuestos —sin suficiente indumentaria de protección— a 175 sustancias químicas, sales y ácidos diferentes."[3] Además, según la fuente mencionada, los agentes tóxicos amenazan con contaminar buena parte del agua potable en las zonas de producción, destruyendo también superficies agrícolas. El 9 de abril de 2001, el programa de la cadena ARD *Report Mainz* exhibió imágenes correspondientes a K. H. Shoes, una empresa que, entre otras cosas, fabrica

214

calzado para Salamander, Sioux y Colehaan (la marca de zapatos sport de Nike). El principal comprador alemán es Deichmann. Mientras el proceso de confección se realiza en condiciones aceptables, la situación en las curtiembres es catastrófica: los operarios están descalzos y sin indumentaria adecuada en medio de la toxicidad del baño curtiente; no hay mascarillas para protegerse del olor fétido y penetrante; además, de acuerdo con lo expresado por un perito, el almacenamiento de las sustancias químicas pone en grave riesgo la vida de los trabajadores.

Al salir a la luz estos hechos, Deichmann aseguró que la ARD había engañado al público con imágenes falsas. Según expresó, las tomas de interiores, en su enorme mayoría, no correspondían a su proveedor K. H. Shoes. En el futuro, la empresa deberá rectificar sus declaraciones, habida cuenta de que la emisora amenazó con iniciar acciones legales.[4] Ahora aparece el arrepentimiento: "Las imágenes mostradas en *Report Mainz* nos dejaron atónitos", explica Karsten Schütt, gerente de Deichmann. "Por eso, a los trabajadores les fue suministrada ropa adecuada de protección."[5]

La mayoría de los consumidores ni se entera de esto. Al contrario: los zapatos de la India incluso llevan la inscripción "Made in Italy" o "Made in Germany". (Así lucen más distinguidos y se venden mejor.) En 1998, un trabajador de Deichmann explicó cómo se desarrolla este proceso: "Es muy común que las partes superiores de un zapato se confeccionen en la India, que se importen desde Italia, y que luego un fabricante italiano ajuste los distintos componentes para lograr un zapato terminado."[6]

Qué podemos hacer | "Nos complaceremos mucho en recibir sugerencias, preguntas o incluso críticas", dice la empresa en su página de Internet: Deichmann-Schuhe, Marketingabteilung, Boehnertweg 9, D-45359 Essen, Alemania, tel. (49-201) 867600, fax (49-201) 8676120 info@deichmann.com

Información adicional | El cuero curtido con cromo puede resultar nocivo incluso para quienes usan los zapatos (especialmente cuando se trata de niños). La alternativa es un cuero con proceso de curtido vegetal. Información en: http://www.naturkost.de/aktuell/sk980103.htm y en la revista *Ökotest*, edición de agosto de 1999.

FRESH DEL MONTE PRODUCE INC.

"Honestly, ethically and legally"

Productos, marcas	Bananas, ananás y otras frutas
Página web	http://www.freshdelmonte.com
Datos de la firma	Ventas (2000): 2.000 millones de euros Ingresos netos (2000): 36 millones de euros[1] Sede: Coral Gables (Florida, EE.UU.)
Imputaciones	**Explotación de trabajadores en las plantaciones, utilización de peligrosos herbicidas**

Explotación de trabajadores en las plantaciones, utilización de peligrosos herbicidas

Del Monte, fundada en 1892, es una productora frutícola líder en más de 50 países del mundo. A lo largo de los últimos 20 años, la empresa tuvo una historia bastante agitada. En 1979, la Del Monte Corporation fue adquirida por el imperio tabacalero R. J. Reynolds (Camel, Winston, etc.) para ser vendida nuevamente diez años más tarde. En aquel entonces se produjo una división entre las ramas correspondientes a la fruta fresca y a la producción de frutas y verduras en conserva; por eso, la Del Monte Fresh Produce Company y la Del Monte Foods operan hoy en forma separada. A partir de ese momento, Del Monte tuvo distintos propietarios. Desde 1997, la empresa cotiza en la Bolsa de Nueva York.

Durante la década del 90, el nombre Del Monte se vio asociado a la violencia ejercida contra trabajadores bananeros y sindicalistas en Guatemala. Muchas de estas personas fueron víctimas de los productos químicos: su uso masivo ocasionó daños de salud a largo plazo e incluso en algunos casos tuvo un efecto letal. Los plaguicidas eran rociados desde el aire sobre las plantaciones, sin que los trabajadores tuvieran ropa adecuada para protegerse (ver "Alimentos"). Los trabajadores de las plantaciones centroamericanas cobran alrededor de 0,68 euro por hora, o 31 euros por semana.[2]

A fines de 1999, Bandegua (una filial de Del Monte) echó a varios miembros del movimiento sindical en Costa Rica. Casi al mismo tiempo, en Guatemala, un grupo de 200 hombres fuertemente armados se lanzó contra los miembros del sindicato local Sitrabi. Éstos habían organizado una huelga para oponerse al despido de 1.000 compañeros por parte de Bandegua. Los líderes sindicales incluso debieron escaparse de Guatemala, ya que habían sido amenazados de muerte.[3]

De todos modos, en febrero de 2000 se inició una huelga contra el nuevo dueño de las plantaciones arrendadas por Bandegua (quien también es proveedor de Del Monte.) Los trabajadores exigían aumentos salariales, mejores condiciones laborales y el reconocimiento de su derecho a la organización sindical. Cuando el arrendatario despidió a 350 personas y promovió órdenes de detención contra los afiliados al sindicato y contra todo el consejo directivo del Sitrabi, los trabajadores reaccionaron ocupando las plantaciones. Ante la intervención del Sindicato Internacional de Trabajadores de la Alimentación, Del Monte adujo que no le correspondía inmiscuirse en un "conflicto de terceros". Pero luego, debido a la presión internacional, la empresa prometió que resolvería el conflicto y que intentaría encontrar un comprador que reconociera al sindicato.[4]

Qué podemos hacer

Compre únicamente bananas que provengan del Comercio Justo. Infórmese en BanaFair, Langgasse 41, D-63571 Gelnhausen, Alemania, teléfono (49-6051) 83660
Fuente de abastecimiento en Alemania:
http://www.banafair.de/banane/bezug.htm

Información adicional

http://www.banafair.de
BanaFair informa acerca de las campañas actuales e importa bananas de pequeños productores, que cultivan la fruta en forma independiente, fuera del ámbito de las corporaciones multinacionales.
http://www.bananas.agoranet.be
European Banana Action Network: campaña lanzada por sindicatos y organismos de desarrollo para lograr mejores condiciones laborales en las plantaciones de bananas.
http://www.transfair.or.at/Material.htm
Tel.: (43-1) 5330956
Folletos y CD-Rom acerca del Comercio Justo con las frutas tropicales.

DEUTSCHE BANK AG

Deutsche Bank ◢

"Impulsamos la economía de los países en desarrollo"

Productos, marcas	Servicios financieros del Deutsche Bank y del Deutsche Bank 24
Página web	http://www.group.deutsche-bank.de
Datos de la firma	Balance (2000): 940.000 millones de euros Superávit anual (2000): 4.950 millones de euros[1] Sede central: Francfort
Imputaciones	**Otorgamiento de créditos para proyectos no éticos, negocios especulativos a costa de países altamente endeudados**

El Deutsche Bank es uno de los líderes en la prestación de servicios financieros internacionales. Con una planta de más de 98.000 empleados, el mayor banco alemán supera los 12 millones de clientes en más de 70 países del mundo. Casi la mitad de los empleados trabaja fuera de Alemania. La red internacional de filiales comprende a Italia, España, Francia, Bélgica y Polonia. A esto debe agregarse una gran cantidad de sociedades nacionales y extranjeras, incluyendo bancos, empresas de valores y prestadores de servicios financieros. La banca de inversión y el negocio con clientes corporativos aparecen como áreas de crecimiento.

También aquí tienen lugar algunas prácticas cuestionables desde el punto de vista ético. Por ejemplo, en el año 1999, una comisión de investigación parlamentaria del Senado brasileño acusó al Deutsche Bank de haber logrado ganancias especulativas a través de información interna obtenida en forma ilegal. Según el informe, el banco había efectuado operaciones a plazo ventajosas, sacando así provecho de la crisis monetaria en Brasil, un país fuertemente endeudado (ver "Economía exportadora y financiera").

Respaldado por el seguro Hermes del gobierno federal alemán, el Deutsche Bank otorgó numerosos créditos a países en desarrollo para financiar proyectos riesgosos o éticamente sospechosos. Con esta política, no hizo más que aumentar la gigantesca deuda de dichos países. De este modo, mientras los riesgos y las pérdidas recaen sobre los contribuyentes alemanes, el banco sigue lucrando con los endeudamientos nacionales generalizados, que luego obligan a realizar severos recortes en los presupuestos sociales y educativos.

En 1996, el Deutsche Bank contribuyó a financiar la explotación de una mina de cobre y de oro en Papúa Oc-

218

cidental (Indonesia). Durante la respectiva gestión se registraron graves violaciones a los derechos humanos y una masiva destrucción del ecosistema. No sólo el maltrato estuvo a la orden del día, sino que además las tropas militares de Indonesia expulsaron por la fuerza a los pobladores locales. En relación con esos hechos, hay por lo menos 16 casos fatales documentados.[2]

Aparentemente existe un nuevo proyecto para extraer oro en la península griega de Halkidiki. El costo de este proyecto asciende a 270 millones de euros; y el mayor inversionista, con un aporte de 185 millones, es el Deutsche Bank. La técnica que se utilizaría sería la misma que en febrero de 2000 provocó la catástrofe de Baia Mare (Rumania), eliminando todo vestigio de vida en el Theiss, el segundo río en importancia en Hungría (ver "Dresdner Bank"). Para extraer una tonelada de oro, hay que emplear 50 toneladas de cianuro de sodio, un compuesto altamente tóxico. Detrás de un dique de 100 metros de altura quedarían depositadas miles de toneladas de residuos contaminantes. Al tratarse de una zona sísmica, esto amenaza con convertirse en una catástrofe ambiental.

Por esa razón, los habitantes del pueblo de Olympiada resisten a través de protestas, bloqueos y recursos jurídicos. Como respuesta obtienen durísimas medidas represivas. De acuerdo con el informe de los propios vecinos, sobre una población de 500 personas hay 120 con causas penales, el alcalde Nikos Mitsiou podría ser condenado a 12 años de reclusión, y en el pueblo ya rige el estado de sitio.[3]

Qué podemos hacer

Protestas a: Deutsche Bank AG, Taunusanlage 12, D-60262 Frankfurt am Main, Alemania, teléfono (49-69) 91000, fax (49-69) 91034225, correo electrónico deutsche.bank@db.com
Invierta su dinero con criterios ético-ecológicos, por ejemplo en el GLS Gemeinschaftsbank (Bochum, sucursales en Hamburgo y Stuttgart, http://www.gemeinschafts bank.de) o en el UmweltBank (Nuremberg, http://www.umweltbank.de).

Información adicional

Karin Astrid Siegmann: *Deutsche Großbanken entwicklungspolitisch in der Kreide?* Südwind e.V., Siegburg 2000, encárguelo en http://www.suedwind-institut.de, o bien al teléfono (49-2241) 53617.
http://www.fian.de
Información sobre la explotación del oro.
http://www.oeko-invest.de
La revista de la inversión responsable.
Max Deml/Jörg Weber: *Grünes Geld. Jahrbuch für ethisch-ökologische Geldanlagen.*

THE WALT DISNEY COMPANY

"Nuestro principal objetivo es crear el *shareholder value*"

Productos, marcas

Revistas de historietas, libros, películas, juguetes y ropa con los personajes del ratón Mickey, del pato Donald, Goofy, Bambi, Cenicienta, Peter Pan, Pocahontas, Winnie Pooh, Tarzán
Estudios cinematográficos como Miramax
Parques de diversiones y centros turísticos como Disneylandia en París y Los Ángeles

Página web

http://disney.go.com

Datos de la firma

Ventas (2000): 26.150 millones de euros
Utilidad antes de impuestos (2000): 2.710 millones de euros[1]
Sede: Burbank (California, EE.UU.)

Imputaciones

Explotación y abusos en empresas proveedoras
Todos conocemos a los famosos personajes de Disney, que nos han acompañado a lo largo de nuestra infancia. El ratón Mickey, creación del genial dibujante Walt Disney, hizo su aparición en 1928; el pato Donald, en 1934. En la actualidad, la Walt Disney Company es una gigantesca "corporación de la creatividad", con parques de entretenimiento como Disneylandia, con los estudios cinematográficos Miramax y con la cadena televisiva ABCNews.
Es una pena que esta compañía, que les ha dado tanta alegría a nuestras vidas, también tenga un lado oscuro. Algunos muñecos de plástico de Disney se fabrican en Asia, en condiciones tales que uno desearía que sólo fueran parte de una película de Disney y que pronto llegara el final feliz. Lamentablemente la realidad es otra.
A comienzos de 2001, un grupo de consumidores críticos de Hong Kong publicó un informe sobre los terribles abusos registrados en las plantas chinas que fabrican los productos de la Walt Disney Company (ver "Juguetes"): hasta 18 horas de trabajo por día, los 7 días de la semana, meses y meses en forma ininterrumpida. Según los datos del informe, la mayoría de las trabajadoras, algunas de no más de 16 años, recibían un sueldo de entre 38 y 63 euros mensuales. Este monto se encuentra por debajo del salario mínimo dispuesto en la ley.
En el año 2000 habían salido a la luz irregularidades similares ocurridas en otras cuatro plantas que proveen a Disney desde China. ¿Cómo reaccionó la "fábrica de

sueños"?: suspendió de inmediato los pedidos en tres de las cuatro fábricas. Las operarias quedaron sin trabajo y así resultaron doblemente perjudicadas.

También se conocieron casos parecidos en la isla de Macao, en otras fábricas que proveen a la compañía Disney (ver "Juguetes").

En octubre de 1998, los trabajadores de una planta proveedora de Disney en Haití intentaron organizarse sindicalmente y fueron amenazados por la fuerza por sus superiores. Al menos siete operarios resultaron despedidos por su presunta actividad gremial (ver "Juguetes").

Qué podemos hacer	Eleve su protesta a: Mr. Michael Eisner, CEO Walt Disney Company, 500 South Buena Vista St., Burbank, CA 91521, EE.UU., fax (001-818) 8467319 Usted puede utilizar la carta modelo de la Campaña Ropa Limpia: http://www.cleanclothes.org/companies/disney01-01-10.htm
Información adicional	http://www.cleanclothes.org/companies/disney.htm La Campaña Ropa Limpia también denuncia las condiciones existentes en Disney. http://www.maquilasolidarity.org/campaigns/disney/index.htm Campaña canadiense contra la Walt Disney Company. http://members.hknet.com "Beware of Mickey": *sweatshops* de Disney en el sur de China.

DOLE FOOD COMPANY INC.

Productos, marcas	Frutas tropicales y frutas en conserva
Página web	http://www.dole.com
Datos de la firma	Ventas (2000): 5.200 millones de euros[1] Sede: Westlake Village (California, EE.UU.)
Imputaciones	**Explotación de trabajadores en las plantaciones, utilización de peligrosos herbicidas, trabajo infantil**

Explotación de trabajadores en las plantaciones, utilización de peligrosos herbicidas, trabajo infantil
Dole es el nombre comercial correspondiente a la ex Standard Fruit Company, que en 1964 fue adquirida por la empresa alimenticia Castle & Cooke. En 1991 la compañía adoptó el exitoso nombre Dole Food Company, que se conserva hasta el presente. La empresa constituye el mayor productor y vendedor mundial de frutas frescas y verduras. A esto debe agregársele la comercialización de alimentos envasados y flores.

Dole opera en más de 90 países y da trabajo a unos 60.000 empleados de tiempo completo. Sin embargo, para la mayor parte de los peones que trabajan en las inmensas plantaciones, efectuando la siembra y la cosecha de la fruta a cambio de un salario de hambre, hablar de un empleo estable y especialmente de un seguro social equivale a un sueño.

En noviembre de 1998, miles de personas fallecieron en Honduras, Nicaragua y Guatemala a causa del huracán "Mitch". Muchos perdieron su casa y su sustento vital. Decenas de miles de trabajadores bananeros pertenecientes a las empresas Dole, Chiquita y Del Monte se vieron obligados a tomar vacaciones sin goce de sueldo y posteriormente fueron despedidos. En lugar de brindar un apoyo adecuado, los dueños de las plantaciones se aprovecharon en forma descarada de la situación de los trabajadores. Por ejemplo, las empresas subsidiarias y los proveedores de Dole y compañía intentaron imponer condiciones laborales aún peores que las de antes de la catástrofe.[2]

Como consecuencia del sistema de monocultivos imperante en Latinoamérica, existe un uso masivo de herbicidas. En las plantaciones de bananas se utilizan productos químicos que están prohibidos en sus respectivos países de origen. Las medidas de protección contra estas peligrosas sustancias han demostrado ser absolutamente insuficientes, por lo cual siguen surgiendo casos fatales de intoxicación y graves trastornos de salud entre los trabajadores y sus familias (ver "Alimentos").

En las plantaciones de ananás que la compañía posee en Tailandia también se hace abuso de los herbicidas y los fertilizantes artificiales. Los trabajadores denuncian la aparición de trastornos de salud y erupciones cutáneas. Ya a comienzos de la década del 90 se registraron acusaciones debido a la explotación sufrida por los recolectores de cosechas, sobre todo las mujeres. Las trabajadoras ganaban alrededor de 2 euros por día. Los contratos laborales tenían una duración de tres meses; al término de la cosecha, muchos trabajadores eran despedidos. La empresa también recibió quejas por las desastrosas condiciones existentes en sus fábricas de conservas en Tailandia.[3]

Más o menos al mismo tiempo se desencadenó un conflicto entre Dole y la Federación Sindical Nacional (NFL). Según ésta, la compañía forzaba a las cooperativas y a los abastecedores locales a vender sus productos a pérdida.[4] A raíz de sus contratos abusivos con las cooperativas de trabajadores, Stanfilco, una filial de Dole, se vio sometida desde 1998 a una fuerte presión internacional por parte de consumidores y sindicatos. Además pudo comprobarse que había niños trabajando en las plantaciones de la empresa.[5]

Qué podemos hacer

Compre únicamente bananas que provengan del Comercio Justo. Infórmese en BanaFair, Langgasse 41, D-63571 Gelnhausen, Alemania, teléfono (49-6051) 83660

Fuente de abastecimiento en Alemania:
http://www.banafair.de/banane/bezug.htm

Información adicional

http://www.banafair.de
BanaFair informa acerca de las campañas actuales e importa bananas de pequeños productores, que obtienen la fruta en forma independiente, fuera del ámbito de las corporaciones multinacionales.
http://www.bananalink.org.uk
Grupo británico de presión contra la explotación en el comercio bananero.
http://www.members.tripod.com/foro_emaus/foro emaus.html
Red por los derechos humanos y la protección ambiental en las plantaciones de banana en Costa Rica.

DONNA KARAN INTERNATIONAL INC.
(MOËT HENNESSY LOUIS VUITTON SA)

DKNY

"Estándar superior en creatividad, integridad, calidad e innovación"

Productos, marcas	Indumentaria, calzado, jeans, carteras, accesorios y perfumes de las marcas DKNY, Donna Karan New York o DKNY Jeans Marcas de Moët Hennessy Louis Vuitton SA (LVMH): casas de moda como Fendi, Emilio Pucci, Kenzo; relojes de TAG Heuer; perfumes de Christian Dior o Givenchy; champaña de Veuve Clicquot o Moët & Chandon
Página web	http://www.donnakaran.com y http://www.lvmh.com
Datos de la firma	Ventas (2000): 1.240 millones de euros Utilidad antes de impuestos (2000): 23 millones de euros[1] Sede: Nueva York
Imputaciones	**Explotación en plantas de fabricación** Donna Karan es una de las diseñadoras de moda más famosas del mundo. Entre sus clientas hay celebridades tales como la actriz Susan Sarandon, la cantante Barbra Streisand o la ex primera dama Hillary Clinton. La empresa fue fundada en 1984 en Nueva York. La marca registrada de Donna Karan son los vestidos sencillos y elegantes para mujeres de negocios. A fines de la década del 90, la firma se vio envuelta en dificultades a causa de una mala gestión; y en abril de 2001 fue comprada por LVMH Moët Hennessy Louis Vuitton SA, una empresa internacional francesa dedicada a artículos suntuarios, por algo menos de 250 millones de euros. No obstante, Donna Karan continúa siendo una marca independiente. LVMH comercializa numerosas marcas de artículos suntuarios, concentrándose en: moda, relojes, perfumes y champaña. En el año 2000, las ventas de este grupo empresarial ascendieron a 11.920 millones de euros, y sus ganancias, a 1.740 millones. A fines de los años '90, Donna Karan New York recibió un sinfín de críticas debido a las desastrosas condiciones laborales en sus plantas de fabricación.[2] He aquí el relato de Kwan Lai, operaria de una de las fábricas de DKNY: "Yo empecé a coser ropa de DKNY en 1992. Era como una cárcel. Todo el tiempo debíamos mantener la cabeza gacha. No se podía mirar alrededor. Nadie podía hablar. ¿Se imagina lo que era eso? Una sala enorme, repleta de operarias, y todas

agachando la cabeza. Con tres cámaras de vigilancia controlaban todo. Cuando nos íbamos de la planta, nos revisaban las carteras. Los baños generalmente estaban cerrados. No había agua para tomar durante todo el día. No se podía llamar por teléfono, ni siquiera en casos de urgencia. Yo ya estaba bastante acostumbrada a las malas condiciones laborales, porque soy de Hong Kong, pero aquí, en EE.UU., era todavía peor."[3]

A comienzos de 2000, Donna Karan ocupó los titulares de los periódicos internacionales. Pero no por sus diseños osados, sino porque las operarias chinas que trabajaban en las plantas de fabricación de Nueva York habían iniciado una demanda judicial.[4] Los cargos:[5] jornadas de entre 70 y 80 horas semanales, sin reconocimiento de las horas extras. Un abogado norteamericano elevó una demanda colectiva en nombre de más de trescientas trabajadoras. Allí se reclaman horas extras impagas por una cifra equivalente a más de tres millones de euros.

Donna Karan alegó que desconocía cuáles eran las condiciones en sus propias plantas de fabricación y que las mismas no entraban dentro de su ámbito de responsabilidad.[6] El abogado que representaba a las trabajadoras calificó eso como una excusa, e informó que Donna Karan hace inspeccionar regularmente las fábricas para someter sus vestidos a controles de calidad.

Qué podemos hacer

Únase a las campañas de boicot contra Donna Karan, por ejemplo a la National Mobilization Against Sweatshops en EE.UU. (http://www.nmass.org/Nmass1/htm/fight/girlcott.htm).

Intime a Donna Karan a que permita la realización de controles independientes en sus plantas de fabricación y a que subsane las irregularidades.

Información adicional

http://www.saubere-kleidung.de
Delegación alemana de la campaña Clean Clothes, con envío de información.
http://www.ropalimpia.org
La central, con sede en Amsterdam, ofrece links e información acerca de las distintas marcas.
http://www.igc.org/swatch
Sweatshop Watch, campaña norteamericana contra las irregularidades en las fábricas de indumentaria.

DRESDNER BANK AG

Die Beraterbank

Productos, marcas	Servicios financieros del Dresdner Bank, Seguros Allianz
Página web	http://www.dresdnerbank.de
Datos de la firma	Balance (2000, sin Allianz): 483.000 millones de euros Superávit anual (2000, sin Allianz): 1.730 millones de euros[1] Sede: Francfort
Imputaciones	**Financiamiento de proyectos con consecuencias nefastas para las personas, para el medio ambiente y para los países deudores**

El Dresdner Bank opera en más de 70 países del mundo, con alrededor de 1.500 sucursales y una planta de aproximadamente 49.000 empleados. A fines de marzo de 2001 se anunció que el Dresdner Bank sería adquirido por la compañía Allianz. De ese modo, ambas empresas buscarían articular sectores clave (seguros, administración patrimonial, negocios bancarios) y consolidar su posición en el mercado con más de 20 millones de clientes en Alemania. Sin embargo, lo que trascendió en forma extraoficial fue que la Allianz estaba interesada más que nada en las inversiones del Dresdner Bank.[2]

Precisamente el área de inversiones motivó numerosas críticas en el pasado. En 1996, una filial del Dresdner Bank otorgó un crédito de alrededor de 35 millones de euros para un proyecto de extracción de oro en Indonesia. Allí fueron expulsados de sus tierras unos 20.000 miembros de pueblos indígenas, en parte de manera violenta. Además, los ríos fueron contaminados con aguas residuales provenientes de las minas. A principios del año 2000, tropas de elite de la policía indonesia procedieron nuevamente a expulsar lugareños mediante el uso de la fuerza.[3]

Las críticas más duras que recibió la empresa se debieron a un proyecto relacionado con la extracción de oro en Rumania. Todo se desencadenó en febrero de 2000 en la localidad rumana de Baia Mare, cerca de la frontera con Hungría, cuando se produjo la rotura del dique perteneciente a un depósito de retención y se derramaron unos 100.000 metros cúbicos de aguas residuales altamente tóxicas. Los ríos Szamos y Theiss fueron contaminados con cianuro, metales pesados y peces muertos. También resultó afectado el Danubio, ya que allí desemboca el Theiss. El cianuro —letal aun en pequeñas dosis— se utiliza mundialmente en el sector minero para desprender minúsculas concentraciones de oro de las rocas. En Baia Mare, las 120 toneladas de cianuro, que permitieron extraer poco más de 50 kilogramos de oro, privaron a casi dos millones de personas de sus fuentes de agua potable. Miles de familias, pescadores y posaderos se quedaron sin ingresos, el turismo sufrió un retroceso de años. Suministrada en dosis individuales, esa cantidad de veneno habría sido suficiente para matar a mil millones de personas.[4]

Mientras la delegación húngara del WWF catalogó el hecho como la "mayor contaminación de agua potable de todos los tiempos en Europa Central y Oriental", los damnificados aguardan en vano un resarcimiento. La firma a cargo de la explotación de la mina tuvo que pagar por la contaminación una irrisoria multa de 870 euros. De acuerdo con lo señalado por la organización de derechos humanos Fian, el Dresdner Bank había contribuido a financiar el proyecto con alrededor de 9 millones de euros, a sabiendas de los riesgos que acarreaba la extracción de oro por medio de cianuro.[5] Unas 28 organizaciones húngaras exigieron un resarcimiento por la mayor catástrofe ambiental producida en Europa desde Chernobyl, pero el banco rechazó la demanda.[6]

En Brasil, el banco considera el comercio del café y la exportación de jugos concentrados de naranja como sectores de creciente importancia.[7] En ambos rubros, las violaciones a los derechos humanos son moneda corriente (ver capítulo "Alimentos"). Además, durante un largo tiempo la empresa planeó financiar allí la construcción del reactor nuclear Angra 3, a pesar de que ya se sabía que dicha central no era rentable (ver "Economía exportadora y financiera").

Con este tipo de inversiones, los países altamente endeudados quedan aún más comprometidos. Y luego, ante la presión que ejercen los organismos financieros internacionales, sobrevienen recortes masivos en el gasto social.

Qué podemos hacer	Protestas al teléfono (49-69) 26350750 o en http://www.dresdnerbank.de/kontakt_und_info_center/dresdner_bank/index.html Invierta su dinero con criterios ético-ecológicos. Información: http://www.oeko-invest.de
Información adicional	http://www.bankwatch.org Red para la vigilancia de los organismos financieros internacionales. Karin Astrid Siegmann: *Deutsche Großbanken entwicklungspolitisch in der Kreide?* Südwind e.V., Siegburg 2000, encárguelo en http://www.suedwind-institut.de, o bien al teléfono (49-2241) 53617 Información sobre la explotación del oro en http://www.fian.de

EXXON MOBIL CORPORATION

EXXON Mobil (Esso)

"The world's premier petroleum
and petrochemical company"

Productos, marcas	Combustibles y otros productos derivados del petróleo, así como gasolineras de las marcas Esso y Mobil
Página web	http://www2.exxonmobil.com/corporate
Datos de la firma	Ventas (2000): 224.000 millones de euros Utilidad antes de impuestos (2000): 30.000 millones de euros[1] Sede: Irving (Texas, EE.UU.)
Imputaciones	**Financiamiento de guerras civiles y tráfico de armas, destrucción del sustento vital en regiones petrolíferas, lobby contra medidas de protección climática** Desde julio de 2000, Esso y Mobil se encuentran unidas en el holding Exxon Mobil. La mayor compañía petrolera del mundo produce alrededor de 2,6 millones de barriles de crudo por día y recurre para eso a unas reservas de petróleo y gas que totalizan aproximadamente 70.000 millones de barriles.

Según datos de la propia empresa[2], la costa situada frente a Angola es una de las regiones más prometedoras. Allí la extracción se realiza desde las profundidades submarinas. El petróleo, que representa el 90% de los ingresos por exportaciones, financia una brutal guerra civil. En 1998 las Naciones Unidas prohibieron la importación de diamantes angoleños a causa de esta guerra civil, pero más de la mitad de lo que pagan Exxon y compañía por sus derechos de explotación se destina a ofensivas militares. El resto desaparece en las impenetrables espesuras de la corrupción angoleña. A la población, que vive en la más absoluta pobreza, no le quedan las riquezas del país, sino el sufrimiento y la miseria de la guerra (ver "Petróleo").

En la República del Chad, situada en África Central, Exxon Mobil dirige un consorcio que planea extraer mil millones de barriles en un lapso de 25-30 años y transportarlos hasta la costa de Camerún a través de un oleoducto de 1.050 kilómetros de longitud.[3]

Amnistía Internacional teme que la explotación petrolera reavive el conflicto entre los militares del Chad y los distintos grupos armados de la oposición. Además, miles de familias serían desplazadas de la región por la fuerza, en tanto que las tierras cultivables y el agua potable sucumbirían ante la contaminación ambiental. Quienes critican el proyecto son objeto de persecución

228

e intimidaciones. Por ejemplo, en 1998, el prestigioso diputado opositor Ngarléjv Yorongar le Moiban y dos periodistas fueron condenados a tres años de prisión por haber criticado públicamente el proyecto petrolero (ver "Petróleo").

Según el semanario económico *Business Week*, Mobil colaboró en Indonesia con el régimen del general Suharto.[4] Las organizaciones de derechos humanos responsabilizan a las fuerzas armadas del ex dictador por las ejecuciones en masa y la desaparición de personas. En las inmediaciones de las plantas pertenecientes a la empresa (y custodiadas por militares indonesios), se produjeron verdaderas masacres. Mobil niega cualquier vinculación con esos crímenes (ver "Petróleo").

El periódico berlinés *tageszeitung* hace mención a un juicio iniciado en Washington en junio de 2001: once pobladores, vecinos a un campo de gas natural explotado por Exxon Mobil en Indonesia, acusaron a la firma de complicidad en ejecuciones extrajudiciales, desapariciones, torturas y violaciones perpetradas por soldados indonesios en los últimos tiempos (es decir, incluso tras el fin de la dictadura de Suharto). La empresa, por su parte, deslindó responsabilidades y negó cualquier vinculación con las violaciones a los derechos humanos.[5]

Los ecologistas acusan a la empresa de operar mediante la Global Climate Coalition[6], lobby industrial de línea dura que rechaza las medidas impuestas para la protección del clima mundial. El lobby petrolero es el principal responsable de que EE.UU. —el mayor consumidor mundial de energía— continúe agravando el efecto invernadero a costa del planeta en su conjunto. De acuerdo con la opinión de casi todos los expertos, esto crea la amenaza de un colapso climático, con daños imprevisibles para personas, animales y plantas. En sus propias páginas web, Esso y Mobil despotrican contra los impuestos ecológicos[7] y contra el Protocolo de Kyoto[8], a través del cual todos los países de la Tierra se comprometen a reducir sus emisiones de gases de efecto invernadero.

Qué podemos hacer

Eleve su protesta —con la mayor fuerza posible— a ExxonMobil News Media Desk: (1-972) 4441107
Asimismo, desde el punto de vista de la protección ambiental, la mejor alternativa consiste en viajar menos en automóvil.

Información adicional

http://www.germanwatch.org
La organización alemana, impulsora de una política de desarrollo, lucha contra Esso.

FORD MOTOR COMPANY

   "La realización del sueño americano"

Productos, marcas	Autos de las marcas Ford, Volvo, Mazda, Jaguar, Landrover, Aston Martin Alquiler de autos mediante la marca Hertz
Página web	http://www.ford.com
Datos de la firma	Ventas (2000): 175.100 millones de euros Utilidad antes de impuestos (2000): 8.500 millones de euros[1] Empleados: 346.000 Sede: Dearborn (Michigan, EE.UU.)
Imputaciones	**No pago de indemnizaciones a ex trabajadores forzados de las plantas Ford en la Alemania nazi, sexismo y racismo en las plantas de producción**

"La historia de Ford es el paradigma del sueño americano", señala la compañía en su página de Internet. Henry Ford, un hombre genial y profundamente antisemita, fundó en 1903 una pequeña empresa, que hoy es número uno en el mundo entre los fabricantes de camiones y número dos si se considera en forma conjunta la producción de camiones y automóviles. En 1979, Ford adquirió la marca automotriz Mazda; en 1988, Jaguar; en 1999, Volvo; y en 2000, Landrover.

A comienzos del año 2000, el periodista norteamericano Ken Silverstein documentó la estrecha colaboración de Henry Ford con los nazis:[2]

Henry Ford, fundador de la empresa Ford, recibió en 1938 la mayor condecoración que el régimen nazi otorgaba a los extranjeros: el "Águila Alemana". Hitler conocía el tristemente célebre panfleto escrito por el fundador de la compañía automotriz, cuyo título era "El judío internacional: el problema más acuciante del mundo". El aprecio mutuo entre Adolf Hitler y Henry Ford también se manifiesta en los 35.000 reichsmark entregados por Ford al Führer como regalo de cumpleaños en abril de 1939.

Ford suministró material para la maquinaria bélica nazi incluso después de que EE.UU. declarara la guerra a Alemania en 1941, pero durante un largo tiempo se negó a elevar la producción que serviría de apoyo a los aliados. Ante esto, el Gobierno nazi se mostró satisfecho. Es cierto que las plantas Ford alemanas fueron intervenidas en 1942, pero jamás fueron expropiadas. Ya antes de producirse la intervención, en la empresa se desempeñaban trabajadores forzados y prisioneros de guerra franceses.

En 1999, Ford se opuso a pagar un resarcimiento a las personas que habían realizado trabajos forzados en sus plantas de Alemania durante la época del nazismo. He aquí la descarada argumentación de Lydia Cisaruk, vocera de la empresa: "Durante la guerra, nosotros no hicimos negocios en Alemania."[3]

En los últimos tiempos se registraron varios incidentes racistas y sexistas en las fábricas de Ford:[4] en 1996, una comisión norteamericana para el trato igualitario denunció que las obreras sufrían reiterados episodios de acoso sexual en su lugar de trabajo, mientras el sector gerencial no hacía prácticamente nada para impedirlo. En agosto de 1998, Ford fue demandada por el continuo acoso sexual a las mujeres. En 1999, debió asumir la responsabilidad por los reiterados ataques racistas de los que había sido objeto un trabajador asiático en su planta inglesa de Degenham.[5]

Entre 1990 y 2000 se produce en EE.UU. una serie de graves, enigmáticos accidentes protagonizados por autos Ford Explorer. Mueren 150 personas. Ford culpa a la empresa Bridgestone/Firestone, indicando que los neumáticos defectuosos han sido la causa de los accidentes. La empresa fabricante de neumáticos deslinda todo tipo de responsabilidad y culpa a Ford de no querer admitir los problemas de seguridad que existen al conducir el popular Explorer. Debido al conflicto, se rompe una relación comercial centenaria. En la actualidad, una comisión investigadora del Congreso de los Estados Unidos intenta dilucidar el tema de la culpabilidad.[6]

Qué podemos hacer

Exija que Ford pague indemnizaciones a los trabajadores forzados: Ford Motor Company, Customer Relationship Center, P.O. Box 6248, Dearborn, MI 48126, EE.UU., tel. (1-800) 3923673

Información adicional

El artículo de Ken Silverstein "Ford and the Führer" se halla disponible en el periódico *The Nation* del 24-1-2000 a través de http://www.thenation.com

GAP INC.

"Factory workers to be treated
with dignity and respect"

Productos, marcas | Artículos para la moda Gap en tiendas Gap

Página web | http://www.gapinc.com

Datos de la firma | Ventas (2000): 14.860 millones de euros
Utilidad antes de impuestos (2000): 1.500 millones de euros[1]
Empleados: 140.000
Sede: San Francisco

Imputaciones | **Explotación de trabajadores en empresas proveedoras**

La empresa de modas Gap tiene 3.676 sucursales en todo el mundo. La mayor parte de ellas se encuentra en EE.UU. Desde 1995, la empresa también intenta afirmarse en Alemania.

Gap es —junto a Nike— una de las empresas de indumentaria más criticadas del mundo. Buena parte de la ropa se fabrica en los denominados *sweatshops* (factorías de "patio trasero" situadas en países asiáticos y latinoamericanos de mano de obra barata). Allí trabajan costureras mal pagas que suelen ser obligadas a realizar horas extras no remuneradas. A menudo surgen imputaciones relacionadas con el acoso sexual, la falta de seguridad en las fábricas y el tratamiento humillante hacia las operarias.

Gap aprendió su lección y ahora lleva a cabo controles entre sus proveedores para evitar mayores desbordes. No obstante, muchos critican estas inspecciones (efectuadas por la propia empresa o por organizaciones asignadas a tal fin), señalando que son completamente insuficientes o que son incluso una farsa. Sea como fuere, donde prácticamente no se han notado cambios es en la muy baja remuneración que perciben las costureras. En una fábrica de Bangladesh, una operaria promedio recibe apenas 45,65 euros por mes.[2] Al igual que en otros lugares, en Bangladesh esto tampoco alcanza para vivir y menos aún para sostener una familia. En El Salvador, las condiciones laborales en las plantas proveedoras de la empresa han mejorado: ahora hay pausas para tomar café, se pueden efectuar reclamos y las instalaciones sanitarias son más limpias. De todos modos, según el *New York Times*, las operarias ganan apenas 65 centavos de euro por hora a pesar de la ardua tarea que deben desempeñar. Con un salario así, tampoco en El Salvador se puede vivir de manera digna.[3]

Qué podemos hacer   Hágale saber a Gap, en la tienda o por medio del correo electrónico (custserv@gap.com), que usted apoya las mejoras en las fábricas pero exige controles independientes y que, como cliente, estaría dispuesto a pagar un poco más por cada prenda si de esa forma se asegura una remuneración adecuada para los trabajadores.

Información adicional   http://www.globalexchange.org/economy/corporations/gap
Campaña Gap, lanzada en San Francisco por una organización de postura crítica hacia la empresa.
http://www.igc.org/swatch
Sweatshop Watch es una unión que agrupa a distintas entidades de derechos humanos, las cuales luchan principalmente por salarios justos en las fábricas de indumentaria.

GENERAL MOTORS CORP.

"Steps towards sustainability"

Productos, marcas	Autos de las marcas Cadillac, Chevrolet, Isuzu, Opel, Saab, Vauxhall
Página web	http://www.gm.com
Datos de la firma	Ventas (2000): 194.000 millones de euros Utilidad antes de impuestos (2000): 7.440 millones de euros[1] Empleados: 388.000 Sede: Detroit (EE.UU.)
Imputaciones	**Contaminación del medio ambiente debido a altos niveles de emisión de gases, explotación y bajos estándares de seguridad en las empresas proveedoras** General Motors (fundada en 1908) es la empresa automotriz más grande del mundo, con más de 30.000 plantas proveedoras en 50 países. GM tiene más de 260 filiales y socios comerciales de gran envergadura. Entre estos últimos se encuentran las automotrices Fiat, Isuzu y Suzuki. La subsidiaria más importante fuera de Norteamérica es la alemana Adam Opel AG, que fue fundada en 1862 y pertenece a General Motors desde 1929. General Motors recibió múltiples críticas a raíz de la elevada emisión de gases tóxicos (por ejemplo, monóxido de carbono) en sus vehículos. Incluso, en 1995, la empresa debió pagar una multa de 11 millones de dólares por violar una ley ambiental en EE.UU., la llamada "Clean Air Act".[2] General Motors también fue cuestionada por integrar la Global Climate Coalition. Este lobby económico es el principal responsable de que EE.UU. no acepte los necesarios y urgentes acuerdos de Kyoto sobre protección climática. Junto con Ford y Chrysler (ver Mercedes-Benz), General Motors constituye uno de los principales explotadores de las "maquiladoras" del norte de México. Se trata de centros de producción ubicados en zonas de libre comercio, donde se fabrican bienes para los países industrializados a cambio de salarios extremadamente bajos y en condiciones sociales miserables. A menudo los salarios no alcanzan para cubrir las necesidades más elementales en cuanto a alimentación y vivienda, y mucho menos para vivir dignamente cuando se tiene una familia. Además, los trabajadores se quejan por la enorme cantidad de horas extras.[3]

En noviembre de 2000, *Multinational Monitor* (una publicación web norteamericana) reveló que los trabajadores de la GM en México utilizaban las mismas herramientas que en EE.UU. para fabricar cristales, pero que lo hacían sin los dispositivos de seguridad dispuestos para prevenir la amputación de extremidades por parte de las máquinas. Motivo: la producción debía acelerarse.[4]

Además, al igual que Ford, General Motors cumple un papel bastante indecoroso en relación con la reparación a los trabajadores forzados (empleados en su filial alemana durante el Tercer Reich). Al término de la Segunda Guerra Mundial, ambas empresas argumentaron que en aquel entonces habían perdido totalmente el control sobre sus filiales alemanas, y que, por lo tanto, no eran responsables de la participación de Ford y Opel en la economía de guerra ni del empleo de trabajadores forzados. Con esta versión de los hechos, General Motors consiguió imponerse a los historiadores críticos en los tribunales norteamericanos.[5]

Qué podemos hacer	Hágale saber a la firma que usted apuesta a la realización de cambios con sentido ecológico y condene las condiciones laborales de GM en México: http://www.gm.com/contact us/contact us form.html?corpserv=GM+Public+Policy
Información adicional	http://www.essential.org/monitor *Multinational Monitor*, publicación web mensual sobre las multinacionales. Libros sobre el pasado de Opel durante el Tercer Reich: Günter Neliba: *Die Opel-Werke im Konzern von General Motors (1929-1948) in Rüsselsheim und Brandenburg.* Brandes & Apsel Verlag, Frankfurt 2000. Bernd Heyl/Andrea Neugebauer (editores): *... ohne Rücksicht auf die Verhältnisse.* Brandes & Apsel Verlag, Frankfurt 1997.

GLAXOSMITHKLINE

"Comprometidos con la salud
y el bienestar de la gente
en los países en desarrollo"

Productos, marcas

Medicamentos: Cholecysmon, Flutide, Imigran, Retrovir, Serevent, Sultanol, Twinrix, Viani, Zantic, Zovirax, Zyban, Zyloric
Productos para el cuidado dental: pasta dentífrica y enjuague bucal Odol, cepillos de dientes Dr. Best
Complejos vitamínicos y productos minerales de Abtei

Página web

http://corp.gsk.com

Datos de la firma

Ventas (2000): 28.310 millones de euros
Utilidad antes de impuestos (2000): 8.340 millones de euros[1]
Empleados: 100.000
Sede: Uxbridge/Middlesex (Gran Bretaña)

Imputaciones

Financiamiento de ensayos clínicos no éticos, trabas a la fabricación y comercialización de medicamentos vitales en un país en desarrollo, comercialización de un medicamento de dudosa eficacia
Tras un proceso de unos 150 años y la fusión de varias firmas, GlaxoSmithKline se consolidó como una de las mayores empresas farmacéuticas en el mundo entero. La última gran fusión tuvo lugar en el año 2000 entre GlaxoWellcome y SmithKline Beecham. Algunas marcas famosas de la compañía son Zovirax (un medicamento contra los herpes), Retrovir (contra el SIDA) y Zyban (para dejar de fumar). En Alemania, desde hace 100 años, Odol es una marca tradicional de artículos destinados a la salud dental.
A comienzos de 2001, tres firmas pertenecientes al imperio GlaxoSmithKline (Glaxo Wellcome South Africa, SmithKline Beecham Pharmaceuticals Proprietary Limited y SmithKline Beecham) y otras empresas de la industria farmacéutica demandaron al Gobierno sudafricano por violar el derecho de patentes (ver Aventis). Glaxo Wellcome Ltd. (uno de los actuales miembros del imperio empresarial GlaxoSmithKline) financió dos ensayos en el Hospital Nyirő Gyula de Budapest con una sustancia denominada lamotrigina. A raíz de dichos tests, muchos pacientes maníaco-depresivos no recibieron ningún medicamento eficaz durante una fase aguda de su enfermedad (ver "Medicamentos"). Según la Declaración de Helsinki, suscripta por la Asociación Médica Mundial, está prohibido y es éticamente condenable tratar enfermedades graves sólo con un placebo cuando ya existen medicamentos probados.[2]

En el año 2000, GlaxoWellcome lanzó al mercado la píldora para la abstención tabáquica marca Zyban. La sustancia allí contenida (bupropión) había sido retirada del mercado norteamericano en 1985 debido a que con frecuencia causaba convulsiones epilépticas. En 1989, este principio activo reapareció en EE.UU. como antidepresivo, y en 1997 comenzó a comercializarse como medicamento para dejar de fumar.[3]

El efecto del Zyban contra la adicción es muy cuestionado. Una investigación demostró que, tras un año de tratamiento, aproximadamente uno de cada cinco fumadores había abandonado su hábito. Por su parte, otro estudio arribó a la conclusión de que, tras un año de tratamiento, no había diferencia alguna entre el Zyban y un placebo.

La revista berlinesa especializada *arznei-telegramm* informa que desde el lanzamiento al mercado ya se han registrado 35 muertes relacionadas con la ingesta de Zyban.[4] La empresa se negó a brindar información al respecto, señalando que los datos, "por norma, sólo están a disposición de las autoridades". Según *arznei-telegramm*, la firma viola el derecho a la información y minimiza de manera intencional la potencial amenaza del Zyban. Habida cuenta de los graves efectos colaterales, *arznei-telegramm* aconseja no utilizar este remedio.

Qué podemos hacer

Eleve su protesta a GlaxoSmithKline: Jean Pierre Garnier, CEO, GlaxoSmithKline, Stockley Park West, Uxbridge, Middlesex, UB11 1 BT, Inglaterra. Envíe cajas vacías de medicamentos GlaxoSmithKline con la exhortación: No unethical clinical trials! O bien: Zyban is dangerous!

Información adicional

http://www.epo.de/bukopharma
La campaña BUKO Pharma monitorea desde hace 15 años las actividades desarrolladas por la industria farmacéutica en el Tercer Mundo. Esta agrupación descubrió numerosas irregularidades y logró generar cambios.
http://www.arznei-telegramm.de
arznei-telegramm, una revista especializada alemana de línea muy crítica, informa permanentemente acerca de prácticas espurias en la industria farmacéutica.

HENNES & MAURITZ AB

H&M   "Fashion and quality at the best price"

Productos, marcas	Indumentaria, cosméticos y accesorios; marcas propias: L.O.G.G., Conwell, Rocky, Uptown, etc.
Página web	www.hm.com
Datos de la firma	Ventas (2000): 4.100 millones de euros[1] Utilidad antes de impuestos (2000): 438 millones de euros[2] Empleados: 30.000 Sede: Estocolmo
Imputaciones	**Explotación e irregularidades en empresas proveedoras** Esta empresa sueca vende 400 millones de prendas de vestir al año y cuenta con unas 700 tiendas, que se han consolidado en 14 países como punto de encuentro para los jóvenes consumidores. El vertiginoso ascenso de H&M radica ante todo en el hecho de que sus colecciones —adaptadas rápidamente a los cambios y tendencias— son muy económicas. Esta política de bajos precios permitió que amplias franjas accedieran por primera vez a aquello que exhibe la moda; pero, en última instancia, hizo sufrir sus consecuencias a los trabajadores textiles en los países de bajos salarios. H&M no opera por sí misma ninguna fábrica textil. Sin embargo, tiene unos 900 proveedores contratados en distintos lugares del mundo. Éstos reciben correspondencia de H&M a modo de un código de conducta, que, entre otras cosas, manifiesta su condena frente al empleo de niños menores de 14 años. Pero las entidades de derechos humanos critican, por ejemplo, que sólo se hable de salarios mínimos, y no de salarios que cubran las necesidades vitales. Lo que falta básicamente es un procedimiento de control institucionalizado que asegure el cumplimiento de las normas en las fábricas. Porque, tal como constata Claus Bauer, del Sindicato Textil Austríaco, el autocontrol por parte de H&M "no es más que un elegante truco publicitario".[3] Los informes provenientes de las plantas proveedoras en la India, Mauricio y Madagascar hablan, por ejemplo, de horas extras impuestas a la fuerza y de semanas laborales de siete días con salarios extremadamente bajos.[4] Un informe de la Campaña Ropa Limpia se refiere a los sueldos en las plantas proveedoras de Rumania. Al momento de la investigación, en marzo de 1998, los

238

trabajadores recibían el equivalente a unos 69-138 euros por mes. Una costurera denuncia incluso que en una ocasión percibió tan sólo 25 euros. Según esta mujer, la gerencia de la empresa atribuyó el hecho al retraso en los pedidos. Y luego suspendió por completo el pago de salarios. De acuerdo con lo expresado en el informe, representantes de H&M realizaron una visita a la fábrica, criticaron las malas condiciones ambientales y sugirieron instalar un equipo de aire acondicionado, además de vestuarios y duchas. El gerente de la planta dijo que con gusto lo haría, pero que en los próximos dos o tres años no habría dinero suficiente para eso.[5]

En la India llegó a producirse una disputa pública entre H&M y un representante regional de los exportadores. La empresa había lanzado la amenaza de romper relaciones con unas 15 fábricas proveedoras de la región, debido no sólo a los casos detectados de trabajo infantil, sino también al bajo nivel que se registraba en los estándares de seguridad y en los salarios. "Sin dinero, no hay moral", comunicó a la empresa el delegado local de los exportadores. A través de un periódico indio, le hizo saber que, al fin y al cabo, es "vuestra compañía la que busca mantener los precios en el nivel más bajo posible".[6]

Al momento de realizarse nuestras investigaciones, H&M encaró un proyecto muy prometedor junto a la Campaña Ropa Limpia de Suecia. Apunta a establecer sistemas de control y normas de conducta creíbles. Habrá que ver cuáles serán los resultados.

Qué podemos hacer

H&M parece muy decidida a combatir, por ejemplo, el trabajo infantil. Pero quiere gastar lo menos posible. La presión de los consumidores ayudará a persuadir a los directivos, instándolos a realizar procedimientos de control institucionales a través de organizaciones independientes y sindicatos:

EE.UU.: H&M Hennes & Mauritz LP, Karen Belva, 1328 Broadway, 3rd floor, US-New York, N.Y. 10001, tel.: (1-212) 4898777, coc@hm.com

España: H&M Moda S.L., Helena Gomez Suner, Pl. Cataluña 9, 2° 2ª, ES-08002 Barcelona, tel.: (34-93) 2608660, info.es@hm.com

Información adicional

http://www.cleanclothes.org/companies/henm.htm
Información sobre el proyecto piloto sueco, Renée Andersson c/o Fair Trade Center, Malmgårdsvägen 14, S-11638, Estocolmo, Suecia, renee@renaklader.org, http://www.renaklader.org

239

BAYERISCHE HYPO- UND VEREINSBANK AG

HypoVereinsbank

"Usted viva. Nosotros nos ocupamos de los detalles."

Productos, marcas	Servicios financieros del Hypo Vereinsbank, del Bank Austria y del Creditanstalt (CA)
Página web	http://www.hypovereinsbank.de
Datos de la firma	Balance (2000): 716.500 millones de euros Superávit anual (2000): 1.180 millones de euros[1] Sede: Munich
Imputaciones	**Financiamiento de proyectos con graves consecuencias para las personas, para el medio ambiente y para los países deudores** Dentro del rubro correspondiente a los bancos comerciales privados, el Hypo Vereinsbank ocupa el segundo lugar en Alemania y el tercero en Europa. En diciembre de 2000, la empresa se fusionó con el líder indiscutido entre los bancos austríacos: el Bank Austria Holding AG, al cual pertenece el también austríaco Creditanstalt (CA). En todo el grupo trabajan ahora más de 72.000 empleados, que operan en alrededor de 2.400 filiales y atienden a unos 8 millones de clientes. Para el Hypo Vereinsbank, un punto clave es el sector "International Markets". Su página web destaca que "la tarea central de este sector consiste en administrar los riesgos". Con demasiada frecuencia son los habitantes de los países en desarrollo los que se hacen cargo de estos riesgos. Respaldado por el seguro Hermes del gobierno federal alemán, el Hypo Vereinsbank otorgó créditos en Asia y América latina y, al financiar proyectos riesgosos o éticamente sospechosos, no hizo más que aumentar la gigantesca deuda de los países receptores. De este modo, mientras las eventuales pérdidas recaen sobre los contribuyentes alemanes, el banco sigue lucrando con los endeudamientos nacionales, que generan presión por parte de los organismos financieros internacionales y obligan a realizar severos recortes en los presupuestos sociales y de educación. Sin embargo, la empresa se opone a que los bancos privados participen en una condonación de la deuda a los países más pobres; considera la propuesta como una "grave discriminación" (ver "Economía exportadora y financiera"). En Indonesia, el Hypo Vereinsbank otorgó en 1997 (durante la dictadura de Suharto) un crédito de alrededor de 15 millones de euros para financiar un proyecto es-

tatal destinado a la explotación del oro. En tal ocasión, se realizaron voladuras sin las medidas de seguridad necesarias, como consecuencia de las cuales, sólo en 1998, perdieron la vida por lo menos 20 mineros. Ese mismo año, un excavador fue asesinado por las fuerzas de seguridad. En julio de 2000, cientos de trabajadores de las minas de oro realizaron una protesta contra el trato violento del que eran objeto. Algunos de ellos denunciaron haber sido golpeados y maltratados.[2]

En el río Narmada (India) se proyecta la construcción de una gigantesca central hidroeléctrica, con una potencia de 400 megavatios. La empresa alemana Siemens es la encargada de suministrar las turbinas. Para ello, se acordó en un principio un crédito de alrededor de 190 millones de euros con el Hypo Vereinsbank. Un total de 162 aldeas quedarán lisa y llanamente sumergidas debajo del futuro embalse. Unas 50.000 personas perderán su sustento vital al ser desplazadas de manera forzada. Ante la oposición pacífica de la población, la policía respondió con una represión brutal. Un hombre de edad avanzada murió tras ser atacado por la policía montada. Miles fueron enviados a prisión. Muchos fueron maltratados, incluso mujeres y niños (ver "Economía exportadora y financiera").

A raíz de esto, en el año 2000 el gobierno alemán dio marcha atrás en su decisión de otorgar un seguro Hermes. Acto seguido, el financiamiento de Siemens fue asumido por un consorcio bancario indio, y el Hypo Vereinsbank se retiró del negocio.[3] Cabe aclarar que el banco continúa comprometido con la empresa tecnológica ABB Portugal, a la cual le concedió un crédito para el controvertido proyecto. No obstante, dado que sin Siemens el negocio ya no valdría la pena, el banco estaría promoviendo la rescisión del contrato.[4]

Qué podemos hacer	Protestas a: Hypo Vereinsbank, Am Tucherpark 16, D-80538 München, Alemania, teléfono (49-089) 37825801, presse@hypovereinsbank.de Invierta su dinero con criterios ético-ecológicos. Información: http://www.oeko-invest.de *Jahrbuch für ethisch-ökologische Geldanlagen*: Max Deml/Jörg Weber: "Grünes Geld", Altop Verlag, Munich.
Información adicional	Karin Astrid Siegmann: *Deutsche Großbanken entwicklungspolitisch in der Kreide?* Südwind e.V., Siegburg 2000, encárguelo en http://www.suedwind-institut.de, o bien al teléfono (49-2241) 53617. http://www.narmada.org Homepage de los Amigos del Narmada.

241

KARSTADTQUELLE AG

KARSTADT QUELLE^AG

"Trabajando para la gente y para el medio ambiente"

Productos, marcas	Grandes tiendas: Karstadt, Hertie, KaDeWe, Wertheim Venta por correspondencia: Neckermann Versand Quelle Versand, Foto Quelle, Reise Quelle C&N Touristic
Página web	http://www.karstadtquelle.com
Datos de la firma	Ventas (2000): 14.600 millones de euros Superávit anual (2000): 222 millones de euros[1] Empleados: 113.490 Sede: Essen (Alemania)
Imputaciones	**Explotación e irregularidades en empresas proveedoras**

Explotación e irregularidades en empresas proveedoras

KarstadtQuelle AG es la empresa europea número uno en grandes tiendas y venta por correspondencia. En el caso de Karstadt, la parte textil es la que aporta el mayor caudal de ventas. Al igual que todas las grandes empresas textiles, KarstadtQuelle tiene su código de conducta. Sin embargo, éste deja entrever algunas falencias conocidas, tales como la falta de controles independientes y de salarios que aseguren la subsistencia. En la India, la multinacional vigila las plantas de producción por medio de ex militares. Esto le valió al director de compras de Karstadt el siguiente comentario, pronunciado ante los representantes de la Campaña Ropa Limpia: "Al menos los muchachos pueden salir bien derechos." Existen informes que denuncian violaciones a los derechos humanos cometidas por proveedores de diferentes países.[2]

Los trabajadores de las plantas proveedoras situadas en Asia y Europa Oriental deben realizar horas extras no remuneradas, en tanto que se suceden los apremios físicos y los despidos arbitrarios.[3]

Quelle obtiene los productos textiles del exterior a través de 27 oficinas de compras, que se encuentran ubicadas en 24 países y coordinan la adquisición de mercaderías procedentes de unos 60 países. Aproximadamente un tercio de las compras se efectúa en el sudeste asiático, el 50% de los productos proviene de EE.UU., y el resto corresponde a otros países europeos, a América y África.

En la planta proveedora Goldindo Menawan de Indonesia, los trabajadores fueron obligados a efectuar horas extras bajo amenaza de recibir sanciones. Incluso algunos fueron encerrados por convocar a una pro-

242

testa. Entre las medidas adoptadas como castigo también hubo rebajas salariales. El jornal, de 87 centavos de euro, supera levemente lo establecido según el salario mínimo, aunque de ningún modo alcanza a cubrir las necesidades vitales. El ritmo de trabajo comprende hasta 82 horas semanales.[4]

Un estudio de 1999 informó que entre cinco y diez adolescentes de 14 y 15 años cumplían el mismo horario que los adultos (a pesar de que la ley dispone que pueden trabajar sólo cuatro horas diarias). Además se verificó una contravención a la prohibición de trabajo nocturno juvenil. De acuerdo con datos propios, Quelle rompió relaciones comerciales con Goldindo Menawan; se trata de una medida poco oportuna, que no hace más que poner en riesgo los puestos laborales sin siquiera intentar una mejora en la situación.

Qué podemos hacer

Protestas a: KarstadtQuelle AG, Theodor-Althoff-Straße 7, D-45133 Essen, Alemania, konzernkommunikation@ karstadtquelle.com

En http://www.sauberekleidung.de, usted puede solicitar en forma gratuita la *Kundenkarte Fairkauf bei KarstadtQuelle* (Tarjeta del Cliente para una Compra Justa en KarstadtQuelle). Preséntela luego en alguna de las tiendas y exija condiciones de producción justas. Alternativas: Realizar las compras a través del Comercio Justo, en EZA/Dritte Welt (Tercer Mundo) o en negocios de segunda mano.

Información adicional

En el marco de la Campaña Ropa Limpia, usted puede recibir en forma gratuita la publicación *Todschicke Kleidung — zu welchem Preis?* (Ropa de última moda: ¿a qué precio?), con propuestas de acción e información de fondo acerca de KarstadtQuelle. Suscríbase a través de la página web o telefónicamente, llamando al (49-211) 4301317.

Ingeborg Wick y otros: *Das Kreuz mit dem Faden. Indonesierinnen nähen für deutsche Modemultis.* Südwind-Institut, Siegburg 2000.

KNOLL GmbH (ABBOTT LABORATORIES)

"Líder en responsabilidad social"

Productos, marcas

Medicamentos de Knoll: Isoptin, Kalinor, Paracodin, Reductil
Medicamentos de Abbott: Flotrin, Klacid
Alimento bebible de Abbott: Ensure Plus Drink

Página web

http://abbott.com

Datos de la firma

Ventas de Abbott Laboratories (2000): 14.150 millones de euros
Utilidad antes de impuestos (2000): 2.870 millones de euros[1]
Empleados: 60.000
Sede: Chicago

Imputaciones

Trabas a la fabricación y comercialización de medicamentos vitales en un país en desarrollo, prácticas prohibidas en la comercialización de un medicamento

En diciembre de 2000, Abbott selló la compra de Knoll (laboratorio alemán que hasta entonces era una filial de la mayor empresa química del mundo: BASF). Knoll fue fundada en 1886 en la localidad alemana de Ludwigshafen, a orillas del Rin, y ganó notoriedad sobre todo a través de la comercialización de su adelgazante Reductil. La empresa no publica informes comerciales propios. Abbott fue fundada en 1888 por Wallace C. Abbott, un médico oriundo de Chicago, y opera fundamentalmente en el sector de la salud. Su gama de productos abarca medicamentos, alimentos, técnica medicinal y de diagnóstico.

En Europa, la ley prohíbe que los laboratorios publiciten medicamentos de venta bajo receta. En 1999, sin embargo, la firma Knoll —por entonces aún filial de la empresa química alemana BASF— lanzó al mercado el nuevo adelgazante Reductil e hizo caso omiso de esta prohibición demostrando una total falta de escrúpulos. Los consumidores recibieron cartas enviadas por la compañía, las cuales, de manera engañosa, afirmaban que se trataba de un "medicamento científicamente probado para la pérdida de peso definitiva".[2]

Hay declaraciones de la propia compañía que demuestran exactamente lo contrario: al final del tratamiento, el peso corporal vuelve a aumentar con gran rapidez ("efecto yo-yo"). En virtud de los posibles efectos colaterales, muchos especialistas desaconsejan su uso. A todo esto, los destinatarios de las cartas se preguntaban cómo sabía la firma que ellos estaban

excedidos de peso. ¿Por el médico que los atendía? ¿Por la empresa que les vendía ropa por correo?[3]
A comienzos de 2001, Knoll (filial de Abbott Laboratories) y otras empresas de la industria farmacéutica demandaron al Gobierno sudafricano por violar el derecho de patentes (ver Aventis).

Qué podemos hacer

Eleve su protesta a:
Abbott Laboratories Argentina S.A., Casilla de Correo No 5196, Correo Central, 1000 Buenos Aires, Argentina, tel.: (54-11) 43821173
Abbott Laboratories, 100 Abbott Park Rd., Abbott Park, Illinois 60064-3500, EE.UU., tel.: (1-847) 9376100
Envíe cajas vacías de medicamentos Knoll con la exhortación: ¡Basta de vender medicamentos de dudosa eficacia! O bien: ¡Medicamentos baratos para los países pobres!

Información adicional

http://www.epo.de/bukopharma
La campaña BUKO Pharma monitorea desde hace 15 años las actividades desarrolladas por la industria farmacéutica en el Tercer Mundo. Esta agrupación descubrió numerosas irregularidades y logró generar cambios.
http://www.arznei-telegramm.de
arznei-telegramm, una revista especializada alemana de línea muy crítica, informa permanentemente acerca de prácticas espurias en la industria farmacéutica.

KRAFT FOODS INTERNATIONAL INC. (PHILIP MORRIS)

"Queremos crear marcas
que brinden alegría a diario"

Productos, marcas

Alimentos, café y golosinas de las marcas Aladdin, Altoids, Bensdorp, Carte Noire, Côte d'Or, Daim, Finessa, Jacobs, Kaffee Hag, Kaba, Kraft, Lila Pause, Marabou, Milka, Mirabell Mozartkugeln, Miracoli, Nussini, Onko, Oreo, Philadelphia, Ritz, Suchard y Toblerone, entre otras
Philip Morris: cigarrillos de las marcas Chesterfield, L&M, Marlboro, Muratti y Philip Morris, entre otras

Página web

http://www.kraftinternational.com - http://www.philip morris.com

Datos de la firma

Ventas (2000): 68.800 millones de euros
Utilidad antes de impuestos (2000): 15.300 millones de euros[1]
Sede: Nueva York

Imputaciones

Explotación de trabajadores agrícolas a través de los proveedores de materias primas
La empresa alimenticia llamada anteriormente Kraft Jacobs Suchard responde desde junio de 2000 al nombre Kraft Foods International. La compañía fue absorbida en 1988 por la multinacional tabacalera de origen norteamericano Philip Morris Companies Inc., que en 1990 también compró a la alemana Jacobs Suchard, líder en el mercado del café. La última operación tuvo lugar en diciembre de 2000, cuando Philip Morris adquirió la Nabisco Holdings Corporation (empresa dedicada a galletitas y golosinas, con productos como Altoids, Oreo y Ritz).
Para producir el chocolate, Kraft Foods adquiere las materias primas en Costa de Marfil, país situado en la región occidental de África. En su página web para Alemania (http://www.kraft-foods.de), la empresa presenta esto a manera de publicidad: "Es aquí donde Kraft Foods Alemania compra el cacao para el famoso chocolate Milka. En Costa de Marfil viven aproximadamente 14 millones de personas. 4-5 millones son inmigrantes, que se han establecido en el norte y el noroeste del país. La mayoría de ellos trabaja en las plantaciones de cacao y durante las últimas décadas ha realizado un aporte esencial para contribuir al despegue de este sector agrícola."
Lo que la empresa no dice es que una parte de estos "inmigrantes" está allí contra su voluntad. Según estimaciones de la organización de derechos humanos

Terre des Hommes, unos 20.000 niños de entre 7 y 14 años fueron secuestrados en Malí y llevados desde su patria hacia Costa de Marfil, para que se deslomaran en las plantaciones sin recibir pago alguno.[2] Los niños son golpeados, maltratados y explotados. "Lo que ocurre allí se llama lisa y llanamente esclavitud", dice Pierre Poupard, quien se desempeña en Malí como director local de UNICEF, el Fondo de las Naciones Unidas para la Infancia. "El que intenta huir de ese horror corre el riesgo de ser apaleado y hasta asesinado por su dueño."[3]

Por supuesto, esto no significa automáticamente que Kraft cosecha sus granos de cacao a través de niños esclavos. Pero es en parte por la segunda empresa alimenticia del mundo que los precios del cacao han caído tanto, condenando a la muerte a un gran número de pequeños campesinos. No es sino la elevada presión de los costos la que sienta las bases para la explotación y el tráfico de esclavos. Una tonelada de cacao proveniente del Comercio Justo cuesta al menos 1.900 euros; el mercado mundial, en cambio, permitía pagar en junio de 2000 unos 770 euros por idéntica cantidad.[4]

La mayor parte del dinero que gastan los europeos en chocolate va a parar a las multinacionales. La empresa Philip Morris/Kraft Jacobs Suchard tiene por sí sola un poder económico que triplica el de Costa de Marfil con sus 16 millones de habitantes.[5] También en el caso del café, las organizaciones pertenecientes al Comercio Justo garantizan precios equitativos y condiciones laborales dignas. Asimismo, fomentan los criterios ecológicos de cultivo y gratifican a quienes los utilizan.

Qué podemos hacer

Compre café, chocolate y otros productos derivados del cacao únicamente cuando provengan del Comercio Justo. Remítase para ello al capítulo "Alimentos", nota 67 (Alemania); para Austria, http://www.transfair.or.at/produkte.htm, tel. (43-1) 5330956; para Suiza, http://www.maxhavelaar.ch, tel. (41-61) 2717500.

Información adicional

"Hintergrundinformationen Schokoladenindustrie", folleto del sindicato Agrar/Nahrung/Genuß (Viena, 2000). Solicítelo al teléfono (43-1) 40149 o por correo electrónico a la siguiente dirección: ang@ang.oegb.or.at

Hot Chocolate, CD-Rom acerca del Comercio Justo con cacao. Solicítelo en TransFair al teléfono (43-1) 5330956 o a través de http://www.transfair.or.at/Material.htm

LEVI STRAUSS & CO.

Productos, marcas

Jeans, ropa y accesorios de las marcas Levi's, Dockers y Slates

Página web

http://www.levistrauss.com

Datos de la firma

Ventas (2000): 5.000 millones de euros
Utilidad antes de impuestos (2000): 380 millones de euros[1]
Empleados: 17.000
Sede: San Francisco

Imputaciones

Explotación, acoso sexual y otras irregularidades en empresas proveedoras
Levi's ocupa en Alemania el 14° puesto entre todas las marcas.[2] En el mercado de los jeans, Levi Strauss es el número uno indiscutido. Sin embargo, la empresa tiene solamente 21 fábricas propias. La mayor parte de estos pantalones de culto se cose en más de 60 países, en las más de 600 plantas proveedoras.
Levi Strauss fue una de las primeras empresas que, con sus "Global Sourcing & Operating Guidelines", establecieron pautas a sus proveedores para delinear las condiciones laborales. No obstante, continúan registrándose terribles irregularidades.
Por ejemplo, una costurera indonesia de nombre Emilia cuenta que en las plantas proveedoras Yulinda Duta Fashion y Sandrafine, el jornal se encuentra por debajo del salario mínimo establecido por ley. También señala que los cronogramas de trabajo incluyen hasta 75 horas semanales. Pero que ninguna de las jóvenes mujeres se atreve a protestar porque podrían despedirlas.[3]
En septiembre de 1999, el periódico inglés *Sunday Times* informó que en una fábrica proveedora de Levi's en Bulgaria las mujeres eran sometidas a humillaciones y presiones constantes. La costurera Ruzkhova, de 38 años, contó que cuando finalizaban su turno de trabajo, las empleadas (alrededor de 150) eran obligadas a desnudarse frente a la dirección de la empresa. Al parecer, lo hacían para evitar robos. Ruzkhova se rehusó a desnudarse y fue despedida de inmediato. Además se violaron otros derechos laborales, por ejemplo mediante la imposición de horas extras forzadas. Cuando estos hechos salieron a la luz, la empresa intervino ante su proveedor búlgaro. Pero hasta el día de

hoy no existe un procedimiento de control transparente, institucionalizado e independiente.

La gran demanda de jeans también es causa de un enorme daño ambiental. Con sus 34 millones de hectáreas, la industria algodonera hace usufructo del 5% de las superficies agrícolas a nivel mundial, sobre todo en países que necesitarían imperiosamente de esas tierras para abastecer de alimentos a la población. El 25% de la producción mundial de pesticidas se destina a las plantaciones de algodón y genera allí, cada año, un millón de casos de intoxicación entre los trabajadores de la cosecha. De más está decir que las reservas de agua potable también fueron afectadas.[4]

Qué podemos hacer

Los pantalones de cáñamo, que también se hallan disponibles en los negocios del llamado Comercio Justo, constituyen una buena alternativa frente a los jeans de algodón.

La Campaña Ropa Limpia ofrece tarjetas postales de protesta, que pueden entregarse en los comercios y sirven para exigir a las empresas controles transparentes.

Información adicional

El folleto "Jeans - Let's wear fair!" puede solicitarse a la delegación austríaca de la Campaña Ropa Limpia (texto en alemán):
c/o Frauensolidarität, Berggasse 7, A-1090, Viena, Austria, teléfono (43-1) 3174020, fax (43-1) 3174020-355, fsoli@magnet.at

249

MAISTO (MAY CHEONG TOY PRODUCTS FACTORY LTD.)

"Somos sinónimo de calidad superior"

Productos, marcas	Autos de colección de las marcas Die Cast y Tonka
Página web	http://www.maisto.com
Datos de la firma	Cifra de ventas y otros datos financieros: desconocidos Empleados: por lo menos 10.000[1] Sede: Fontana (California, EE.UU.)
Imputaciones	**Explotación y condiciones de trabajo desastrosas**

Maisto es el nombre de una compañía y de una marca cuyas acciones pertenecen en su totalidad a una empresa de Hong Kong: la May Cheong Toy Products Factory Ltd. Maisto es conocida por sus autos de colección, que reproducen modelos de marcas famosas a escala y los comercializan como juguetes. La empresa tiene sucursales en todo el mundo, ofrece sus productos en Internet y provee a compañías norteamericanas líderes en el rubro. No obstante, a la hora de brindar datos financieros o de señalar simplemente el número de empleados, surge la reticencia.

La firma tailandesa Master Toy Company, que provee de productos a Maisto, les comunicó a los trabajadores en febrero de 2000 que la fábrica se cerraría y la producción se retomaría en una nueva planta.[2] La dirección de la empresa prometió volver a contratar a los más de 400 empleados, aunque por un salario inferior. En la actualidad, el pago ronda los 3,60 euros diarios, cifra que ni siquiera alcanza el nivel mínimo establecido por ley. Además, el personal se ve sometido a un perverso sistema de multas, por ejemplo por usar "zapatos que no se ajustan al uniforme de trabajo". Y los miembros de los sindicatos sufren despidos.

El 28 de marzo de 2000, 174 empleados —mayormente mujeres— fueron trasladados a la nueva fábrica: una planta de producción a medio hacer, donde no había máquinas ni indumentaria de protección, a pesar de que allí se utilizaban sustancias químicas agresivas. Los operarios se negaron a trabajar, dado que el edificio también carecía de salidas de emergencia y sus baños se encontraban en un estado absolutamente penoso.

La firma intervino de inmediato en forma severa, despidiendo a todos los empleados sin pagarles los salarios adeudados.

Pero como Tailandia no es China, y en Tailandia hay un movimiento sindical independiente, se inició una campaña de solidaridad internacional. Unos meses más tarde, la dirección de la empresa cedió. Los trabajadores fueron reubicados en sus puestos y recibieron los salarios adeudados.

La agrupación sindical Thai Labour Campaign se propone controlar de aquí en adelante las condiciones de trabajo en la fábrica Maisto.

Qué podemos hacer

Diríjase a:

Maisto International Inc., 7751 Cherry Ave, Fontana, CA 92336, EE.UU., tel. (1-909) 3577988, http://www.maisto.com/contact.asp

O bien tome contacto con el representante de Maisto en su país y hágale conocer sus dudas acerca de las condiciones laborales en el sudeste asiático:

Dimare S.A., Oliden 2850 (1439), Buenos Aires, Argentina; e-mail ddimare@arnet.com.ar

Información adicional

Thai Labour Campaign, en http://www.thailabor.org/campaigns/mastertoy

MCDONALD'S CORPORATION

"Nuestro objetivo: ser el mejor empleador
en todo el mundo"

Productos, marcas

Hamburguesa, Hamburguesa con Queso, Big Mac, McNuggets, McPollo, McRoyal, etc.

Página web

http://www.mcdonalds.com

Datos de la firma

Ventas (2000): 41.360 millones de euros
Ganancias (2000): 3.430 millones de euros[1]
Empleados: 1,5 millones
Sede: Oakbrook (Illinois, EE.UU.)

Imputaciones

Trabajo infantil, explotación y condiciones de trabajo desastrosas en empresas proveedoras, excesivo consumo de carne con consecuencias ecológicas y sociales negativas

Cada cuatro horas se abre un nuevo local de McDonald's en algún lugar del planeta. Las 30.000 sucursales del imperio de la hamburguesa ya están distribuidas a lo largo de 118 países. Día a día se atiende allí a más de 45 millones de clientes. El 36% de los ingresos de la corporación proviene de Europa.

La mayor cadena de restaurantes del orbe es, al mismo tiempo, el mayor comprador mundial de carne vacuna. En Sudamérica, enormes superficies de selvas tropicales sucumbieron ante la necesidad de obtener tierras de pastoreo para el ganado de esta multinacional norteamericana. La carne que hoy se sirve en las 5.200 sucursales de Europa proviene de reses europeas. Sin embargo, el forraje se importa por toneladas desde países en donde gran parte de la población sufre hambre. Allí se destinan enormes superficies agrícolas a las forrajeras en desmedro de la producción local de alimentos (ver "Alimentos").

En julio de 2000, la organización ecologista Greenpeace comprobó que McDonald's alimentaba con soja transgénica a los pollos, a los mismos que luego vendía como McNuggets y hamburguesas McPollo. Fueron necesarias las protestas de los consumidores para que la empresa declarara que, a partir de abril de 2001, dejaría de utilizar productos modificados genéticamente.[2]

McDonald's no sólo vende hamburguesas, sino también la Cajita Feliz (Happy Meals), en la cual los niños reciben, junto con el menú, personajes de Disney.

En el año 2000, una agrupación de consumidores de Hong Kong publicó un informe sobre las prácticas existentes en cinco empresas proveedoras de McDonald's que fabrican los muñecos de la Cajita Feliz. El informe habla de trabajo infantil y de documentos falsificados en los cuales los operarios figuran con una edad mayor a la real. Por ocho horas de trabajo, los empleados reciben aproxi-

madamente 1,50 euro. Pero generalmente tienen que trabajar hasta 15 horas diarias, desde las siete de la mañana
hasta las diez de la noche. Cuando hay muchos pedidos,
no tienen ni siquiera un día libre.

En un principio, McDonald's rechazó todas las acusaciones.

Pero cuando se demostró que en las fábricas trabajaban
más de 100 niños de entre 12 y 13 años, y que lo hacían
doce horas por día, y cuando el tema comenzó a cobrar
interés más allá de la prensa local, McDonald's envió un
equipo de investigación.

Posteriormente la empresa debió admitir que había habido "problemas con los salarios, la duración de la jornada
laboral y los registros". En lugar de utilizar su poder para
mejorar las condiciones de vida de los trabajadores y los
niños, McDonald's canceló todos los pedidos efectuados
a la fábrica que había contratado a los niños y los trans-
firió a otras firmas (ver "Juguetes").

En otra de las fábricas proveedoras de juguetes para la
Cajita Feliz, la KeyHinge Toys de Vietnam, se produjo en
1997 una intoxicación masiva con acetona. 220 de los
1.000 empleados resultaron afectados. 25 operarias se
desmayaron, tres fueron llevadas al hospital. La fábrica
se negó a pagar el costo del tratamiento médico, pese a
que las trabajadoras ganaban escasos 6 centavos de
euro por hora (con una jornada promedio de diez horas,
los siete días de la semana). El entonces vocero de
McDonald's, Walt Riker, declaró: "Esas denuncias son
absolutamente exageradas. No hubo ninguna intoxicación." (ver "Juguetes")

Qué podemos hacer	Eleve su protesta a: Argentina: Arcos Dorados S.A., Roque Sáenz Peña 432, CP 1636, Olivos, Buenos Aires, Argentina, tel.: (54-11) 47112000, fax: (54-11) 47112094. América Latina: McDonald's Satellite Office, 5200 Town Center Circle, #600, Boca Raton, FL 33486, EE.UU., tel.: (1-561) 7500199. http://www.mcdonalds.com/countries/usa/corporate/info/contacts/comments/other/index.html
Información adicional	http://www.mcspotlight.org La página web de la Campaña "McLibel", establecida en el marco del proceso de McDonald's contra activistas bri-tánicos, ofrece abundante información y noticias extraí-das de los medios. http://members.hknet.com Información detallada sobre las condiciones de las fá-bricas que producen los muñecos para la Cajita Feliz. http://www.mcunion.de Información sobre las condiciones laborales de los empleados en McDonald's. Siegfried Pater: *Zum Beispiel McDonald's*. Lamuv Verlag, Göttingen 2000, libro de bolsillo sobre la "McDonaldización de la sociedad" (cita).

MERCEDES-BENZ (DAIMLERCHRYSLER AG)

"Una empresa realmente global"

Mercedes-Benz

Productos, marcas

Autos y utilitarios de las marcas Chrysler, Dodge, Jeep, Mercedes-Benz, Setra y Smart, entre otras

Página web

http://www.daimlerchrysler.com - http://www.mercedes-benz.com

Datos de la firma

Ventas (2000): 160.000 millones de euros
Utilidad antes de impuestos (2000): 4.400 millones de euros[1]
Empleados: 416.501
Sede: Stuttgart (Alemania)

Imputaciones

Tráfico de armas nucleares y minas antipersonales a través de una empresa filial
La multinacional alemana Daimler-Benz se fusionó en 1998 con otra automotriz, la norteamericana Chrysler, para formar el "consorcio mundial" DaimlerChrysler. En el año 2000, este último ocupó los titulares de los periódicos debido a las pérdidas multimillonarias sufridas por Chrysler. El presidente del Consejo de Administración, Jürgen Schrempp, anunció a continuación la reducción de 26.000 puestos de trabajo en Chrysler y 9.500 en Mitsubishi, subsidiaria japonesa en la que Daimler-Chrysler tiene una participación del 37,3% (al igual que en la Hyundai, en Corea).
Las ventas, sin embargo, apuntan a batir récords: en el año 2000 se vendieron 4,2 millones de autos, entre los que se cuentan más de un millón de Mercedes y 100.000 modelos compactos de la marca Smart. A esto se le suman 549.000 vehículos utilitarios. Sólo en el mes de marzo de 2001 se entregó en el mundo un total de 108.800 autos de la marca Mercedes-Benz (71.200 en Europa Occidental).
Pero la empresa no sólo vende autos. Con su participación del 33%, Daimler constituye el principal accionista de la European Aeronautic Defence and Space Company (EADS), a la cual el Ministerio de Defensa de Francia le ha encomendado el desarrollo del denominado "Programa M-51". Según datos aportados por expertos en armamentos, esto irá a engrosar el arsenal nuclear francés, que basa su poderío en los misiles submarinos. Una nota publicitaria dice: "El M-51 es un misil de tres etapas con un peso total de más de 50 toneladas. El sistema tiene en cuenta la evolución en el campo de la disuasión y los nuevos tipos de defensa. El misil M-51 estará dotado de múltiples cabezas explosivas." Cabezas nucleares, tal como luego especifica el texto. Diez años antes, la empresa había elaborado directivas que prohibían a los trabajadores de Daimler participar en la fabricación de armas atómicas de destrucción masiva. Pero con el M-51 Alema-

nia, Estado signatario del Tratado de No Proliferación de Armas Nucleares (TNP), se verá incluida entre los fabricantes de misiles atómicos.

Los prospectos distribuidos en las ferias de armamentos también promocionan las minas terrestres Muspa y Miff, que, según sostienen los analistas desde una posición crítica, deberían ser catalogadas como minas antipersonales. En opinión de la German Initiative to ban Landmines, la mina Muspa —su sistema de sensores reacciona frente al ruido o al contacto— viola los tratados internacionales que se oponen al uso de armas tan inhumanas. Es por ello que Italia, uno de los integrantes de la OTAN, desechó esta mina y destruyó las existencias.[2]

En lo que respecta al medio ambiente, la empresa, cuyo parque automotor está compuesto en buena medida por vehículos que requieren un uso muy intensivo de combustible, se encuentra trabajando desde hace años en el desarrollo de la denominada pila de combustible. Los expertos ambientalistas consideran sus supuestas ventajas ecológicas como una mera utopía. Señalan que la generación de CO_2 tiene una gran incidencia en el efecto invernadero, y que en la pila de combustible es incluso mayor que en un motor diésel. De este modo, tal la conclusión de los expertos, DaimlerChrysler desatiende importantes normas que contribuirían a una efectiva protección del clima y a la reducción en el uso del combustible.

De acuerdo con lo expresado por el abogado alemán Holger Rothenbauer, DaimlerChrysler también fue cómplice en la desaparición de 13 sindicalistas durante la dictadura militar argentina. Todo indica que quien se desempeñó durante años como jefe de seguridad de una de las fábricas de Mercedes en Argentina era un ex jefe de policía; y éste, según afirman los testigos, tuvo una estrecha colaboración con esbirros de la Junta Militar. Tal como informó el periódico *Frankfurter Rundschau* en abril de 2001[3], esta persona le habría facilitado al régimen militar los nombres de los sindicalistas que trabajaban en la planta, los cuales luego fueron torturados y asesinados en los años 1976 y 1977.

Qué podemos hacer	La mejor opción es recurrir a medios de transporte alternativos o fomentar un uso compartido de los automóviles. La segunda mejor opción es recurrir a otra marca.
Información adicional	http://www.kritischeaktionaere.de/Konzernkritik/ DaimlerChrysler/daimlerchrysler.html Los Accionistas Críticos desenmascaran prácticas comerciales no éticas llevadas a cabo por la empresa. Amplio archivo informativo. Contacto: teléfono (49-711) 608396, Alemania. http://www.landmine.de Iniciativa alemana para la proscripción de las minas terrestres. http://www.icbl.org Campaña internacional contra las minas terrestres.

255

MITSUBISHI CORPORATION

"Responsabilidad por la sociedad"

Productos, marcas

Hay varias decenas de empresas (independientes entre sí) que utilizan el logo de Mitsubishi. Entre las marcas conocidas están los autos Mitsubishi y las cámaras y accesorios de fotografía Nikon

Página web

http://www.mitsubishi.co.jp

Datos de la firma

Ventas (2000): 125.980 millones de euros
Utilidad antes de impuestos (2000): 2.500 millones de euros[1]
Sede: Tokio

Imputaciones

Destrucción de selvas tropicales
Mitsubishi fue fundada en 1870 como una empresa de transportes y se desarrolló hasta convertirse a mediados del siglo XX en una gigantesca corporación. En 1947 Mitsubishi se fraccionó en muchas firmas separadas, las cuales tienen desde el punto de vista financiero una mayor o menor independencia entre sí. No hay un holding que agrupe a todas las firmas Mitsubishi, ni tampoco una coordinación central de las actividades, pero sí hay participaciones financieras entre las distintas empresas. Una de estas firmas es, por ejemplo, la Mitsubishi Corporation, que posee el 7,99% del paquete accionario de la Mitsubishi Motors Corporation (autos Mitsubishi). La empresa alemana Mercedes-Benz participa asimismo en la Mitsubishi Motors Corporation con un 37,3%.
La Mitsubishi Corporation es un gigantesco conglomerado de empresas de carácter internacional. Opera sobre todo en las áreas de inversiones de capital, electrónica, telecomunicaciones, maquinarias, productos químicos, metales y en el negocio del petróleo.[2]
Mitsubishi Heavy Industries aparece en el *World Nuclear Industry Handbook* de 1997 como un importante proveedor de la industria nuclear.[3]
La marca Nikon (cámaras fotográficas y accesorios) pertenece a otra empresa Mitsubishi.
Los activistas del grupo ecologista norteamericano Rainforest Action Network iniciaron en 1989 un boicot a los productos Mitsubishi.[4] Le adjudican a la Mitsubishi Corporation una gran dosis de responsabilidad por la destrucción de selvas tropicales en el sudeste asiático, Sudamérica y Norteamérica.
No obstante, dado que la Mitsubishi Corporation propiamente dicha no fabrica ni comercializa artículos de

consumo, los ecologistas pusieron la mira sobre otras empresas Mitsubishi, como Mitsubishi Motor Sales of America y Mitsubishi Electric America. El objetivo era ejercer una presión indirecta sobre el responsable. De ese modo, las dos firmas mencionadas debieron pagar sus culpas por utilizar el mismo logo que la Mitsubishi Corporation.

En 1998 finalizó el boicot. Mitsubishi Motor Sales of America y Mitsubishi Electric America se declararon dispuestas a realizar su producción con un mayor énfasis en el cuidado del medio ambiente. La Mitsubishi Corporation, responsable de los hechos, se negó sin embargo a entablar cualquier tipo de debate con los defensores de la selva tropical.[5]

Entretanto, existen indicios de que la empresa ha adoptado métodos no contaminantes para la obtención de madera.[6]

Qué podemos hacer	Eleve su protesta mediante una carta dirigida a Human Link Corporation (filial de Mitsubishi): 107-0062, 1-26-1 Minami-Aoyama, Minato-ward, Tokyo, Japón; e-mail info@humanlink.co.jp
Información adicional	http://www.ethicalconsumer.org La publicación inglesa *Ethical Consumer* brinda en forma bimestral un panorama crítico sobre las empresas y dispone (aunque no es gratuito) de un banco de datos *on-line*.

NESTLÉ S.A.

"Good Food - Good Life"

Productos, marcas

Alimentos y golosinas de las marcas After Eight, Alete, Aquarel, Bärenmarke, Beba, Bübchen, Buitoni, Caro, Choco Crossies, Herta, KitKat, LC1, Lion, Maggi, Milkybar, Motta, Nescau, Nescafé, Nespresso, Nesquik, Perrier, San Pellegrino, Smarties, Thomy, Vittel, Yoco y Yes, entre otras
Alimentos para mascotas Friskies
Participación accionaria en la marca de cosméticos L'Oréal

Página web

http://www.nestle.com

Datos de la firma

Ventas (2000): 53.000 millones de euros
Utilidad antes de impuestos (2000): 5.400 millones de euros[1]
Empleados: 230.000
Sede: Vevey (Suiza)

Imputaciones

Comercialización de alimento para bebés mediante métodos condenados internacionalmente, explotación de trabajadores agrícolas a través de los proveedores de materias primas
Nestlé es el mayor consorcio industrial de Suiza y, con sus más de 500 fábricas, la mayor empresa alimenticia del mundo. Muchas de sus materias primas son adquiridas en otros países, donde la producción de alimentos se caracteriza por estándares paupérrimos en cuanto al respeto de los derechos humanos. En la mayoría de estos países, los hombres son explotados desde el punto de vista financiero y de la salud. Esto se percibe sobre todo en la producción de cacao y café (ver capítulo "Alimentos").
En Costa de Marfil se cultiva gran parte de la producción mundial de cacao. En las plantaciones trabajan, según estimaciones de la organización de derechos humanos Terre des Hommes, unos 20.000 niños esclavos. Por supuesto, esto no significa automáticamente que Nestlé coseche sus granos de cacao por medio de niños esclavos. Pero Nestlé, como líder mundial, tiene una gran influencia sobre el precio extremadamente fluctuante y bajo que exhibe el mercado. Al no pagar un precio justo por sus materias primas, la multinacional se convierte en cómplice y condena a la miseria a los pequeños campesinos y agricultores.
Nestlé también posee dos fábricas de alimentos en Costa de Marfil. En 1999, los empleados locales de una de ellas denunciaron que recibían salarios muy inferiores a los de sus colegas europeos que se desempeña-

ban en la misma fábrica, a pesar de estar igualmente calificados. Se habían sentido discriminados y hablaron de "apartheid económico".[2]

Una de las mayores críticas a Nestlé está relacionada con los alimentos para bebés y su política de comercialización. En reiteradas ocasiones, sobre todo en los países pobres, la empresa ha intentado convencer a mujeres embarazadas y jóvenes madres de que no amamanten a sus hijos, recurriendo para ello a la publicidad de sus productos y al suministro de muestras gratuitas. Sin "demanda", el cuerpo deja de producir leche materna, y después de un cierto tiempo las madres se ven obligadas a comprar el alimento infantil a precios elevados. Según la OMS, un millón y medio de niños mueren cada año por falta de amamantamiento. Esto se debe básicamente a que, en los países que no tienen acceso a un agua potable pura, el polvo suele mezclarse con agua contaminada. Tras una serie de boicots internacionales por parte de los consumidores ("Nestlé mata a los bebés") y las protestas llevadas a cabo por organismos de la ONU, Nestlé se comprometió a ajustarse rigurosamente a las restricciones publicitarias. No obstante, su promesa fue incumplida de manera sistemática.

De todos modos, la empresa volvió hace poco a la carga: la leche maternizada de Nestlé estaría llamada a cumplir un papel enaltecedor, sobre todo en África, para disminuir el riesgo de contagio en lactantes con madres VIH positivas. Pero UNICEF (Fondo de las Naciones Unidas para la Infancia) y otros organismos consideran que esto no es más que un ardid publicitario (más detalles en el capítulo "Alimentos").

Qué podemos hacer	Cambie: el café, el chocolate y otros productos derivados del cacao pueden adquirirse a través del Comercio Justo (entretanto, también se consiguen en algunos supermercados europeos). Tenga en cuenta el sello de calidad TransFair (ver capítulo "Alimentos"). Protestas a: Nestlé S.A., Avenue Nestlé 55, Case postale 353, CH-1800 Vevey, Suiza, tel. (41-21) 9242111 http://www.nestle.ch/de/contact/default.asp
Información adicional	http://www.babynahrung.org Página de la agrupación Babynahrung (Nutrición para Bebés), algo confusa pero con buena información. http://www.babymilkaction.org, http://www.ibfan.org Páginas internacionales con información de actualidad "Hintergrundinformationen Schokoladenindustrie", folleto del sindicato Agrar/Nahrung/Genuß de Austria (Viena, 2000). Solicítelo al teléfono (43-1) 40149 o por correo electrónico a la siguiente dirección: ang@ang.oegb.or.at Ekkehard Launer: *Nestlé, Milupa ... Babynahrung in der Dritten Welt.* Lamuv Verlag, Göttingen 1991.

NIKE INC.

"Just Do It!"

Productos, marcas	Calzado, indumentaria y artículos deportivos de la marca Nike
Página web	http://www.nikebiz.com
Datos de la firma	Ventas (1999): 9.500 millones de euros[1] Sede: Beaverton (Oregon, EE.UU.)
Imputaciones	**Explotación, trabajo infantil, acoso sexual y otras irregularidades en empresas proveedoras**

Nike no vende calzado deportivo, sino espíritu deportivo. "Nike aprovecha la profunda relación emocional que tiene la gente con el deporte y la actividad física", dice Scott Bedbury, ex jefe de marketing y artífice del eslogan "Just Do It!".[2] Los gastos anuales en publicidad rozan la barrera de los mil millones de dólares estadounidenses. El basquetbolista Michael Jordan, máximo exponente publicitario de Nike, se ha constituido él mismo en una marca. Cuando los centros de compra especialmente ambientados (los denominados "Nike-Towns" o Ciudades Nike) lanzan un nuevo modelo de calzado, los jóvenes acampan frente a las puertas con sus bolsas de dormir para ser los primeros en hacerse de las preciadas zapatillas. A todo esto, mientras el presidente de Nike, Phil Knight, es más que multimillonario, la costurera de una planta proveedora, por ejemplo la de Wellco en China, gana unos 0,17 euro por hora.

Por ese motivo, el líder mundial entre las marcas de artículos deportivos se ha convertido en el blanco predilecto de los movimientos de derechos humanos y de crítica a la globalización. Vale decir que esto no es del todo justo, porque las principales competidoras de Nike no son ni siquiera un poco mejores y porque, en realidad, Nike ha emprendido alguna que otra mejora en sus plantas proveedoras. De todas maneras, tal como demuestran informes recientes, la imputación tampoco es desacertada.

Por ejemplo, en enero de 2001 recayeron acusaciones sobre Nike a causa de la situación en la planta mexicana de Kukdong. El tema eran las medidas represivas y los despidos ilegales registrados en masa contra empleados que protestaban por las condiciones laborales. En el año 2000, allí se habían fabricado alrededor de un millón de buzos deportivos para Nike y 40.000 prendas para Reebok. A raíz de las protestas internacionales, Nike formó una comisión investigadora, que cita testimonios de trabajadores que afirman que hay jóvenes de 13 y 14 años que se desempeñan en Kukdong.

260

Además, la comisión señala casos de acoso sexual. La dirección de la empresa niega estas imputaciones.[3]
Así se manifiesta Nike ante nuestra consulta: "Muchas de las imputaciones son infundadas." Pero agrega: "Ninguna fábrica es perfecta, nosotros creemos que podemos mejorar los lugares de trabajo en forma constante." El director de asuntos globales escribe que es por eso que en los últimos dos años se realizaron esfuerzos tendientes a introducir mejoras en cuanto a la edad de los trabajadores, el salario y la calidad del aire en las plantas de fabricación.[4] Entretanto, debido a las protestas, la empresa tuvo que aceptar la creación de un sindicato independiente y dar marcha atrás con los despidos.

En febrero de 2001, Nike volvió a ocupar los titulares: una investigación llevada a cabo en nueve plantas proveedoras de Indonesia reveló la existencia de denuncias masivas a causa del acoso sexual y los maltratos físicos a los cuales están expuestas las operarias.[5] Este informe también fue encargado por la propia empresa Nike. ¿Un elogiable signo de transparencia? Christian Mücke, perteneciente a la delegación austríaca de la Campaña Ropa Limpia, teme que "si disminuye la presión de la opinión pública, también disminuirá el compromiso."

Qué podemos hacer

Boicotear los productos Nike no tiene mucho sentido, ya que la competencia no es mejor. La única (y la mejor) alternativa es refrenar los impulsos consumistas. También es posible presionar a estas firmas, confrontando por ejemplo a los intermediarios con las condiciones imperantes en las fábricas de costura. El talón de Aquiles de Nike está precisamente allí donde reside su mayor poder: en la imagen. Así, unos chicos norteamericanos tomaron al pie de la letra el eslogan "Just Do It!", juntaron sus ajadas zapatillas en bolsas de residuos y las descargaron frente a las puertas del "Nike-Town" de Nueva York. "Nike, nosotros te hicimos", dijo a las cámaras, con una sonrisa desafiante, un manifestante de 13 años oriundo del Bronx. "Y nosotros también podemos destruirte." Para Nike, esta declaración de guerra proveniente de su propio *target* probablemente haya resultado más amenazante que cualquier campaña de derechos humanos.

Información adicional

http://www.ropalimpia.org
Campaña Ropa Limpia, por condiciones laborales justas en la industria de la indumentaria.
http://www.sweatshopwatch.org
"Sweatshop Watch", campaña norteamericana contra los abusos en los talleres de costura.
http://www.saigon.com/~nike
Página de boicot a Nike, un poco desactualizada.

261

NOVARTIS

(**NOVARTIS**

"Responsabilidad por un desarrollo sustentable"

Productos, marcas

Medicamentos para personas: Briserin, Calcium Sandoz, Codiovan, Corangin, Estraderm, Fenistil, Foradil P, Insidon, Lemocin, Magnesium Sandoz, regulador intestinal Neda, Nicotinell, Optalidon N, Otriven, Rhinomer, Ritalin, Spasmo Cibalgin, Tegretal, Venoruton, Voltaren, Zymafluor D
Medicamentos veterinarios: Clomicalm, Program, entre otros
Alimentos de Wander AG: Ovomaltine, Isostar, Ocléa Aviva

Página web

http://www.novartis.com

Datos de la firma

Ventas (2000): 22.470 millones de euros
Utilidad antes de impuestos (2000): 4.520 millones de euros[1]
67.000 empleados en 142 países
Sede: Basilea (Suiza)

Imputaciones

Financiamiento de ensayos clínicos no éticos, trabas a la fabricación y comercialización de medicamentos vitales en un país en desarrollo
En 1996 dos firmas suizas, Ciba Geigy y Sandoz, se unieron para formar Novartis. Ésta se cuenta entre las empresas líderes del campo farmacéutico, pero también es un gigante dentro de los fabricantes de medicamentos veterinarios y productos alimenticios varios.
Una de las marcas más conocidas de Novartis, desarrollada ya en el año 1909 y distribuida por la subsidiaria Wander, corresponde al extracto de malta Ovomaltine. Otras marcas de uso habitual son las de los medicamentos Voltaren, Otriven y Calcium Sandoz.
A comienzos de los años '80 Sandoz ocupó los titulares en los periódicos: se había descubierto que la firma donaba abultadas sumas a los médicos para intentar influir sobre sus decisiones profesionales.[2] En mayo de 2001, Novartis adquirió el 20% de las acciones de su competidora Roche.[3]
También en el año 2001, Novartis Sudáfrica y otras 38 empresas de la industria farmacéutica demandaron al Gobierno sudafricano por violar el derecho de patentes (ver Aventis).
En el Hospital Nyirő Gyula de Budapest, Novartis financió un estudio con la sustancia experimental iloperidona (Zomaril) durante el cual muchos pacientes esquizofrénicos no recibieron ningún medicamento eficaz (ver "Me-

dicamentos"). Según la Declaración de Helsinki, suscripta por la Asociación Médica Mundial, está prohibido tratar enfermedades graves sólo con un placebo cuando ya existe un medicamento probado.[4] Al cierre de las investigaciones realizadas para este libro (fines del año 2001), la iloperidona estaba por lanzarse al mercado.[5]

Qué podemos hacer

Eleve su protesta a: Dr. Daniel Vasella, Chairman and CEO, Novartis AG Headquarters, Postfach CH-4002 Basilea, Suiza. Envíe cajas vacías de medicamentos Novartis con la exhortación: Schluss mit unethischen Medikamentenversuchen! Oder: Billige Medikamente für arme länder! (¡Basta de ensayos clínicos no éticos! O bien: ¡Medicamentos baratos para los países pobres!)

Información adicional

http://www.epo.de/bukopharma
La campaña BUKO Pharma monitorea desde hace 15 años las actividades desarrolladas por la industria farmacéutica en el Tercer Mundo. Esta agrupación descubrió numerosas irregularidades y logró generar cambios.
http://www.arznei-telegramm.de
arznei-telegramm, una revista especializada alemana de línea muy crítica, informa permanentemente acerca de prácticas espurias en la industria farmacéutica.

263

OMV AG

"Abiertos a una mayor responsabilidad"

Productos, marcas	Combustibles y otros productos derivados del petróleo, así como gasolineras de la marca OMV
Página web	http://www.omv.at
Datos de la firma	Ventas (2000): 7.450 millones de euros Sede: Viena
Imputaciones	**Cooperación con régimen militar represivo**

Con una producción diaria de aproximadamente 20 millones de barriles, la petrolera austríaca OMV constituye, dentro de los parámetros internacionales, una de las empresas pequeñas del sector. Sin embargo, esta firma (representada también en Alemania y en Suiza) desempeña un papel que no es menor en cuanto a los aspectos humanitarios de la extracción petrolera.

Desde 1997, la OMV tiene participación en un consorcio que busca yacimientos de petróleo en África Central, más precisamente en una región de 30.000 kilómetros cuadrados ubicada en la república de Sudán. En su página web, la empresa se jacta de que "la OMV Exploration GmbH (Sudán), subsidiaria en un ciento por ciento, ha realizado un importante descubrimiento de reservas petrolíferas en Sudán". Señala asimismo que en la actualidad los campos de petróleo lindantes ya producen más de 200.000 barriles diarios. "En los últimos meses, OMV Exploration ha realizado una impresionante serie de nuevos descubrimientos. Pero Thar Jath tiene el potencial para ser, lejos, el mayor hallazgo", se alegra el presidente de la Junta Directiva, Dr. Gerhard Roiss.[1]

Lo que no se menciona en la página es que, con la ayuda de la industria petrolera, el régimen fundamentalista islámico sudanés está librando en el sur del país una guerra "santa" contra la propia población, particularmente contra los cristianos del África Negra y los que adhieren a las religiones tradicionales. Aldeas enteras fueron arrasadas en las cercanías de los campos petrolíferos, y los pobladores fueron ejecutados mediante el uso de una crueldad inimaginable (ver informe en el capítulo "Petróleo"). El régimen imperante en la capital Jartum considera a los sudaneses del sur no como iguales, sino como "perros" y esclavos. Además, la construcción de un oleoducto puesto en marcha en agosto de 1999 derivó en una continua violación de los derechos humanos. Las consecuencias inmediatas fueron la expulsión de la población y la expropiación de sus tierras sin indemnización alguna.[2] Esta guerra, que ya se ha cobrado un número de vidas ampliamente superior a los dos millones, se financia con los ingresos provenientes del petróleo.

A la luz de estos hechos, la declaración efectuada por escrito por la dirección comercial de OMV parece más que ingenua: "OMV no tiene conocimiento de que la población civil haya sido expulsada por tropas del Gobierno o por milicias aliadas para dejar libre la zona de exploración."[3] Para confirmar esta tesis, la OMV cita a su socia sueca, la compañía petrolera Lundin: "Queremos dejar en claro en forma categórica que nosotros no tenemos pruebas que confirmen ninguno de esos hechos, y que no toleraríamos la existencia de hechos semejantes en pos de un presunto beneficio de nuestra parte."

La declaración también hace referencia a la destrucción de Kwosh, localidad por donde pasa una ruta construida por el consorcio empresarial. La OMV atribuye la destrucción a un conflicto interno entre los lugareños, pertenecientes al pueblo nuer. "De acuerdo con nuestra información, no se trata en absoluto de un conflicto que haya sido generado por los trabajos de exploración o que esté influido, siquiera en forma indirecta, por dichas tareas."

Qué podemos hacer

Protestas a: OMV AG, Dr. Gerhard Roiss, presidente de la Junta Directiva, Otto-Wagner-Platz 5, A-1090 Viena, Austria, tel. (43-1) 40440-0, fax (43-1) 40440-91, gerhard.roiss@ omv.com

Información adicional

http://www.amnesty.org/ai.nsf/Index/AFR540012000? OpenDocument&of=COUNTRIES/SUDAN
(Informe de Amnistía Internacional sobre Sudán)

OTTO-VERSAND

OTTO
Versand GmbH

Otto... find'ich gut.

"El crecimiento económico debe proteger
los recursos naturales
y servir al progreso social"

Productos, marcas

Otto, Heine, Bon Prix, Alba Moda, Sport Scheck, Eddie Bauer, Schwab y otras casas de venta por correspondencia
Hermes, servicio de envíos
Hanseatic Bank
Grupo Actebis, con computadoras de la marca Targa
Shopping24, comercio por Internet
CosmosDirekt, seguros
Streif, casas prefabricadas

Página web

http://www.otto.de

Datos de la firma

Ventas (2000): 23.400 millones de euros[1]
Sede: Hamburgo

Imputaciones

Explotación, acoso sexual y otras irregularidades en empresas proveedoras
El grupo comercial Otto, número uno del mundo en venta por correspondencia, está representado por 83 empresas en 24 países de Europa, Norteamérica y Asia. Solamente en Alemania, Otto-Versand envía 65 millones de catálogos al año. Con un promedio de 270 euros anuales, los alemanes son los campeones mundiales de las compras por catálogo. Cada día ingresan a los conmutadores de la empresa más de 200.000 llamadas telefónicas. En lo que se refiere al comercio por Internet, el grupo Otto registra ventas *on-line* por un total de 1.100 millones de euros y ocupa el segundo lugar en el mundo detrás de Amazon.
Desde 1996, Otto-Versand ofrece, además de alfombras producidas a la usanza tradicional, otras con el sello de calidad "Rugmark", que garantiza una fabricación sin trabajo infantil. El abanico presentado por la empresa también incluye productos de la Sociedad para el Fomento de la Cooperación con el Tercer Mundo (GEPA). En 1997, Otto publicó por primera vez sus "Principios de Acción por un Comercio con Responsabilidad Social". Sin embargo, este código no garantiza la libertad sindical en todas partes, sino sólo allí donde esa libertad está amparada por la ley, con lo cual, en países como China, la empresa deslinda su responsabilidad. A pesar de que la compañía ha realizado una autocrítica bastante profunda, en las plantas proveedoras siguen registrándose graves irregularidades.
Por ejemplo, en Indonesia, un equipo de expertos se topó con una empresa donde las operarias eran obliga-

das a hacer horas extras para evitar sanciones, donde se las encerraba cuando convocaban a una protesta y donde sufrían acoso sexual. Tras reintegrarse de la licencia por embarazo, las costureras recibían un pago inferior al de antes. El monto no alcanzaba siquiera al del ínfimo salario mínimo establecido por la ley, se pagaban apenas 80 centavos de euro por día. El ritmo de trabajo comprendía hasta 80 horas semanales. Los jóvenes de 14 y 15 años debían observar el mismo cronograma, a pesar de que la ley en Indonesia prevé un máximo de cuatro horas diarias (teniendo esto validez sólo a partir de los 15 años cumplidos y hasta los 18). Además, se ejercía una presión psíquica y física sobre los trabajadores, por ejemplo mediante golpes en las nalgas y tirones de orejas.

Al conocerse los resultados de este estudio, Otto-Versand señaló que la firma en cuestión ya había sido dada de baja de la lista de proveedores luego de una investigación interna. No obstante, mientras falten controles independientes efectuados por organizaciones no gubernamentales y sindicatos, dichas investigaciones seguirán siendo impracticables.[2]

Qué podemos hacer

Para ponerse en contacto con Otto-Versand, diríjase a: Wandsbeker Straße 3-7, D-22179 Hamburgo, Alemania, teléfono (49-40) 6461, presse@otto.de
Exíjale a Otto-Versand que lleve a cabo controles independientes en sus empresas proveedoras a través de organizaciones no gubernamentales y sindicatos y que asimismo garantice el pago de salarios dignos.

Información adicional

El folleto *Das Kreuz mit dem Faden. Indonesierinnen nähen für deutsche Modemultis* puede conseguirse en Südwind e.V.:
Lindenstraße 58-60, D-53721 Siegburg, Alemania teléfono (49-2241) 53617, fax (49-2241) 51308
suedwind.institut@t-online.de, http://www.suedwind-institut.de

PFIZER INC.

"Life is our Life's Work"

Productos, marcas

Medicamentos de Pfizer: Accuzide, Celebrex, Codipront, Diflucan, Dilzem, Gelonida, Norvasc, Sab, Sortis, Valoron N, Viagra, Zithromax, Zoloft
Medicamentos de la subsidiaria Warner Lambert: Anusol, Benadryl, Gelusil, Hexoral, Kompensan, Olynth, Rhinopront, Rhinitussal, Yxin
Maquinillas de afeitar y accesorios de Wilkinson
Chicles de la marca Trident
Medicamentos veterinarios: por ejemplo, de la marca Revolution (contra moscas y gusanos)

Página web

http://www.pfizer.com

Datos de la firma

Ventas (2000): 30.440 millones de euros
Ganancia neta (2000): 6.690 millones de euros[1]
Empleados: 95.000
Sede: Nueva York

Imputaciones

Ensayos clínicos no éticos y "maquillaje" de resultados arrojados por tests

En 1849 dos inmigrantes alemanes procedentes de Ludwigsburg fundaron en Nueva York la Pfizer & Comp. Hacia fines de la Segunda Guerra Mundial, esta firma pasó a ser líder mundial en la fabricación de penicilina. En la actualidad, la empresa se concentra en el desarrollo y la venta de medicamentos para personas, pero también da prioridad al rubro de la salud animal y a los productos relacionados con el cuidado del cuerpo. En junio de 2000, Pfizer adquirió la compañía farmacéutica Warner Lambert y se convirtió así en la empresa más grande del sector a nivel mundial. En 1998, la compañía había ocupado los principales titulares de los periódicos debido al desarrollo del Viagra (para disfunciones eréctiles).

En los años noventa, Pfizer participó por lo menos en una docena de ensayos con el antimicótico fluconazol (nombre comercial: Diflucan). Los resultados fueron manipulados por medio de grandes tretas. Lo que se quería investigar era si el fluconazol combatía las micosis con mayor eficacia que su competencia, la anfotericina B (nombre comercial: Ampho-Moronal) de la empresa Bristol-Myers Squibb. Resultado: el fluconazol era claramente mejor. Sin embargo, investigaciones efectuadas en 1999 descubrieron que estos ensayos estaban "maquillados" y que se habían cometido varios errores graves.[2] Por ejemplo, la anfotericina B (el producto de la competencia) había sido suministrado a los pacientes por vía oral: un craso error desde el punto de vista médico, ya que la droga sólo es eficaz cuando se la inyecta. No sorprende entonces que el fluconazol haya salido mejor parado. Al ser consultados por los investigadores, los médicos involucrados se negaron a responder, o bien declararon que ya no tenían ninguna documentación en su poder. Pfizer tampoco presentó su descargo.[3] Diflucan es hoy el antimicótico más recetado en el mundo y le aporta a Pfizer una cifra superior a los 1.000 millones de euros anuales.

En 1996 se declaró en Nigeria una epidemia de meningitis entre la población infantil. En ese momento, Pfizer estaba trabajando en la aprobación de su nuevo antibiótico: la trovafloxacina. Como en EE.UU. los casos de meningitis son muy poco frecuentes, la empresa decidió aprovechar la oportunidad: un grupo de médicos voló a Nigeria y utilizó a los niños enfermos como conejillos de Indias. Once murieron. Evaristi Lodi, de la organización humanitaria Médicos Sin Fronteras, estuvo en el mismo hospital intentando tratar a los niños con remedios ya probados. Esto dijo al *Washington Post* a propósito de la muerte de una niña que había sido tratada con trovafloxacina, el nuevo antibiótico de Pfizer: "Podría considerarse un asesinato."[4] Y agregó: "Los pacientes y familiares aclararon que a ellos nunca se les informó que serían parte de un ensayo clínico. Si estuviese facultado para hacerlo, yo a esos médicos les quitaría la matrícula."

La trovafloxacina fue aprobada en diciembre de 1997 en EE.UU. y poco después en la Unión Europea (pero sólo para el tratamiento de adultos, no de niños). En poco tiempo el medicamento se convirtió en un éxito de ventas. Sin embargo, en 1999, al conocerse informes sobre efectos colaterales, entre los que se mencionaban daños hepáticos y casos fatales, las autoridades sanitarias de EE.UU. impusieron fuertes restricciones en su aplicación.[5] En junio de 1999, las autoridades europeas encargadas de otorgar la aprobación recomendaron retirar el medicamento de la venta, con lo cual Pfizer debió quitarlo del mercado europeo.

Qué podemos hacer

Eleve su protesta a: Pfizer GmbH, Pfizerstr. 1, D-76139 Karlsruhe, Alemania. Envíe cajas vacías de medicamentos Pfizer con la exhortación: ¡Basta de ensayos clínicos no éticos en el Tercer Mundo!

Información adicional

http://www.epo.de/bukopharma
La campaña BUKO Pharma monitorea desde hace 15 años las actividades desarrolladas por la industria farmacéutica en el denominado Tercer Mundo.
http://www.arznei-telegramm.de
arznei-telegramm, una revista especializada alemana de línea muy crítica, informa permanentemente acerca de prácticas espurias en la industria farmacéutica.

PROCTER & GAMBLE COMPANY

Procter&Gamble

Productos, marcas

Productos alimenticios: Punica, Pringles, Wick
Artículos de higiene: Always, Blend-a-med, Bounty, Ellen Betrix, Helmut Lang, Hugo Boss, Laura Biagiotti, Oil of Olaz, Pampers, Pantene Pro-V, Tempo, etc.
Artículos de limpieza: Ariel, Dash, Fairy, Lenor, Mr. Proper, Fébrèze, Vizir

Página web

http://www.pg.com

Datos de la firma

Ventas (2000): 43.400 millones de euros
Utilidad antes de impuestos (2000): 6.000 millones de euros[1]
Empleados: 110.000
Sede: Cincinnati (Ohio, EE.UU.)

Imputaciones

Explotación en empresas proveedoras de materias primas, actividad comercial en una dictadura militar, destrucción ambiental

Procter & Gamble fue fundada en 1837 por un fabricante de jabones y velas. En la actualidad, este conglomerado de empresas comercializa un total de 300 marcas en más de 140 países. Alrededor del 20% de las cifras globales de venta se generan en Alemania. Además de dedicarse a sus sectores clave (alimentación, higiene y limpieza), P&G se unió al laboratorio Aventis para lanzar al mercado Actonel, un medicamento contra la osteoporosis. El 21 de febrero de 2001 la empresa anunció un acuerdo con Coca Cola para producir y comercializar en forma conjunta la marca Pringles, así como también los jugos de fruta Cappy, Minute Maid, Punica, etc.

Lo que hay que analizar con ojo crítico es, sobre todo, la producción de jugos de fruta (principalmente de naranja). Buena parte del jugo concentrado de naranja que se elabora en Europa procede de Brasil. Allí los trabajadores de las plantaciones suelen ganar menos de 11,50 euros por día. La mayoría se encuentra aproximadamente un tercio por debajo del mínimo vital, necesario para cubrir el costo de la canasta familiar. Es por eso que en muchos casos también trabajan los niños, cuya salud se ve afectada por problemas graves y persistentes. Las empresas, por supuesto, aseguran que sus proveedores no contratan niños, aunque esto resulta difícil de controlar (ver capítulo "Alimentos").

La empresa también fue cuestionada por agrupaciones de derechos humanos debido a su presencia en

270

Myanmar, la ex Birmania. Allí impera desde 1988 una dictadura militar que basa su poder en el empleo sistemático del trabajo forzado y la tortura. La empresa textil Levi Strauss abandonó el país por dicha causa y señaló que era "imposible hacer negocios en Birmania sin apoyar directamente al Gobierno militar y a sus graves violaciones de derechos humanos". El periódico británico *The Guardian* informó en noviembre de 2000 que "P&G continúa desarrollando su actividad comercial en Birmania, mientras que muchos otros se han retirado".[2]

En 1996 Procter & Gamble fue acusada de haber causado una contaminación permanente del agua potable en Irlanda. El problema, originado por la avería en una planta de producción (donde se fabricaban artículos de cosmética de la marca Oil of Olaz), obligó a la población a recurrir a tanques de agua para abastecerse.

En junio de 1999, una agrupación norteamericana para la defensa del animal (PETA) culpó a la empresa por utilizar productos para los cuales se habían realizado experimentos sin que existiera una necesidad legal.[3]

Qué podemos hacer	Protestas a: The Procter & Gamble Company, P.O. Box 599, Cincinnati, Ohio, EE.UU., tel.: (1-45) 2010599, http://www.pg.com/contact_us/contact1.jhtml?toolbar=/includes/ltb_main.jhtml
Información adicional	http://www.ethicalconsumer.org La publicación inglesa *Ethical Consumer* brinda en forma bimestral un panorama crítico sobre las empresas y dispone (aunque no es gratuito) de un banco de datos *on-line*.

REEBOK INTERNATIONAL LTD.

"Human rights at the center
of our corporate culture"

Productos, marcas	Calzado, indumentaria y equipos deportivos de la marca Reebok The Rockport Company Greg Norman Collection Ralph Lauren Footwear
Página web	http://www.reebok.com
Datos de la firma	Ventas netas (2000): 3.120 millones de euros Ingresos netos (2000): 90 millones de euros[1] Sede: Canton (Massachusetts, EE.UU.)
Imputaciones	**Explotación e irregularidades en empresas proveedoras**

Explotación e irregularidades en empresas proveedoras

Cada año, Reebok entrega un premio de derechos humanos por el compromiso contra el trabajo infantil y los regímenes represivos en todo el mundo. Sin embargo, a juzgar por la periodista canadiense Naomi Klein, el hecho de promocionarse a sí misma como una "alternativa ética frente a Nike" convierte a la empresa en "el mayor de los farsantes": "En todo esto hay bastante de hipocresía, porque Reebok produce su calzado exactamente en las mismas fábricas que Nike, y además estuvo involucrada en un número más que suficiente de violaciones a los derechos humanos; lo que pasa es que los casos no tuvieron tanta repercusión."[2]

Sí se conoció, por ejemplo, una investigación encargada por la propia empresa y llevada a cabo en dos de sus proveedores indonesios. Los trabajadores se quejaban del intenso calor y la ventilación insuficiente. Por otra parte, las mujeres embarazadas debían efectuar su tarea al lado de peligrosas sustancias químicas. Muchas suponían que estaban obligadas a realizar horas extras y no conocían sus derechos sociales ni el derecho a protegerse del acoso sexual. Si bien Reebok subsanó muchos de los abusos (por ejemplo, en relación con los dispositivos de seguridad, que eran absolutamente insuficientes), las agrupaciones de derechos humanos continúan llamando la atención, sobre todo por el nivel vergonzoso de los salarios y porque el mencionado estudio no hizo siquiera alusión al derecho de autoorganización.[3]

Imputaciones similares a las mencionadas provocaron conflictos incluso en Los Ángeles, en una fábrica que producía, entre otros, para Reebok. Las inmigrantes latinoamericanas que trabajaban en la planta protestaron no sólo por los salarios, que se hallaban debajo del mínimo establecido en la ley, sino también por el habitual incumplimiento en el pago de las horas extras (con jornadas de hasta 14 horas) y por los reiterados actos de intimidación y acoso. Las que habían hablado abiertamente sobre esas condiciones de *sweatshop*, ya formaban parte de la lista de despedidas.[4]

La publicación económica *Business Week* informó acerca de la empresa proveedora Tong Yang en Indonesia. Allí Reebok ha implementado mejoras, por ejemplo, en el ámbito de la seguridad, pero los salarios representan apenas 26 centavos de euro por hora de trabajo. "Ellos (nota del autor: Reebok) buscan proveedores que vendan al precio más barato posible", dice el gerente. "Si nosotros no resultamos lo suficientemente baratos, se van a Vietnam o a cualquier otro lado."[5]

Mientras tanto, el supuesto adalid de los derechos humanos interrumpió su relación con firmas de Taiwan y Corea del Sur, donde los trabajadores habían formado sindicatos y por fin estaban ganando salarios más dignos.[6] Según *Business Week*, el tema de los sindicatos es "uno de los que siguen generando resquemores y que todavía no han sido abordados ni siquiera por empresas como Reebok".

Hay un incidente que a la empresa le resulta muy embarazoso: a comienzos del año 2000 se supo que Reebok había contribuido a la realización de un video propagandístico de Jörg Haider, el líder austríaco de extrema derecha. En este caso, la dirección central de la compañía demostró excelentes reflejos y reaccionó de inmediato, obligando a renunciar al gerente comercial de Austria.[7] Pero Reebok también cuida la imagen de otra manera: por ejemplo, los contratos de sponsorización firmados con las universidades norteamericanas contenían una cláusula que prohibía a los empleados, incluyendo entrenadores deportivos, dañar "la reputación de Reebok y de los productos Reebok por medio de cualquier declaración".[8]

En la página web de Reebok hay una sección dedicada a las "Preguntas más frecuentes". Si uno hace un clic en el tema "Derechos humanos" y luego selecciona como subtema "Estándares de producción", podrá leer: "No se ha encontrado ningún resultado para su criterio de búsqueda."

Qué podemos hacer	Ver ficha de Nike, pág. 260.
Información adicional	http://www.ropalimpia.org Campaña Ropa Limpia, por condiciones laborales justas en la industria de la indumentaria. http://www.sweatshopwatch.org Sweatshop Watch, campaña norteamericana contra las irregularidades en los talleres de costura.

SAMSUNG GROUP

 "Contributing to a better global society"

Productos, marcas	Teléfonos celulares e inalámbricos, notebooks, impresoras, monitores y accesorios, televisores y equipos de alta fidelidad, electrodomésticos y equipos para la oficina
Página web	http://www.samsung.com
Datos de la firma	Ventas (1999): 87.700 millones de euros[1] Empleados: 54.000 Sede: Seúl
Imputaciones	**Prácticas ilegales en empresas proveedoras mexicanas, inescrupuloso financiamiento de guerra civil**

El grupo Samsung abarca los sectores de telecomunicación, procesamiento de información, equipos electrodomésticos y producción de semiconductores. Samsung Electronics Co. es uno de los principales fabricantes de equipos electrónicos y registra ventas por 23.000 millones de euros. Las ventas de Samsung Alemania, por su parte, totalizan unos 475 millones de euros. Pero, además, la empresa opera en las industrias química y textil.

Por ejemplo, Samsung ha establecido fábricas textiles en México. Se trata de las denominadas maquiladoras, donde operarias pésimamente pagas cosen prendas de vestir para empresas occidentales (ver capítulo "Deporte e indumentaria"). Según la revista *The Economist*, Samsung también hace ensamblar televisores en México a cambio de salarios de hambre.[2]

En diciembre de 1998, la organización internacional de derechos humanos Human Rights Watch publicó un informe que indicaba que allí las mujeres eran sometidas sistemáticamente a tests de embarazo ilegales. Si una mujer estaba embarazada, se quedaba sin empleo. Para la justicia mexicana, esta forma de discriminación sexual está prohibida. Por supuesto que la prohibición también rige en casi todos los países industrializados. Las mujeres eran obligadas a responder preguntas íntimas sobre su vida sexual, sobre métodos anticonceptivos y su ciclo menstrual, y debían someterse a análisis de orina. Para que la certeza fuera total, también les palpaban el vientre. Tal como expresó un colaborador de Human Rights Watch, "las mujeres podían elegir entre perder su dignidad o su empleo". No sólo Samsung utilizaba estas prácticas en sus plantas, sino también empresas como Siemens, Panasonic-Matsushita y Sanyo.[3]

A la hora de comprar materias primas provenientes de fuentes sospechosas, Samsung sigue haciendo la vista gorda. Esto es algo que pudimos comprobar por medio de unas investigaciones secretas llevadas a cabo en marzo de 2001. Actuando a través del correo electrónico, nos hicimos pasar por vendedores de tantalita congoleña. Con este valiosísimo metal, en el Congo se está financiando una guerra espantosa. Samsung procesa el tántalo, entre otras cosas, para utilizarlo en teléfonos celulares; lo que no se sabe es de dónde lo obtiene. Sea como fuere, en la empresa se mostraron sumamente interesados en comerciar con nosotros a pesar de que les advertimos que la venta del mineral era controlada por los rebeldes congoleños. El gerente de Samsung en Londres nos aseguró que el negocio turbio, en caso de consumarse, sería mantenido en secreto: "No se preocupe, el material no volverá a aparecer en el mercado. Será procesado directamente para el consumo propio de Samsung en la industria electrónica." (ver capítulo "Industria electrónica")

Qué podemos hacer

Diríjase a Samsung para hacerle conocer sus inquietudes respecto a las prácticas mencionadas.
http://www.samsung.com/support/AskForm.html

Información adicional

http://www.hrw.org
Human Rights Watch es una de las mayores organizaciones de derechos humanos.
http://www.un.org/Docs/sc/letters/2001/357e.pdf
El informe de la ONU sobre el saqueo ilegal de materias primas en el Congo muestra cómo las multinacionales financian la guerra civil a través del comercio con el tántalo.

SCHERING AG

SCHERING   "Con Schering, la xenofobia y la ignorancia
no tienen ninguna oportunidad"

Productos, marcas	Medicamentos: Betaferon, Climem, Diane, Femovan, Gynodian Depot, Microgynon, Miranova, Yasmin
Página web	http://www.schering.de
Datos de la firma	Ventas (2000): 4.490 millones de euros Ganancias (2000): 336 millones de euros[1] Empleados: 23.700 Sede: Berlín
Imputaciones	**Trabas a la fabricación y comercialización de medicamentos vitales en un país en desarrollo, comercialización de peligrosas píldoras anticonceptivas**

En 1851 el químico Ernst Schering inaugura una farmacia en Berlín y comienza a fabricar productos químicos. La firma se desarrolla rápidamente hasta convertirse en una empresa industrial. En 1929 se funda la Schering Corporation como subsidiaria en EE.UU. Ésta es expropiada en 1942, cuando EE.UU. interviene en la guerra. En la actualidad, el laboratorio norteamericano Schering Plough no tiene ningún tipo de relación con la alemana Schering AG.

Schering AG realiza productos que se destinan básicamente a terapias hormonales y de sustitución hormonal, así como también al tratamiento de enfermedades de la piel. En 1961 la empresa lanza al mercado alemán su primera píldora anticonceptiva con el nombre de Anovlar.

Schering AG posee el 24% del paquete accionario de la AventisCropScience, una empresa líder en protección de cultivos y tecnología genética.

A comienzos de 2001, la Schering Proprietary Limited Boehringer Ingelheim (filial de Schering) y otras empresas de la industria farmacéutica demandaron al Gobierno sudafricano por violar el derecho de patentes (ver Aventis).

La revista especializada berlinesa *arznei-telegramm* efectuó varios informes sobre la píldora anticonceptiva Femovan de Schering, advirtiendo acerca de los frecuentes y graves efectos colaterales. En 1995, el Instituto Alemán de Medicamentos y Productos Medicinales restringió el uso de este anticonceptivo y de otros similares. Los fabricantes apelaron la decisión ante el tribunal contencioso-administrativo de Berlín y, curiosamente, obtuvieron un fallo favorable. Las restricciones fueron levantadas. *arznei-telegramm* señaló que los peritos operaban para los fabricantes y que habían sido "manipulados".[2] En diciembre de 2000 —la medicina avanza a paso lento—, científicos ingleses comprobaron de manera fehaciente que las píldoras tipo Femovan duplicaban el riesgo de tromboembolia con respecto a los anticonceptivos normales.[3] Acto seguido, *arznei-telegramm* exigió al Ministerio de Salud que estableciera definitivamente una prohibición sobre dichas píldoras. Hasta el día de hoy (15 de mayo de 2001), eso no ha ocurrido.

Qué podemos hacer

Eleve su protesta a: Dr. Hubertus Erlen, presidente del Consejo de Dirección, Schering AG, D-13342 Berlín, Alemania. Envíe cajas vacías de medicamentos Schering con la exhortación: ¡Medicamentos baratos para los países pobres! O bien: ¡Prohíban las píldoras anticonceptivas peligrosas!

Información adicional

http://www.epo.de/bukopharma
La campaña BUKO Pharma monitorea desde hace 15 años las actividades desarrolladas por la industria farmacéutica en el Tercer Mundo. Esta agrupación descubrió numerosas irregularidades y logró generar cambios.
http://www.arznei-telegramm.de
arznei-telegramm, una revista especializada alemana de línea muy crítica, informa permanentemente acerca de prácticas espurias en la industria farmacéutica.
http://ourworld.compuserve.com/homepages/critical_shareholders/schering.htm
Los accionistas críticos de Schering realizan un informe anual sobre hechos ocurridos en la empresa.

ROYAL DUTCH/SHELL

"Rectitud e integridad, con consideración
y respeto por el ser humano"

Productos, marcas

Combustibles y otros productos derivados del petróleo,
gasolineras
En Alemania, red común de gasolineras de las marcas
Shell y DEA; desde hace poco, Shell también suministra
corriente eléctrica

Página web

http://www.shell.com

Datos de la firma

Ventas (2000): 162.000 millones de euros
Utilidad antes de impuestos (2000): 26.000 millones de
euros[1]
Empleados: 95.000
Sede: La Haya y Londres

Imputaciones

Financiamiento de guerra civil y tráfico de armas, destrucción del sustento vital en regiones petrolíferas, colaboración con regímenes militares
Royal Dutch/Shell es uno de los mayores grupos empresariales del mundo. Con representación en 130 países, con casi 50.000 gasolineras y más de 20 millones de clientes por día en el mundo entero, es uno de los líderes en venta de combustibles y lubricantes. Shell participa en proyectos de exploración y extracción en más de 45 países y explota aproximadamente un seis por ciento de los yacimientos mundiales de petróleo y gas. Según un estudio de mercado llevado a cabo en casi cien países, Shell es la marca preferida entre todas las compañías petroleras.[2]
En el año 1995 esta imagen sufrió un gran deterioro. Gracias a una campaña muy bien implementada, la organización ecologista Greenpeace logró impedir una catástrofe ambiental que amenazaba con desatarse en el Mar del Norte a través del hundimiento de la plataforma petrolífera Brent Spar. De tal modo, puso a la empresa en graves aprietos: millones de automovilistas rehuyeron a partir de entonces las gasolineras con el logo del molusco amarillo.
En Nigeria, país donde Shell domina la producción petrolera, el régimen militar del dictador Sani Abacha ejecutó ese mismo año a nueve miembros del pueblo ogoni, entre ellos a Ken Saro Wiwa, un activista de derechos humanos y escritor de prestigio internacional. Los ogoni habían protestado durante años a raíz de los graves daños ambientales causados en el Delta del Níger (sur de Nigeria) por Shell y otras compañías petroleras como Elf, Agip, Mobil y Chevron. Los deudos de Saro Wiwa, junto a organizaciones internacionales de derechos humanos, acusan a Shell de haber sido cómplice en la ejecución y de haber suministrado armas a los militares, que perpetraron crímenes sistemáticos contra la población. En enero de 2001 Shell admitió que efectivamente había entregado armas a la policía local para que protegiera sus instalaciones.

En sus millonarias campañas publicitarias, la compañía petrolera se presenta ahora como paladín de la ecología y los derechos humanos. Sin embargo, poco ha cambiado en Nigeria: continúan los derrames de petróleo, ocasionados por los oleoductos obsoletos de Shell, y la quema de gas natural con métodos tecnológicamente arcaicos. Esto afecta grandes superficies cultivables (dejando la tierra estéril por décadas), contamina el aire y las aguas (caracterizadas en el pasado por su riqueza ictícola) y despoja a los habitantes de su sustento vital y su salud. Lo poco que Shell brinda como contrapartida en materia de puestos de trabajo, inversiones y asistencia social, raya en el cinismo. La multinacional —cuyas cifras de venta equivalen prácticamente al presupuesto anual de Nigeria, con sus 120 millones de habitantes— se negó a pagar un resarcimiento (ver capítulo "Petróleo").

Shell también desarrolla su actividad en Angola. Allí la industria petrolera financia, junto al tráfico de armas, una guerra civil que viene asolando el país desde hace más de 25 años y que ya les ha costado la vida a cientos de miles de personas. A su vez, la empresa niega haber participado en los proyectos de extracción en Sudán, lugar donde las compañías petroleras están involucradas en otros crímenes aberrantes (ver capítulo "Petróleo").

Desde comienzos del año 2001, Shell opera su red de gasolineras en Alemania de manera conjunta con RWE-DEA. Entre las dos marcas superan los 3.200 establecimientos, cifra que convierte a Shell & DEA Oil GmbH en líder del mercado de dicho país. DEA opera junto a Agip, Elf, Total y Ruhroel la refinería Schwedt, en la región oriental de Alemania. Allí procesa el crudo procedente de Rusia, que recorre su camino a través de oleoductos totalmente obsoletos, contaminando miles de kilómetros cuadrados y dejando a su paso inmensas lagunas de petróleo (ver "Petróleo").

Qué podemos hacer	En 1995 el boicot de los automovilistas redujo las ventas de Shell hasta en un 80%. Como consecuencia, se dictó una disposición de alcance internacional que prohíbe el hundimiento de plataformas petrolíferas. Sin embargo, la empresa continúa operando, sobre todo en países africanos, con estándares que no se ajustan a los occidentales. Protestas a: Shell Cía Argentina de Petróleo SA , Casilla de Correo 1759, Buenos Aires 1000, teléfono (54-11) 43283441, fax (54-11) 43288783, e-mail nuevoinforme@scapsa.shell.com
Información adicional	http://www.essentialaction.org/shell/report Essential Action, organización con sede en Washington, convoca a un boicot contra Shell y brinda aquí un informe completo. http://www.greenpeace.de/GP_DOK_3P/HINTERGR/C12HI12.HTM Estudio de Greenpeace acerca de los efectos ambientales ocasionados por la explotación del petróleo en Nigeria.

SIEMENS AG

SIEMENS

Productos, marcas

Teléfonos, centrales telefónicas y celulares Siemens; celulares Bosch; computadoras, notebooks y accesorios Fujitsu Siemens; lámparas Osram; electrodomésticos Bosch y Siemens

Página web

http://www.siemens.com

Datos de la firma

Ventas (2000): 78.000 millones de euros
Utilidad antes de impuestos (2000): 5.200 millones de euros
Empleados: 460.000
Sede: Munich

Imputaciones

Expulsiones masivas y destrucción del sustento vital mediante proyectos de represas, participación en la construcción de peligrosos reactores nucleares

La empresa Siemens es líder mundial en el campo de la electrotecnia y la electrónica. Su esfera de acción abarca rubros como automatización y fabricación, iluminación, servicios financieros, equipos médicos, transporte y técnica para la comunicación. En el mercado de la telefonía móvil, Siemens ocupa el tercer lugar, detrás de Nokia y Motorola.

Con su eslogan "Siemens Power Generation", la empresa también constituye un oferente líder en reactores nucleares y sistemas de energía eléctrica. A través de su participación en Voith Siemens, la compañía suministra generadores y turbinas para numerosas represas en países pobres. Trabajar en Europa Central con un estándar ambiental semejante al utilizado en estos proyectos sería sencillamente inconcebible.

El proyecto hidroeléctrico de mayor envergadura a nivel mundial corresponde a la represa de Tres Gargantas (China). Incluye la construcción de un embalse de alrededor de 650 kilómetros a lo largo del río Yangtsé y prevé generar una potencia de 18.000 megavatios. Se estima que entre 1,3 y 1,9 millones de personas sufrirán un desplazamiento forzado. Los damnificados afirman que buena parte del dinero prometido para los resarcimientos fue malversado. Los ánimos también están caldeados por lo que ocurre en la central hidroeléctrica de Maheshwar (India). Aquí son 50.000 las personas que pierden su sustento vital y se encuentran con una indemnización insuficiente. Las protestas de la población recibieron como respuesta brutales medidas policiales, que incluso derivaron en víctimas fatales. Miles de personas fueron encarceladas (ver "Economía exportadora y financiera").

Otro punto clave es la construcción de centrales nucleares. Todos los reactores alemanes han sido desarrollados por Siemens. En Austria, la central nuclear de Zwentendorf nunca pudo finalizarse debido a las protestas ciudadanas; mientras tanto, en el río Isar (Baviera, Alemania), un reactor del mismo tipo sigue en funcionamiento a pesar de estar catalogado como de alta peligrosidad. El reactor alemán Biblis A también genera fuertes controversias por sus falencias en materia de seguridad.

En las décadas del setenta y del ochenta, Siemens colaboró con regímenes militares en la Argentina, Brasil e Irán para construir reactores nucleares (que habían sido diseñados también con fines militares). La instalación del reactor iraní nunca pudo concretarse por razones políticas, pero en la Argentina y Brasil la situación es diferente: desde hace décadas, con la ayuda de créditos otorgados por bancos alemanes, allí se gastan miles de millones para llevar a cabo los proyectos. Esto perjudica aún más a ambos países, cuyas deudas ya son de por sí muy abultadas (ver "Economía exportadora y financiera").

Según Antonia Wenisch, experta en temas nucleares del Instituto Austríaco de Ecología, el denominado reactor de alta temperatura demostró ser un gran fiasco. Por eso dejó de funcionar en Alemania apenas después de producida su marcha de prueba. Ahora Siemens vuelve al ataque en el Tercer Mundo: para "promover el desarrollo", la empresa ha sido autorizada a construir en China una miniversión del modelo de reactor previamente mencionado, pero con una potencia de sólo 10 megavatios.

A esto hay que agregar numerosos reactores chatarra (terminados y a medio terminar) en Europa Oriental. En tal sentido, la página web de la empresa destaca: "La clave de nuestro negocio nuclear está hoy en los servicios relacionados con las centrales de energía, así como en la modernización y en el fortalecimiento de la seguridad. Estamos dedicados fundamentalmente al desarrollo del reactor europeo de agua a presión (EPR). El EPR volverá a mejorar notablemente el elevado estándar de seguridad existente en las centrales energéticas de Europa Occidental."[2]

Qué podemos hacer

Protestas a: Siemens Corporate Communications, Dr. Eberhard Posner, eberhard.posner@siemens.com, tel.: (49-89) 63633470, fax: (49-89) 63632844; dirección postal: Siemens AG, CC, Postfach 80312 Munich, Alemania.

Información adicional

http://www.siemens-boykott.de
Los Médicos Internacionales para la Prevención de la Guerra Nuclear convocan a un boicot contra Siemens. Información sobre proyectos nucleares, lamentablemente un poco desactualizada.
http://www.jxj.com/index.html
Archivo general de información sobre proyectos de represas en todo el mundo.
http://www.snf.se/pdf/rap-vattenkraft-dams-inc.pdf
El estudio "Dams incorporated -The Record of Twelve European Dam Building Companies" analiza proyectos controvertidos relacionados con la construcción de represas.
Hans Heinrich Krug: *Unternehmen Kernenergie. Siemens und die Entwicklung der Nukleartechnologie*. Piper Verlag, Munich 2000.

TOMMY HILFIGER CORPORATION

"Dedicated to living the spirit
of the American dream"

Productos, marcas	Ropa, perfumes y accesorios de Tommy Hilfiger
Página web	http://www.tommy.com
Datos de la firma	Ventas (2000): 2.040 millones de euros Utilidad antes de impuestos (2000): 177 millones de euros[1] Sede: Nueva York
Imputaciones	**Abusos en empresas proveedoras**

La Tommy Hilfiger Corporation fue fundada en 1989. Dedicada al diseño y a las tendencias en la moda, la empresa vende, sobre todo, indumentaria para gente joven. Hay sucursales y franquicias otorgadas en más de 50 países del mundo.

"Con la ayuda de los fabricantes locales (...) Tommy Hilfiger USA Inc. ha implantado —ya sea en forma consciente, por negligencia o indolencia— un sistema de esclavitud." Tal un extracto de la demanda colectiva iniciada contra la empresa en enero de 1999 por un abogado norteamericano.[2] Al menos 25.000 operarias de Tailandia, China y las Filipinas fueron atraídas con falsas promesas hacia la isla de Saipan, en el Pacífico; luego se vieron obligadas a trabajar en condiciones desastrosas, cosiendo prendas para firmas tan honorables como Tommy Hilfiger, Gap, Ralph Lauren, Donna Karan y otras.

¿Por qué precisamente hacia Saipan? Esa isla tiene la ventaja de ser un protectorado norteamericano. Todo lo que allí se fabrica puede llevar la inscripción "Made in USA". Esto estimula las ventas y significa un ahorro para las empresas, que no deben pagar tasas de importación.

Las trabajadoras informaron acerca de los siguientes vejámenes y abusos:[3]

Al llegar a Saipan, las mujeres eran sometidas a tests hormonales, ya que no querían embarazadas. Una mujer embarazada fue obligada por la dirección de la empresa a tomar una píldora abortiva. La que iba tres veces al baño era despedida. A algunas trabajadoras les quitaron el pasaporte en el aeropuerto mismo para que renunciaran a cualquier intento de huir. Los golpes estaban a la orden del día. Había alojamientos en los que debían convivir hasta doce mujeres en 20 metros cuadrados.

A todo esto, en la página web de Tommy Hilfiger puede

leerse la orgullosa frase: "En los últimos cinco años, hemos realizado inversiones destinadas a muchas organizaciones de ayuda humanitaria."[4]

Cuando la demanda colectiva salió a la luz, en 1999, varias cadenas norteamericanas de grandes tiendas se declararon inmediatamente dispuestas a hacer un pago salarial compensatorio por un monto millonario. Tommy Hilfiger necesitó un poco más de tiempo. En principio, se rescindieron los contratos con las empresas proveedoras. Resulta fácil imaginar cuáles fueron las consecuencias: menos trabajo en las empresas, desempleo para las mujeres.

El 28 de marzo de 2000 Tommy Hilfiger emitió un comunicado de prensa[5] por el cual anunciaba que se realizarían esfuerzos para financiar un control independiente de las condiciones laborales en las plantas proveedoras y para asegurar el pago de los salarios pendientes. Asimismo, la empresa se comprometió a cumplir rigurosamente con determinados estándares mínimos en las fábricas.

Habrá que ver si Hilfiger se atiene a esto. Cabe recordar que la empresa ya tenía su propio código social (*code of conduct*) mucho antes de que se conocieran las condiciones existentes en Saipan.

Qué podemos hacer

Si la posibilidad está a su alcance, elija únicamente aquellas empresas de indumentaria en las cuales la procedencia del producto pueda ser verificada. O bien dirija su protesta a la dirección central de la empresa: Tommy Hilfiger Corporation, 25 West 39th Street, New York, NY, EE.UU., fax: (1-212) 5481965

Información adicional

http://www.sweatshopwatch.org/swatch/marianas/help.html
Información sobre el proceso de Saipan.
http://www.nlcnet.org/saipan/complaint.htm
Texto de la demanda colectiva contra Tommy Hilfiger y otras empresas.

TOTALFINAELF S.A.

"Socio en la vida cotidiana"

Productos, marcas	Combustibles y otros productos derivados del petróleo, gasolineras de las marcas Total, Fina y Elf. A TotalFinaElf también pertenece Hutchinson, una empresa dedicada a la industria del caucho cuya filial Mapa produce artículos para bebés de la marca Nup y condones de las marcas Blausiegel, Fromms, R3, Big Ben y Billy Boy.
Página web	http://www.totalfinaelf.com
Datos de la firma	Ventas (2000): 114.000 millones de euros Utilidad antes de impuestos (2000): 13.600 millones de euros[1] Empleados: 130.000 Sede: París
Imputaciones	**Colaboración con dictaduras militares en África y Asia, financiamiento de guerra civil y tráfico de armas, destrucción del sustento vital en regiones petrolíferas** TotalFinaElf es una fusión de las compañías Total, PetroFina y Elf Aquitaine, y constituye la cuarta empresa petrolera a nivel mundial. El grupo empresarial posee reservas en 40 países del mundo, las cuales se estiman en 10.000 millones de barriles de petróleo y permiten extraer unos 2,1 millones por día. Cada vez que se producen graves violaciones a los derechos humanos por algún tema relacionado con el petróleo, casi con seguridad está involucrada TotalFinaElf. Hay lugares donde otras multinacionales se mantienen a cubierto debido a las condiciones escandalosas, pero la empresa francesa parece no tener escrúpulos ni siquiera allí. Por ejemplo, Total continúa operando en Myanmar (ex Birmania), cuya dictadura militar ha llevado el maltrato contra la propia población y la crueldad a tal extremo que incluso Texaco, la multinacional petrolera de origen norteamericano, decidió retirarse del país. En la región de extracción la gente fue expulsada en forma compulsiva mediante la fuerza de las armas. Los informes hablan de trabajos forzados y ejecuciones arbitrarias, y la líder opositora y ganadora del Premio Nobel de la Paz, la birmana Aung San Suu Kyi, considera que Total se ha convertido en el "mejor sostén" del régimen militar.[2] En Sudán, el régimen militar local también interviene con dureza en las regiones petroleras situadas al sur

del territorio para facilitarles la vida a las empresas extranjeras. Las agrupaciones de derechos humanos arremeten contra las compañías petroleras que operan en dicho país, como TotalFinaElf, Agip y la austríaca OMV, acusándolas de colaborar con las fuerzas militares de carácter fundamentalista islámico. Financiadas por los ingresos derivados del petróleo, éstas llevan adelante una guerra contra sus compatriotas.

Algo similar ocurre en Angola. Allí la empresa francesa Elf, al igual que la *crème de la crème* de la corrupción política gala, financia la guerra encarada por la autocracia del presidente José Eduardo Dos Santos (ver "Petróleo").

A comienzos de febrero de 2001 fue arrestado el ex director de Elf Aquitaine, Alfred Sirven, un prestidigitador de los millones y Gran Maestro de la corrupción. Durante la etapa de privatización de la refinería Leuna, en la región oriental de Alemania, Sirven repartió abundantes comisiones, llegando incluso a sobornar aparentemente a los políticos alemanes de la Unión Cristiano-Demócrata (CDU). Leuna fue a parar a Elf. Allí se procesa el crudo procedente de los oleoductos rusos. Según Greenpeace, los conductos son tan defectuosos que cada año se derraman 15 millones de toneladas del "oro negro" y así se forman gigantescas lagunas de petróleo (ver capítulo "Petróleo").

Qué podemos hacer

Las entidades de derechos humanos de Myanmar convocan a un boicot. Protestas a: Press department, 2 place de la Coupole, La Défense 6, 92400 Courbevoie, Francia, tel.: (33) 147443776, fax: (33) 147446821; http://www.totalfinaelf.com/ho/en/tools/contact/index.htm

Información adicional

http://www.zensiert-durch-elf.de
Campaña de Greenpeace contra Elf.
http://www.oneworld.org/globalwitness
El petróleo y la guerra en Angola.
http://www.freeburma.org
Información y links de la oposición al régimen militar en Myanmar.

TRIUMPH INTERNATIONAL

"Fashion and so much more"

Productos, marcas	Lencería, pijamas, ropa de baño
Página web	http://www.triumph-international.ch
Datos de la firma	Ventas (2000): 1.500 millones de euros Empleados: 35.634[1] Sede: Zurzach (Suiza)
Imputaciones	**Colaboración con dictadura militar, explotación y represión en empresas proveedoras**

Colaboración con dictadura militar, explotación y represión en empresas proveedoras

Esta empresa suiza, fabricante de lencería y ropa de baño, es líder en el mercado europeo. Surgió en 1886 como fabricante de corsés en el sur de Alemania, donde aún hoy continúa diseñándose una buena parte de los modelos. Luego de la Segunda Guerra Mundial, Triumph estableció filiales en toda Europa Occidental y, posteriormente, hizo lo propio en Asia y en Latinoamérica. La sede central, con sus 140 empleados administrativos, fue trasladada entretanto a Suiza.

Triumph carece de un código de conducta que aluda al respeto de los derechos humanos; sólo tiene un "ideario", que parece ser insuficiente para abordar temas tales como el derecho de sindicalización, los horarios de trabajo y los salarios dignos.[2]

La principal imputación está ligada al hecho de que Triumph posee una fábrica en Myanmar (Birmania). El alquiler del terreno donde se encuentra emplazada la planta fue otorgado a la empresa por el régimen militar de ese país. (En relación con la situación política de Myanmar, compárese la ficha de Procter & Gamble.)[3]

Otro tema tiene que ver con lo ocurrido en las Filipinas en febrero de 2000: de acuerdo con lo expresado por la delegación suiza de la Campaña Ropa Limpia, tropas de combate alistadas por la dirección de la firma y fuerzas policiales pusieron fin de manera violenta a una huelga declarada contra la empresa luego de que ésta se rehusara a pagar salarios que cubrieran mínimamente el costo de vida. Durante la represión, unos cien activistas sindicales resultaron heridos, y ocho de ellos fueron arrestados. Por temor a perder el empleo, los huelguistas retornaron a comienzos de marzo a sus puestos de trabajo. Sin embargo, los 21 miembros de la dirección del sindicato fueron despedidos.[4]

Nota:
Tras publicarse la primera edición del libro, Triumph se

286

retiró de Myanmar. Vale recalcar este hecho, que bien podría estar motivado, al menos en parte, por la repercusión de este trabajo.

Qué podemos hacer   Protestas a: Charlotte Hagenauer, Public Relations, Promenadenstr. 24, CH-5330 Zurzach, Suiza, tel. (41-56) 2699191, fax (41-56) 2699203.

Información adicional   http://www.cleanclothes.ch/d/triumph.htm
Campaña Ropa Limpia en Suiza.
http://www.cleanclothes.org/companies/triumph.htm
Clean Clothes International acerca de Triumph.
http://www.freeburma.org
Información y links de la oposición al régimen militar en Myanmar.

UNILEVER GROUP

Unilever

"Acompañamos su día..."

Productos, marcas

Productos alimenticios de las marcas BiFi, Becel, Bresso, Calvé, Colman's, Du darfst, Iglo, Knorr, Langnese, Lätta, Lipton, Magnum, Rama, Tchaé, etc. Detergentes y artículos de limpieza de las marcas Cif, Coral, Domestos, Omo, Sunil, Viss, etc. Productos para el cuidado del cuerpo y cosméticos de las marcas Axe, Calvin Klein, Dove, Elizabeth Arden, Lagerfeld, Lux, Mentadent, Organics, Rexona, Signal, Timotei, Vaseline, etc.

Página web

http://www.unilever.com

Datos de la firma

Ventas (2000): 47.000 millones de euros
Utilidad antes de impuestos (2000): 2.700 millones de euros[1]
Empleados: 246.000
Sede: Londres y Rotterdam

Imputaciones

Destrucción de estructuras comerciales locales en África y Asia, explotación a través de los proveedores de materias primas
Unilever surgió en 1930 a partir de la fusión entre una empresa holandesa de margarina (Unie) y una fábrica de jabones inglesa (Lever Brothers). "Todo desde una materia prima" fue durante largo tiempo el eslogan de la compañía. Los productos residuales como el orujo se procesaban para obtener forraje. La glicerina, un derivado de la fabricación del jabón, se utilizaba en la industria de explosivos.
La empresa tomó parte en la explotación colonial de África ya desde 1911. Por entonces, en el Congo Belga la población era despojada de grandes tierras para favorecer la obtención del aceite de palma, un producto utilizado en la fabricación de jabones de Lever. Luego sobrevinieron plantaciones en numerosos países africanos.[2] Además, a la empresa se la acusa de haber colaborado con el régimen del apartheid en Sudáfrica.[3]
Unilever es quien obtiene el mayor usufructo de las plantaciones en África. La empresa lleva a cabo una durísima política basada en la expoliación, mediante la cual destruye numerosos establecimientos locales y fomenta la explotación de los trabajadores agrícolas. Por ejemplo, en Kenia y Tanzania (y también en la India), Unilever ha ejercido una enorme presión sobre el precio del té, cuya industria se encuentra en buena medida en manos de la empresa británica. Esta pre-

sión ha traído como consecuencia salarios extremadamente bajos y condiciones de trabajo precarias.[4]

En marzo de 2001, activistas de Greenpeace pusieron la mira sobre una subsidiaria de Unilever en la India, ya que su contaminación ambiental constituía un riesgo para la vida del lugar. Portando máscaras antigás y guantes de goma, los ecologistas protestaron en la localidad turística de Kodaikanal. En el terreno cercado por los manifestantes había barriles y sacos abiertos con desechos de mercurio y termómetros rotos, todo lo cual había sido depositado en forma ilegal por una filial de la multinacional.[5]

Qué podemos hacer

Eleve su protesta a: Unilever PLC London, P O Box 68, London, EC4P 4BQ, Inglaterra, tel.: (44-0) 207822 5252, fax: (44-0) 207822 5951, http://www.unilever. com/company/contactus/

Información adicional

http://www.mcspotlight.org/beyond/companies/ unilever.html
Compilación de una serie de imputaciones —en su mayoría, imputaciones de larga data— realizadas contra la empresa.
Verein Partnerschaft 3.Welt (editor): *Einkaufen verändert die Welt. Die Auswirkungen unserer Ernährung auf Umwelt und Entwicklung.* Schmetterling Verlag, Stuttgart 2000. Solicítelo al teléfono (49-6151) 21911.

WAL-MART STORES INC.

WAL★MART

Productos, marcas	Comercios minoristas y supermercados Wal-Mart, con las marcas comerciales "Great Value" y "Smart Price"
Página web	http://www.walmartstores.com
Datos de la firma	Ventas (2000): 197.000 millones de euros Ganancias (2000): 6.500 millones de euros[1] Empleados: 1.240.000 Sede: Bentonville (Arkansas, EE.UU.)
Imputaciones	**Explotación en empresas proveedoras, relaciones comerciales en el marco de una dictadura militar** En 1962 Sam Walton inauguró su primera tienda Wal-Mart en EE.UU. La firma creció hasta convertirse en la mayor cadena de supermercados del mundo, con más de 3.000 comercios en EE.UU. y una cifra superior a 1.000 en el exterior. En 1998 Wal-Mart adquirió 74 negocios de la Spar Handels AG en Alemania, y en la actualidad cuenta allí con una planta de 17.400 empleados en 94 supermercados. A continuación, la filosofía de la empresa según su fundador, Sam Walton: "Nosotros trabajamos todos juntos; ése es nuestro secreto." Para comprender con claridad lo que esto significa, conviene recurrir a un documento interno, la Guía para el Management:[2] "Como integrante del Equipo de Management de Wal-Mart, usted es nuestra primera línea de defensa contra una organización sindical. Es importante que usted (...) se mantenga siempre alerta para evitar que un sindicato organice a los trabajadores." En Alemania, sin embargo, Wal-Mart se atiene a las disposiciones legales, que permiten la organización sindical en las empresas. Uno de los secretos del éxito de Wal-Mart radica en los bajos salarios que paga en EE.UU. a sus empleados menos calificados.[3] Numerosos ejemplos indican además que las empresas proveedoras de Wal-Mart ubicadas en el denominado Tercer Mundo no respetan los estándares mínimos en cuanto a la remuneración de los empleados, al tiempo que toleran la violación de los derechos humanos. En 1999, en la fábrica Beximco de Bangladesh (proveedora de productos para Wal-Mart), los empleados debían trabajar en las siguientes condiciones:[4] jornadas laborales de doce horas y media, siete días a la semana, casi sin días libres; el pago oscilaba entre los

9 y los 21 centavos de euro por hora, quedando así entre un 40 y un 70 por ciento por debajo del salario mínimo que establece la ley.

Al igual que el resto de las firmas que operaban en la zona de libre comercio de Bangladesh, la empresa proveedora Beximco gozaba de una exención impositiva. Bangladesh, uno de los países más pobres del mundo, tiene alrededor de 125 millones de habitantes. En 1999 el PIB fue de aproximadamente 47.000 millones de euros. Las cifras de venta de Wal-Mart, que contaba con casi 1 millón de empleados distribuidos en todo el mundo, treparon por entonces a 172.000 millones de la misma moneda.[5]

Numerosas multinacionales rompieron todo tipo de relación comercial con Myanmar (ex Birmania), por ejemplo la empresa textil Levi Strauss (ver capítulo "Petróleo"). He aquí el fundamento: "Es imposible hacer negocios en Birmania sin apoyar directamente al Gobierno militar y a sus graves violaciones de derechos humanos."[6]

En agosto de 2000, Wal-Mart fue sorprendida *in fraganti*:[7] importando mercaderías desde la dictadura militar de Myanmar hacia Canadá, pese a que el Gobierno canadiense, debido a las constantes violaciones de derechos humanos, había exigido a todas las firmas que interrumpieran sus relaciones comerciales con Birmania.[8]

En junio de ese mismo año, un vocero de prensa de Wal-Mart había asegurado que la empresa no importaba mercaderías de Myanmar y que tampoco planeaba hacerlo en el futuro.[9]

En mayo de 2000, los trabajadores de una empresa proveedora en Nicaragua exigieron que les aumentaran el salario en un monto equivalente a 8 centavos de euro por hora. A raíz de esta medida fueron despedidos 700 trabajadores, y con ellos todos los sindicalistas. Tras una larga lucha en los tribunales, el 10 de mayo de 2001 la firma aceptó reincorporar a cuatro sindicalistas y diecisiete trabajadores.[10]

Qué podemos hacer

Eleve su protesta a: Wal-Mart Stores Inc., Bentonville, Arkansas, EE.UU., 72716-8611, tel. (1-479) 2734314

Información adicional

http://www.nlcnet.org
El National Labor Committee es una agrupación norteamericana de derechos humanos que apunta a lograr relaciones comerciales justas en el plano internacional y a garantizar los derechos de los trabajadores.

APÉNDICE

NOTAS GENERALES

El poder de las marcas y los derechos humanos

[1] "Nigeria protests prompt development moves", *Financial Times*, 22.2.2001; importe en dólares estadounidenses: 53 millones. Debido a las fuertes oscilaciones en el tipo de cambio, en este libro hemos utilizado de manera uniforme la paridad promedio del año 2000 (0,92 dólar por euro)

[2] "Whose Globe?", *Business Week* 45/2000

[3] "Ogoni Wars: Arms Were Sponsored By Shell", *This Day*, Lagos, 25.1.2001

[4] "Brücken bauen", *Wirtschaftswoche* 48/2000

[5] "Eine Mine ist (k)eine Mine", http://www.dfg-vk.de/abruestung/abrmine2.htm

[6] Ver http://www.kritischeaktionaere.de/Konzernkritik/DaimlerChrysler/DCagb01/DCagb01f/dcagb01f.html

[7] Naomi Klein: *No logo: el poder de las marcas*. Buenos Aires, Paidós 2002, capítulo 16

[8] Ibídem, capítulo 16

[9] "Brücken bauen", *Wirtschaftswoche* 48/2000

[10] Ibídem

[11] Catálogo de Ikea 2001, pág. 19

[12] Ver, por ejemplo, "Wieder Kritik an Ikea wegen Kinderarbeit", *Berliner Zeitung*, 24.12.1997

[13] Entrevista con Klaus Werner, 11.12.2000

[14] Entrevista con Klaus Werner, 11.12.2000

[15] Información de prensa de la OIT, 18.6.1998

[16] "Kämpfer an globaler Front", *Die Zeit* 28/2000

[17] "The Stars of Europe", *Business Week*, 6.12.2000

[18] "Kämpfer an globaler Front", *Die Zeit* 28/2000

[19] Ulrich Beck: "Die Macht der Ohnmacht", *Stern* 6/2001

[20] Amartya Sen: *Desarrollo y libertad*. Editorial Planeta, Barcelona, España 2000

[21] La organización Transparency International ofrece documentación sobre el alcance de esta corrupción y su distribución regional, http://www.transparency.org

[22] "Gute Geschäfte mit der Ware Mensch", *Format* 17/2001

[23] Kevin Bales: *Die neue Sklaverei*. Kunstmann Verlag, Munich 2001

[24] "Blutiger Kakao", *Der Spiegel* 17/2001

[25] Entrevista con Klaus Werner, 6.12.2001

[26] John Le Carré: *El jardinero fiel*. Plaza & Janés, Barcelona 2001

[27] Ley Fundamental de la República Federal de Alemania, Derechos Fundamentales, Artículo 14

[28] "Abiti Benetton cuciti in Turchia da bimbi", *Corriere della Sera*, 12.10.98

[29] Jeremy Rifkin: *Access. Das Verschwinden des Eigentums*. Campus Verlag, Francfort/ Nueva York 2000, pág. 230

[30] Ibídem, pág. 231

[31] Klein, *No logo*, capítulo 1

[32] Ibídem, "Introducción"

[33] "An alle Aktivisten: Zieht euch warm an", *die tageszeitung*, 13.1.2001

[34] http://www.ips-dc.org/downloads/Top_200.pdf

[35] "DaimlerChrysler besitzt die teuersten Marken in Deutschland", *Financial Times Deutschland*, 12.10.2000

Industria electrónica

[1] Nombre cambiado

[2] "Preliminary Findings Indicate Some Two and a Half Million Deaths in Eastern Congo Conflict", comunicado de prensa del International Rescue Committee, 30.4.2001

[3] Ibídem

[4] Bulletin hebdomadaire d'information 48 pour l'Afrique Centrale et de l'Est. UN OCHA Integrated Regional Information Network for Central and Eastern Africa (IRIN-CEA), 1.12.2000

[5] Sixth report of the Secretary-General on the United Nations Organization Mission in the Democratic Republic of the Congo, 12.2.2001

[6] UN Security Council Report SC/6962, 28.11.2000

[7] Report of the Panel of Experts on the Illegal Exploitation of Natural Resources and Other Forms of Wealth of the Democratic Republic of the Congo, Consejo de Seguridad de las Naciones Unidas, 12.4.2001, ver http://www.un.org/Docs/sc/letters/2001/357e.pdf

[8] "Etappensieg für den Abenteurer", *Der Spiegel* 52/2000

[9] Entre los años 1999 y 2000, las ventas se elevaron de 435 a 665 millones de euros. La página web de la empresa señala que "esta alentadora expansión en las ventas puede atribuirse básicamente a la coyuntura favorable en el campo de las telecomunicaciones, pero también al tipo de cambio exhibido por el dólar estadounidense y el yen". (http://www.hcstarck.de)

[10] Entrevista con Klaus Werner, 30.1.2001

[11] Dominic Johnson: "Ein Minister will sich bilden", *die tageszeitung*, 21.11.2000

[12] Dominic Johnson: "Erzfeinde im Coltan-Rausch", *die tageszeitung*, 22.12.2000

[13] Otro que quiso conocer más detalles sobre la procedencia del misterioso material fue Philipp Mimkes, de la Coordinación contra los Peligros de Bayer. Pero el representante de esta organización (que observa con una mirada crítica a la empresa debido a su pasado nazi y a la fabricación de productos químicos sumamente peligrosos) tampoco obtuvo respuesta "por razones ligadas a la competencia". Lo único que le hicieron saber es "que las principales fuentes de materia prima del tántalo no se encuentran en África". (Fax enviado por H. C. Starck a la Coordinación contra los Peligros de Bayer, 5.12.2000)

[14] Entrevista con Klaus Werner, 30.1.2001

[15] Entrevista con Klaus Werner, 23.1.2001

[16] Entrevista con Klaus Werner, 31.1.2001. Lo último que registró su instituto fue una tonelada de tantalita en 1994 (una cantidad mínima, si se la compara de manera global). Luego, nada más. En la tabla relativa a Ruanda —esta tabla es relevante, dado que los

ruandeses, como fuerza de ocupación en el Congo oriental, son los propios beneficiarios—aparecen unas 25 toneladas anuales, cifra que tampoco resulta demasiado significativa. Fuentes: US Geological Survey: The Mineral Industry of Congo (Kinshasa), The Mineral Industry of Rwanda

[17] En la actualidad, la producción anual mundial se estima en 2.500 toneladas de pentóxido de tántalo (Ta_2O_5). La tantalita proveniente del Congo (coltan) tiene en promedio un grado de pureza del 20%, es decir que con 200 toneladas mensuales de coltan se obtienen más o menos 480 toneladas de Ta_2O_5 al año. Ni siquiera desde Australia (país que según cifras oficiales es, por amplio margen, el mayor productor) se exporta una cantidad superior

[18] Entrevista con Klaus Werner, 31.1.2001

[19] Por ejemplo: http://www.cbn.co.za, http://www.goldseek.com, http://tradezone.com o http://www.emb.com

[20] Ver http://www.equatorialsafaris.co.tz

[21] http://www.cbn.co.za/tradeenquiries/trd_evaporating_tantalite.htm

[22] http://www.emb.com/bbs/messages/386.html

[23] Las casillas de correo electrónico pueden obtenerse gratuitamente en http://www.gmx.net, en www.hotmail.com, etc.

[24] "Deutsches Geld für Kongos Krieg", *die tageszeitung*, 4.4.2001

[25] Pierre Lumbi, Observatoire Gouvernance-Transparence (OGT): "Guerre en Rdc: ses enjeux économiques, intérêts et acteurs", abril de 2000

[26] Report of the Panel of Experts on the Illegal Exploitation of Natural Resources and Other Forms of Wealth of the Democratic Republic of the Congo, Consejo de Seguridad de las Naciones Unidas, 12.4.2001

[27] Dos meses después (el 4.4.2001), Born le contaría al "tageszeitung" lo siguiente: "A mí no me consta que Somigl invierta en las minas. Ellos ganan una cantidad infernal de dinero, y el dinero no retorna." En su opinión —según el taz—, los importadores de tántalo deberían contribuir a mejorar las condiciones de vida en las regiones de extracción, por ejemplo en el Congo

[28] "Deutsches Geld für Kongos Krieg", *die tageszeitung*, 4.4.2001

[29] Entrevista con Klaus Werner, 18.2.2001

[30] Comunicado de prensa de Refugees International, 24.4.2001

[31] Entrevista con Klaus Werner, 17.2.2001

[32] UN Office for the Coordination of Humanitarian Affairs (OCHA), *DRC Monthly Humanitarian Bulletin*, mayo/junio de 2000

[33] Entrevista de Klaus Werner con el vocero del RCD, Jean-Pierre Lola Kisanga, 17.2.2001

[34] La Gesellschaft für Elektrometallurgie (GfE) es una filial de la empresa metalúrgica norteamericana. Según el informe de la ONU sobre la explotación ilegal de materias primas en el Congo, el socio de Karl-Heinz Albers en Somikivu es el congoleño Emmanuel Kamanzi, hombre de negocios y ex jefe de finanzas de los rebeldes del RCD

[35] Dentro de los círculos diplomáticos, Albers no es ningún desconocido (especialmente a partir del litigio con el acaudalado austríaco Michael Krall). El apellido Krall, cuyo portador goza de buenos contactos tanto con el cónsul honorario de Austria como con los máximos círculos del poder en Uganda, aparece mencionado una y otra vez en los informes sobre tráfico de armas en África Central. Albers está enredado en un forcejeo con Krall debido a que ambos aseguran poseer los derechos sobre la mina de niobio en Lueshe. Aparentemente Krall habría obtenido la concesión por parte del ya fallecido presidente congoleño Laurent Kabila. Esta

declaración carece de valor, dado que, desde el estallido de la guerra, Lueshe se encuentra bajo el control de los aliados de Ruanda. De esta manera ha surgido una situación grotesca, en la que una empresa austríaca y otra alemana se disputan el predominio y la explotación de las materias primas en el Congo. Un embajador, que en el pasado fue asignado a esta región y que no quiso indicar su nombre, dice que una cosa está clara: "Allí tienen lugar los artilugios más increíbles. Allí hay empresas europeas que están involucradas en los crímenes más terribles"

[36] Todas las citas siguientes provienen de entrevistas telefónicas, realizadas por Klaus Werner el 28 de febrero y el 2 de marzo de 2001

[37] Masingiro está inscripta desde abril de 1996 como S.R.L. en el Registro Comercial de Nuremberg y tiene su sede en una casa de familia de la localidad alemana de Burgthann, donde asimismo vive la directora de la empresa, Rita Breyl. El registro mencionado consigna como rubro comercial "recursos técnicos para la explotación de riquezas del subsuelo"

[38] Albers habla de 200 toneladas de preconcentrado, con un grado de pureza promedio del 20% de Ta_2O_5

[39] Según el "Informe de la ONU sobre la Explotación Ilegal de Materias Primas en el Congo", solamente entre noviembre de 1998 y abril de 1999 se habrían exportado 1.000-1.500 toneladas de coltan desde la región

[40] Precio por un kilogramo de coltan de mediana calidad según el "Informe de la ONU sobre la Explotación Ilegal de Materias Primas en el Congo"; sin embargo, para marzo de 2001, el precio había vuelto a retroceder hasta situarse en alrededor de 100 dólares estado-unidenses por kilo

[41] El "Washington Post" presume que aproximadamente la mitad del coltan congoleño desembarca en H. C. Starck ("Vital Ore Funds Congo War", 19.3.2001)

[42] De esta manera, Albers confirma los rumores que existen al menos desde junio de 1999, es decir casi un año después del comienzo de la guerra. Por entonces, un periodista norteamericano afirmó que H. C. Starck (filial de Bayer, el fabricante de la aspirina) estaba involucrada en una *joint venture* cuyo objetivo era explotar un metal de gran importancia para las tecnologías occidentales (ver http://www2.minorisa.es/inshuti/businb.htm). Entre las firmas mencionadas, se encontraban asimismo un banco ruandés, la delegación suiza de la Banque Nationale de Paris y una empresa norteamericana llamada Kenrow. A esta última también se hizo alusión en un sonado artículo publicado en octubre de 1999 por *Le Monde Diplomatique* (Colette Braeckman: "Carve-up in the Congo", *Le Monde Diplomatique* 10/1999). Allí se analizan las conexiones entre las rique-zas del subsuelo y la guerra del Congo. El artículo otorga una gran importancia a los yacimientos congoleños de coltan, indicando que el 80% de las reservas mundiales se encuentra en África y que, a su vez, el 80% de las reservas africanas están en la Repú-blica Democrática del Congo. Por otra parte, la autora de la nota destaca que la sociedad ruandesa Sogermi, especializada en la extracción del tántalo, ha procurado establecer una *joint venture* con firmas occidentales. "Tuvimos la idea de hacer algo con las que producen entre cinco y diez toneladas al mes", dice Albers. Pero señala que Kenrow, en cambio, ha perdido protagonismo hace rato

[43] "Electronics, superalloys markets fuelling tantalum demand growth", *American Metal Market*, 18.9.2000

[44] "Erkis seeking partner for Zaire tantalum", *American Metal Market*, 9.1.2001

[45] Metallurg International es la empresa matriz de la Sociedad Electrometalúrgica (GfE) de Alemania. La GfE participa con un 70% en la mina de niobio de Lueshe (Congo) y tiene como gerente a Karl-Heinz Albers

[46] Report of the Panel of Experts on the Illegal Exploitation of Natural Resources and Other Forms of Wealth of the Democratic Republic of the Congo, Consejo de Seguridad de las Naciones Unidas, 12.4.2001

[47] UN OCHA Integrated Regional Information Network for Central and Eastern Africa: Bulletin quotidien d'information Nº 1205 pour la région des Grands Lacs, 21.5.2001

Medicamentos

[1] Versión en español de la Declaración de Helsinki de la Asociación Médica Mundial, versión original de 1964, enmendada por la 52ª Asamblea General, Edimburgo, Escocia, octubre 2000

[2] En 1996, Ciba y Sandoz se fusionan para formar Novartis

[3] Kurt Langbein, Hans-Peter Martin, Hans Weiss: *Gesunde Geschäfte. Die Praktiken der Pharma-Industrie*. Kiepenheuer und Witsch, Colonia 1981

[4] Ibídem, pág. 143-148

[5] http://www.trasylol.com

[6] Langbein/Martin/Weiss, *Gesunde Geschäfte*, págs. 149-151

[7] Revista arznei-telegramm 12/1988, pág. 109-110

[8] Un buen panorama ilustrado con numerosos ejemplos se ofrece en: Thomas Bodenheimer, en *NEJM* (*New England Journal of Medicine*), Vol. 342, Nº 20, 18.5.2000; Thomas Bodenheimer, en: Transcript of the Conference on Human Subject Protection and Financial Conflicts of Interest, 15.8.2000, publicada en http://ohpr.osophs.dhhs.gov/coi/8-15.htm; David Rothman: "The Shame of Medical Research", en *The New York Review of Books*, 30.11.2000; Peter Lurie & Sidney M. Wolfe: Clinical Trials and Patient Safety; Testimony before the Committee on Government Reform and Oversight, U.S. House of Representatives, 22.4.1998, en http://home.kscable.com/madpride/bioethics/placebo.htm; Editorial, en *NEJM*, Vol. 337, Nº 12, 18.9.1997, págs. 817-849; *British Medical Journal*, Vol. 321, 12.8.2000, pág. 442-445; "Drugs Trials Hide Conflicts for Doctors", en *New York Times*, 16/5/1999; "Medical Journal Cites Misleading Drug Research", en *New York Times*, 10.11.1999; Benjamin Djulbegovic y otros: "The uncertainty principle and industry-sponsored research", en *The Lancet*, Vol. 356, Nº 9230, 19.8.2000; "Education and Debate: Clinical equipoise and not the uncertainty principle is the moral underpinning of the randomised controlled trial", en *British Medical Journal*, 23.9.2000

[9] Ejemplos del modus operandi de los laboratorios:
— Se buscan investigadores que dependen económicamente de la compañía.
— Los honorarios que ofrecen son tan elevados que se hace difícil adoptar una postura crítica.
— Las investigaciones se trasladan de las universidades independientes a organiza ciones de investigación privada que dependen de proyectos de las compañías (las llamadas Contract Research Organizations/CRO o Site Management Organiza tions /SMO)
— Los ensayos clínicos se llevan a cabo en países donde hay leyes menos estrictas que en EE.UU. o Europa Occidental.
— Durante el ensayo, el medicamento se compara con otros de dudosa efectividad.
— Se utilizan dosis sustancialmente más elevadas que las normales.
— Para los ensayos se utilizan únicamente pacientes de mediana edad y completa-

mente sanos, a pesar de que el medicamento esté pensado para pacientes de edad avanzada y con diversos trastornos de salud.

— El análisis de los datos obtenidos se realiza en la compañía misma. De ese modo pueden corregirse fácilmente los resultados inconvenientes. Los resultados negativos van a parar a la caja fuerte y no se publican jamás.

— A la hora de publicarse los resultados en revistas especializadas, hasta los últimos detalles se preparan en los laboratorios. Aunque los investigadores no escriben nada, sus nombres figuran en las publicaciones como si ellos hubiesen sido los autores.

— Aquellos investigadores que protestan e insisten en publicar resultados inconvenientes son silenciados por todos los medios, sufriendo desde detenciones hasta campañas difamatorias.

[10] Philip Joos: Explaining Cross-sectional Differences in Unrecognized Net Assets in the Pharmaceutical Industry; Working Paper, Stanford University, 13.1.2000

[11] *The New York Times*, 16.5.1999; "The Body Hunters", *The Washington Post*, 17-22.12.2000

[12] "The Body Hunters", *The Washington Post*, 18.12.2000

[13] http://www.google.com

[14] El texto original: "It is a good feeling that you contacted us. Naturely we would like to take part in clinical trial of this very promising new antidepressant. We are in contact with other sites (in- and outpatients services) with clinical experiences. Of course we handle the details confidentially"

[15] http://w3.datanet.hu/~psych/Metodikaindex.htm (entretanto modificado por: http://www.tebolyda.hu/fontos/Metodikaindex.htm)

[16] Si uno observa, por ejemplo, el informe de actividades del pabellón de Psiquiatría del Hospital General de Viena (http://www.akh-wien.ac.at/generalpsychiatry/JB96.pdf), puede comprobar que los fondos para la investigación otorgados por organismos oficiales están minuciosamente listados, pero que, en cambio, no hay ninguna referencia al dinero proveniente de la industria farmacéutica. ¿Señal de que tienen la conciencia sucia?

[17] http://www.google.com Conceptos de búsqueda: aripiprazole research usa volunteers

[18] Universidad de California, Donald M. Hilty, Medical Doctor: dos ensayos, uno de los dos controlado con placebo, por los cuales recibió u$s 190.000 y u$s 103.000 en concepto de honorarios. Universidad de Southern Illinois, D. McManus: un ensayo controlado con placebo, con una retribución de u$s 232.000. Universidad de Texas, Dr. Alexander Miller: cuatro estudios, a cambio de un total de u$s 420.250 en concepto de honorarios. Universidad Mercer en Atlanta, Dr. Michael W. Jann: dos ensayos controlados con placebo a cambio de una retribución de u$s 594.000

Algunos médicos o clínicas buscan pacientes para participar en esos ensayos directamente en Internet, aclarándoles que pueden llegar a ser tratados con un placebo en lugar de con un medicamento efectivo. En el Hartford Hospital del Estado de Connecticut, al norte de Nueva York, un médico de nombre J.W. Goethe está realizando tres ensayos con aripiprazol, dos de los cuales son controlados con placebo

[19] "A Strategy For Growth". En http://www.bms.com/static/growth/index.html

[20] Michael F. Mee, en Investment Community Meeting, http://www.bms.com/static/growth/index.html

[21] *Der Standard*, 7.3.2001 y 10-11.3.2001

[22] Ch. H. Stuppäck: "Risperidon in der Behandlung akuter und chronischer Schizophrenie", *Neuropsychiatrie*, tomo 13. 1/1999, págs. 18-22

[23] Ch. H. Stuppäck: "Eine Anwendungsbeobachtung mit Milnacipran", Jatros Neurologie/*Psychiatrie* 5/2000

[24] *The Washington Post*, 12.12.1999, pág. A1

[25] Ibídem

[26] TRIPS es la abreviatura de Trade Related Intellectual Property Rights

[27] Bartolomäus Grill: "Theater um HIV", *Die Zeit* 51/2000; Helen Epstein: "The Mystery of AIDS in South Africa", *The New York Review of Books*, 20.7.2000, pág. 50

[28] Helen Epstein: "The Mystery of AIDS in South Africa", *The New York Review of Books*, 20.7.2000, págs. 50-55

[29] "World Trade Organization Evil Triumphs in a Sick Society", *Guardian of London*, 12.3.2001

[30] Cita extraída del *Financial Times*, 18.4.2001

[31] Helen Epstein: "The Mystery of AIDS in South Africa", *The New York Review of Books*, 20.7.2000, págs. 50-55

[32] "Mbeki Questions HIV Testing", en http://www.worldaidsnews.com, 24.4.2001

[33] "Protests against Mbeki government", en http://www.rsa-overseas.com

[34] Según http://www.unaids.org/hivaidsinfo/statistics/june00/

[35] Peter Lurie, Sidney M. Wolfe: "Unethical Trials", NEJM, volumen 337, N° 12, 18.9.1997, págs. 853-855; Helen Epstein: "The Mystery of AIDS in South Africa", *The New York Review of Books*, 20.7.2000, págs. 50-55; Rothman, D. J.: "The Shame of Medical Research", *New York Review of Books*, 30.11.2000

[36] Whalen y otros: "A trial of three regimens to prevent tuberculosis in Ugandan adults infected with the human immuno-deficiency virus", NEJM, volumen 337, N° 12, septiembre de 1997, págs. 801-808

[37] Heimlich H. J. y otros: "Malariatherapy for HIV-Patients", *Mechanisms of Ageing and Development*, volumen 93, 1997, págs. 79-85; Chen Xiaoping y otros: "Phase-1-Studies of Malariatherapy for HIV Infection", *Chinese Medical Sciences Journal*, volumen 14, N° 4, 1999

[38] Peter Breggin: "Recent FDA decision highlights ethical issues in drug research on children", 21.4.1998, en http://www.sightings.com/health/drugchildren.htm

[39] J. A. Staessen y otros: "Randomised double blind comparison of placebo and active treatment for older patients with isolated systolic hypertension", *The Lancet*, vol. 350, N° 9080, 13.9.1997, págs. 757-764; J. G. Wang y otros: "Long term blood pressure control in older Chinese patients with isolated systolic hypertension", Journal of Human Hypertension, vol. 10, noviembre de 1996, págs. 735-742; J. G. Wang y otros: "Chinese Trial on Isolated Systolic Hypertension in the Elderly", *Archives of Internal Medicine*, vol. 160, 24.1.2000, págs. 211-220; "The HOPE Investigators", *NEJM*, 2000, vol. 342, págs. 145-153, págs. 154-160

[40] *arznei-telegramm* 2/2000, pág. 21 y sig.

[41] *arznei-telegramm* 1/2001, pág. 2

Petróleo

[1] Entrevista realizada por Klaus Werner el 19.3.2001

[2] En un barril caben casi 159 litros. En el año 2000, el precio por barril en el mercado mundial rondaba los 28,5 dólares. En una entrevista con el semanario alemán *Die Zeit*, Jeroen van der Veer, director ejecutivo de Shell, declaró: "Nuestras ventas mundiales supe-

ran los cinco millones de barriles de 159 litros por día, de los cuales nosotros solamente extraemos alrededor de 2,3 millones. Esto significa que más de la mitad del petróleo que vendemos tenemos que comprarlo al precio del mercado mundial." (Extraído del artículo "Wir machen gute Gewinne", publicado en *Die Zeit*, 39/2000)

[3] La SPDC se encuentra a la cabeza de una *joint venture* con la compañía estatal "Nigerian National Petroleum Corporation" (NNPC), que tiene una participación del 55 por ciento. Shell se queda con el 30%, y el resto se lo llevan la petrolera francesa Elf (10%) y la italiana Agip (5%)

[4] "Des banques suisses accusées d'avoir accepté des fonds détournés au Nigeria", *Le Monde*, 6.9.2000

[5] "Some things never change", *The Guardian*, 8.11.2000

[6] Ibídem

[7] "Mutiger Kämpfer für Menschenrechte", *Rhein-Zeitung*, 13.11.1995

[8] Hakeem Jimo: "Am Schauplatz des Verbrechens", *die tageszeitung*, 14.3.2001

[9] "Some things never change", *The Guardian*, 8.11.2000

[10] "Supreme Court Rejects Shell Appeal in Right Case", Reuters, 23.3.2001

[11] "Erdöl, Menschenrechte und Geschäftsmoral", *Le Monde Diplomatique* 12/2000

[12] *The Guardian*, noticia del 27.9.2000

[13] "US Supreme Court Clears Way for Relatives to Sue Shell over Saro-Wiwa's Death", *The Independent*, 27.3.2001

[14] Ibídem

[15] Más detalles en http://www.greenpeace.de/GP_DOK_3P/BROSCHUE/AKTION/C12IAO2.HTM

[16] "Das Auge der Multis", *Berliner Tagesspiegel*, 10.12.2000

[17] Entrevista con Klaus Werner hacia fines de 1996

[18] "Das Auge der Multis", *Berliner Tagesspiegel*, 10.12.2000

[19] Extraído de un aviso publicitario aparecido en la revista *Newsweek*

[20] "Some things never change", *The Guardian*, 8.11.2000

[21] http://www.shellnigeria.com

[22] Entrevista con Klaus Werner, 19.3.2001

[23] Susanne Geissler: "Shell in Nigeria", *Energiewende* 1/2001 (en http://www.ecology.at/magazin/energiewende.php)

[24] "Some things never change", *The Guardian*, 8.11.2000

[25] Jan Rispens: "Das Nigerdelta: Ein zerrüttetes Ökosystem. Die Rolle von Shell und anderen Ölkonzernen", estudio realizado a pedido de Greenpeace, 11/1996

[26] "Oil Spillage in Ugbomron Village", video casero del 10.7.2000

[27] "Nigeria protests prompt development moves", *Financial Times*, 22.2.2001

[28] "Ogoni Wars: Arms Were Sponsored By Shell", *This Day*, Lagos, 25.1.2001

[29] "Nigeria fines Shell £ 26 m for 1970 spill", *The Guardian*, 27.6.2000

[30] "Shell's Oil Spillage Victims Demand N 700 m", *P.M. News*, Lagos, 30.10.2000

[31] En estas direcciones se pueden encontrar periódicos nigerianos: http://www.postexpresswired.com, http://www.ngrguardiannews.com, http://www.thisdayonline.com, http://www.cometnews.com.ng y http://www.vanguardngr.com.vag.htm

[32] "Shell Acknowledges Arms Purchases", Associated Press, 2 2.2001

[33] "Ogoni Wars: Arms Were Sponsored By Shell", *This Day*, Lagos, 25.1.2001

[34] "Clinton puts pressure on Nigeria over drugs and oil", *Observer*, 27.8.2000

[35] "Some things never change", *The Guardian*, 8.11.2000

[36] "Shell-Pipeline explodiert", *die tageszeitung*, 11.1.2000

[37] "Am Schauplatz des Verbrechens", *die tageszeitung*, 14.3.2001

[38] "Eine Geschichte von Blut und Öl", *Die Zeit*, 11/2001

[39] "Schmutzige Saubermänner", *Die Woche*, 4/2001

[40] Informe y comunicados de prensa de Global Witness en http://www.oneworld.org/globalwitness

[41] "Völkermord im Südsudan", Asociación para Personas Amenazadas, http://www.gfbv.de/dokus/memo/sudoel.htm

[42] AFP, 30.4.1999

[43] "Sudan: Oil Firms Accused of Fueling Mass Displacement and Killing", *The Guardian*, 15.3.2001

[44] "The human price of oil", Amnistía Internacional, 3.5.2000

[45] "Sudan: Oil Firms Accused of Fueling Mass Displacement and Killing", *The Guardian*, 15.3.2001

[46] "Öl macht arm", comunicado de prensa de Amnistía Internacional y de la AG Erdölprojekt Tschad/Kamerun, Hannover, 29.9.2000

[47] "Russland versinkt im Öl - Ölmultis schauen zu", comunicado de Greenpeace del 22.6.2000

[48] "Indonesia: What did Mobil know?", *Business Week*, 28.12.1998

[49] "Erdöl, Menschenrechte und Geschäftsmoral", *Le Monde Diplomatique* 12/2000

Alimentos

[1] Sönke Giard: "Alles hört auf 'de Gaulles' Kommando", artículo publicado en el periódico austríaco *Der Standard* el 7.10.2000

[2] "Schutz vor Schleppern", Terre des Hommes, 9/2000

[3] Cita extraída del artículo "Alles hört auf 'de Gaulles' Kommando", *Der Standard*, 7.10.2000

[4] Boletín del sindicato austríaco Agrar/Nahrung/Genuss sobre el cacao, Viena, 9/1999

[5] Verein Partnerschaft 3. Welt (editor): *Einkaufen verändert die Welt. Die Auswirkungen unserer Ernährung auf Umwelt und Entwicklung*. Editorial Schmetterling, Stuttgart 2000, pág. 44

[6] Esto sucede en Ghana, según datos aparecidos en "Hintergrundinformationen Schokoladenindustrie", sindicato Agrar/Nahrung/Genuss, Viena 2000

[7] Gerhard Riess: "Ein internationales Programm für Arbeitnehmer im Kakaosektor", sindicato austríaco Agrar/Nahrung/Genuss

[8] "Hintergrundinformationen Schokoladenindustrie", sindicato Agrar/Nahrung/Genuss, Viena 2000

[9] Henriette Gupfinger, Gabi Mraz, Klaus Werner: *Prost Mahlzeit! Essen und Trinken mit gutem Gewissen*. Viena, Editorial Deuticke 2000, pág. 157

[10] Gerhard Riess: "Ein internationales Programm für Arbeitnehmer im Kakaosektor", sindicato austríaco Agrar/Nahrung/Genuss

[11] "Die Bananenseuche", *die tageszeitung*, 11.1.2001

[12] J. Knirsch: "Exportierte Unfruchtbarkeit", dossier 22 de BUKO Agrar: *Bananen*, febre-

ro de 2000, se puede solicitar en http://www.bukoagrar.de/banane.htm (ver también http://es.epa.gov/techinfo/research/turapest.html y "Economic, social and cultural rights. Adverse effects of the illicit movement and dumping of toxic and dangerous products and wastes on the enjoyment of human rights", Economic and Social Council of the United Nations, 11.1.1999)

[13] "Mil barriles que contenían pesticida Nemagón fueron enterrados sin protección por bananera", *La Prensa*, 18.4.1998, http://laprensahn.com/natarc/9804/n18001.htm

[14] "Die Bananenseuche", *die tageszeitung*, 11.1.2001

[15] "Tödliche BAYER-Pestizide im Bananenanbau", Coordinación contra los Peligros de BAYER 7/2000

[16] Ibídem

[17] "Economic, social and cultural rights. Adverse effects of the illicit movement and dumping of toxic and dangerous products and wastes on the enjoyment of human rights", Economic and Social Council of the United Nations, 21.12.2000

[18] Folidol: http://www.bayer-agro.com/index.cfm?PAGE_ID=132, Nemacur: http://uscrop.bayer.com/nemacur.html, Baycor: http://www.bayer-agro.com/index.cfm?PAGE_ID=138

[19] "Endlich alles Banane", *die tageszeitung*, 12.4.2001

[20] "Neue Bananenordnung der EU, eine Bedrohung für die Bananenarbeiter in aller Welt", Unión Internacional de los Trabajadores de la Alimentación, Agrícolas, Hoteles, Restaurantes, Tabaco y Afines (UITA), Ginebra, 28.2.2001

[21] "Kommt es zur Einhaltung globaler Gewerkschaftsrechte?", Unión Internacional de los Trabajadores de la Alimentación, Agrícolas, Hoteles, Restaurantes, Tabaco y Afines (UITA), 4.12.2000

[22] Ibídem

[23] "Fünf Familienclans dominieren", *Der Standard*, 26.11.1999

[24] "Bittere Orangen", folleto publicado por el Instituto Südwind, Viena 1997

[25] Gupfinger/Mraz/Werner: *Prost Mahlzeit!*, Viena 2000, pág. 100

[26] En *Einkaufen verändert die Welt*, Editorial Schmetterling (Stuttgart 2000, pág. 44), la Asociación Amigos del Tercer Mundo señala incluso que más de la cuarta parte de los trabajadores de los naranjales son niños

[27] Siegfried Pater, *Zum Beispiel McDonald's*. Editorial Lamuv, Göttingen 2000

[28] Ver en http://www.mcspotlight.org

[29] Cifras extraídas de Siegfried Pater, *McDonald's*, Göttingen 2000 y de Gupfinger/Mraz/Werner: *Prost Mahlzeit!*, Viena 2000

[30] Informe final de la Comisión Enquete "Protección de la Atmósfera Terrestre" del Parlamento alemán, Economica Verlag, Bonn 1995

[31] "Happy hen, happy meal - McDonald's chicks fix", U.S. News & World Report, *Business & Technology*, 4.9.2000 (véase también http://www.meatstinks.com/mcd/index.html)

[32] "Burger King to audit animal treatment", Reuters, 2.4.2001

[33] A 2.400 millones de euros en el último trimestre de 2000; fuente: BBC News del 31.1.2001

[34] "Appetites Waning for McDonald's", CNBC.com, 3.4.2001

[35] "BSE-Verdacht bei Zulieferbetrieb von McDonald's", *Netzeitung* (http://www.netzeitung.de), 16.1.2001

[36] "Will Mad Cows kill the BigMac?", Salon News, 26.3.2001

[37] Ibídem
[38] Comunicado de prensa de Greenpeace del 14.11.2000
[39] Entrevista con Klaus Werner realizada el 26.3.1997 (publicada en *Politische Ökologie*, número 53, 1997)
[40] Bernhard Huber: "Jäger der verloneren Akzeptanz", *Kontexte* 3/2000
[41] Información más detallada en http://www.ibfan.org y también en http://babynahrung.org y en http://www.babymilkaction.org
[42] Ver también "Formula for Disaster", *Wall Street Journal*, 6.12.2000
[43] "Breaking the Rules, Stretching the Rules 2001" en http://www.ibfan.org/english/codewatch/btr01/index-en.htm
[44] "Todbringende Rezeptschlacht", *Stern* 50/1999
[45] "Angekündigt, aber nie gesendet. Warum das ZDF einen Beitrag über Nestlé kippte", *Berliner Zeitung*, 10.12.1999
[46] "Riskante Mischung", *Facts* 51/1999
[47] Lista de los que apoyan la campaña pro lactancia materna en http://www.waba.org.br/ilopage.htm
[48] "Formula for Disaster", *Wall Street Journal*, 6.12.2000
[49] Ver http://www.unicef.org/programme/hiv/mtct/mtct_int.htm
[50] Ver http://www.unicef.org/newsline/00breastfeeding.htm
[51] Entrevista con Klaus Werner, 12.12.2000
[52] "Eiserne Sparer — Wegen seiner Arbeitsbedingungen gerät Aldi in Frankreich unter Beschuss", *Die Zeit*, 2.11.2000
[53] Entrevista con Klaus Werner, 18.10.2000
[54] Foro Cívico Europeo: z. B. El Ejido - *Anatomie eines Pogroms*, Basilea 2000, pág. 35
[55] Ibídem, pág. 29
[56] Folleto de la compañía Billa, febrero de 2001
[57] z. B. *El Ejido*, pág. 49
[58] Ibídem, pág. 123
[59] Ibídem, pág. 62
[60] "Jagdszenen aus Südspanien", *die tageszeitung*, 10.2.2000
[61] "Migros droht Südspanien", *die tageszeitung*, 29.1.2001
[62] z. B. *El Ejido*, pág. 100
[63] Reglamento (CEE) nº 2092/91 del Consejo del 24 de junio de 1991 sobre la producción agrícola ecológica y su identificación en los productos agrarios y alimentarios, ver http://europa.eu.int/eur-lex/de/lif/dat/1991/de_391R2092.html
[64] Direcciones de centros de información y tiendas de productos orgánicos en Alemania, Austria y Suiza en http://www.ecology.at/projekt/detail/buch_serviceteil.html
[65] "Sauber ausgebeutet", *Die Zeit*, 22.4.1999
[66] Más información en http://www.transfair.org o bien en TransFair, Verein zur Förderung des Fairen Handels mit der "Dritten Welt" e.V., Remigiusstr. 21, D-50937, Colonia (Alemania); en Austria: http://www.transfair.or.at , Wipplingerstrabe 32, A-1010 Viena, tel. +43/1/533 09 56
[67] En estas cadenas comerciales se ofrece por lo menos un producto con el sello de TransFair: Allfrisch, Bolle, Budnikowsky, Citti, Comet, Coop-Märkte, Deutscher Supermarkt, Die 2, Dixi, Edeka aktiv, Edeka Neukauf, Edeka/Super 2000, Edeka-Märkte, Eurospar, Extra, Famila, Famka, Globus/Maxus, Grosso, Gubi, Ha-we-ge-Center, Hertie/Alsterhaus, Hill, Hit, HL, Horten, Jumbo, KaDeWe, Kafu, Kaiser's, Karstadt, Kaufhalle/

Multistore, Kaufhof, Kaufland, Kaufmarkt, Kaufpark, Kontra, Magnet, Markant, Marktfrisch, Marktkauf, Metro, Minimal, Otto Mess, Pro, real, Reichelt, Rewe-Märkte, Safeway, filiales de Schätzlein, supermercados Sky, supermercados Spar, Spinnrad, die sanfte Drogerie, Stüssgen, Tengelmann, toom, Wal-Mart, Wandmaker, Wertheim, Wertkauf; la lista de Austria se encuentra en http://www.transfair.or.at/produkte.htm

Juguetes

[1] Los datos fundamentales de esta historia fueron extraídos de: http://www.essential. org/monitor/hyper/issues/1994/09/mm0994_10.html http://www. hrichina.org/crf/ english/00winter/00W14_Zhili%20Fire.html

Sarah Cox: "The Secret Life of Toys", *The Georgia Straight*, nov. 5-12, 1998, disponible en http://www.maquilasolidarity.org/campaigns/toy/scox.htm

El nombre de la niña fue cambiado, los demás nombres son reales.

[2] *South China Morning Post*, 15.12.1999, el artículo está disponible en http:// members.hknet.com/~hkcic/hist-back.htm

[3] El 7 de junio de 2001, Hans Weiss envió un mail a la empresa preguntándole sobre este tema, pero no recibió respuesta alguna

[4] Linda Yang: "The tragic Chinese toy story", *South China Morning Post*, 15.12.1999, el artículo está disponible en http://members.hknet.com/~hkcic/hist-back.htm

[5] Material de la Central Obrera Alemana DGB, número 53, "Toys", Düsseldorf 1998

[6] http://www.cleanclothes.org/companies/disney00-02-29.htm

[7] http://www.cleanclothes.org/companies/disney01-01-10.htm

[8] "Beware of Mickey — Disneys Sweatshops in South China" (2/2001), disponible en http://members.hknet.com

[9] Según el ranking Top CEO's de la revista *Forbes*: Corporate America's Most Powerful People 2001

[10] http://www.cleanclothes.org/companies/disney00-02-29.htm

[11] http://www.cleanclothes.org/companies/disney01-01-10.htm

[12] http://www.cleanclothes.org/companies/disney00-02-29.htm

[13] http://www.cleanclothes.org/urgent/99-6-20-disney.htm y http://www.cleanclothes.org/companies/disney15-7-98html2

[11] http://www.geocities.com/mc_shame/re1.htm

[15] http://www.mcspotlight.org/campaigns/countries/chi/statemen.html

[16] Child Labour News Service, 1º de septiembre de 2000. Artículo extraído del *South China Morning Post*, disponible en http://www.globalmarch.org/clns/clns-01-09.html

[17] http://www.mcspotlight.org/campaigns/countries/chi/statemen html

[18] http://www.globalmarch.org/clns/clns-01-09.html

[19] http://www.uri.edu/artsci/wms/hughes/catw/mhvglo.htm

[20] http://corpwatch.org/trac/corner/alert

[21] Sarah Cox: "The Secret Life of Toys", *The Georgia Straight*, nov. 5-12, 1998, disponible en http://www.maquilasolidarity.org/campaigns/toy/scox.htm

[22] Ibídem

[23] Thai Labour Campaign, http://www.thailabour.org/campaigns/mastertoy

[24] Monitoring Mattel in China, http://www.amrc.org.hk/alu/ALU37/013701.htm

Deporte e indumentaria

¹ "Testimony of Julia Esmeralda Pleites", puede leerse en http://www.nlcnet.org/nike/julia.htm

² Las zonas de libre comercio son regiones industriales delimitadas en las que sólo se produce para exportar y en las que se establece un régimen especial con ventajas impositivas y económicas para las empresas. En el mundo hay entre 500 y 7.000 zonas de este tipo, sobre todo en los países en desarrollo y emergentes. Países como Hong Kong, Singapur y la Isla Mauricio constituyen zonas de libre comercio prácticamente en toda su extensión

³ Entrevista con Klaus Werner, 30.5.2000

⁴ Entrevista con Klaus Werner, 10.10.2000

⁵ "Fünf Schilling sichern die Ausbildung", *Der Standard*, 18.5.2000

⁶ "1:0 für saubere Kleidung", Aktuell, Campaña Ropa Limpia, Düsseldorf 2000

⁷ "Die Sklaven der Mode", *Stern* 43/1999

⁸ "Labour Rights in Indonesia: What is Menstruation Leave?", Campaña Ropa Limpia, Boletín 13, noviembre de 2000

⁹ "Six Cents an Hour", *Life* 6/1996

¹⁰ "A World of Sweatshops", *Business Week* 45/2000

¹¹ "Nike Shoe Plant in Vietnam Is Called Unsafe for Workers", *New York Times*, 8.11.1997

¹² Entrevista con Klaus Werner, 30.5.2000

Economía exportadora y financiera

¹ Entrevista con Klaus Werner, 16.1.2001

² Entrevista con Klaus Werner, 16.1.2001

³ Cita extraída de "Dams incorporated - The Record of Twelve European Dam Building Companies", Swedish Society of Nature Conservation, febrero de 2000

⁴ Ibídem

⁵ Ibídem

⁶ Entrevista con Klaus Werner, 27.4.2001

⁷ Entrevista de Klaus Werner con el Departamento de Prensa del Ministerio Federal de Economía y Tecnología, 27.4.2001

⁸ Entrevista con Klaus Werner, 27.4.2001

⁹ La Comisión Mundial de Represas es una iniciativa del Banco Mundial y de los representantes de distintos grupos de interés (desde ecologistas hasta industriales) cuyo objetivo es sentar criterios sociales y económicos para la utilización de la energía hidráulica

¹⁰ "Hermesreform wird zum Flop", *die tageszeitung*, 20.3.2001; "Hermes-Reform erneut diskutiert", ibídem, 7.4.2001

¹¹ Karin Astrid Siegmann: *Deutsche Großbanken entwicklungspolitisch in der Kreide?*, Südwind e.V., Siegburg 2000, pág. 110

¹² Ibídem, pág. 97

¹³ "Atomkraft aus der Mottenkiste", *Die Zeit* 6/2000

¹⁴ Siegmann, *Großbanken*, pág. 95

¹⁵ "Hermes auf Abwegen", *Die Zeit* 50/1999

¹⁶ "Atomkraft trotz Erdbebengefahr", *die tageszeitung*, 18.7.2000

305

[17] Siegmann. *Großbanken*, pág. 134

[18] Ibídem, pág. 15

[19] Ibídem

[20] Ibídem, pág. 84

[21] Ibídem, pág. 85

[22] Ibídem, pág. 19

[23] Siegburg 2000, puede encargarse en http://www.suedwind-institut.de

[24] Klaus Werner: "Der Blick in den Abgrund", *Der Standard*, 7.10.2000

[25] Ibídem

[26] Siegmann, *Großbanken*, pág. 112

[27] Más información sobre la tasa Tobin en la Red para el Control Democrático de los Mercados Financieros — ATTAC, http://www.attac-netzwerk.de

NOTAS DEL ÍNDICE DE MARCAS

Adidas-Salomon AG

[1] Comunicado de prensa del 8.3.2001

[2] Naomi Klein: *No logo*. Paidós, Buenos Aires 2002, Apéndice

[3] Boletín de la Clean Clothes Campaign, 13 de noviembre de 2000

[4] Ingeborg Wick y otros: *Das Kreuz mit dem Faden. Indonesierinnen nähen für deutsche Modemultis*. Südwind-Institut, Siegburg 2000

Agip (Grupo Eni)

[1] Según el *Financial Times*, 10.5.2001

[2] Comunicado de prensa de Eni, 5.4.2001

Aldi/Hofer

[1] Dado que Aldi no publica ninguna información empresarial, esta cifra se remite a los informes de los medios de comunicación. Fuente: Hoovers online, http://www.hoovers.com/de/co/capsule/0/0,3575,54910,00.html

[2] "Die Top-Marken in Deutschland", Young & Rubicam 2001

[3] De: Hannes Hintermeier: *Die ALDI-Welt. Nachforschungen im Reich der Discount-Milliardäre*. Karl Blessing Verlag, Munich 1998, cita extraída de *MAX* 5/1998, pág. 25

[4] Verein Partnerschaft 3.Welt (editor): *Einkaufen verändert die Welt. Die Auswirkungen unserer Ernährung auf Umwelt und Entwicklung*. Schmetterling Verlag, Stuttgart 2000, pág. 87

[5] Labournet Germany: Aufruf für Unterstützung der gekündigten Aldi-Arbeiter und Arbeiterinnen in Dublin, http://www.labournet.de/branchen/dienstleistung/aldi.html

[6] "Eiserne Sparer - Wegen seiner Arbeitsbedingungen gerät Aldi in Frankreich unter Beschuss", *Die Zeit*, 2.11.2000

[7] "Untergang der Mangroven", *Robin Wood Magazin* 1/1997

Aventis

[1] Informe comercial de Aventis, 1999

[2] Versión en español de la Declaración de Helsinki de la Asociación Médica Mundial, versión original de 1964, enmendada por la 52ª Asamblea General, Edimburgo, Escocia, octubre 2000

[3] http://www.aventis.com/main/news/0,1003EN-XX-10630-31240—,FF.html

Bayer AG

[1] Cifras de Bayer para el informe comercial de 2000, en http://www.bayer.de

[2] *STICHWORT BAYER* Extra 5/2000, publicada por la Coordinación contra los Peligros de Bayer

[3] Coordinación contra los Peligros de Bayer, 30 de abril de 1999, en http://ourworld.compuserve.com/homepages/critical_sharholders/bayerall.htm

[4] *STICHWORT BAYER* Extra 4/2000, publicada por la Coordinación contra los Peligros de Bayer, pág. 5

[5] Uwe Friedrich, en *STICHWORT BAYER*, 4/2000, pág. 6

Boehringer Ingelheim GmbH

[1] http://www.boehringer-ingelheim.com/corporate/home/summaryreport2000.pdf

[2] Según el IMS Health (Instituto de Estadística Médica), Informe DPM

[3] Bittere Pillen 1999-2001. Nutzen und Risiken von Arzneimitteln, Kiepenheuer & Witsch, Colonia 1999

[4] *arznei-telegramm* 9/99, pág. 89-90

BP Amoco p.l.c.

[1] Según el *Financial Times*, 10.5.2001

[2] Ver http://www.oneworld.org/globalwitness

[3] "Für den Westen ist Erdöl wichtiger als Menschenrechte", comunicado de prensa de la Sociedad Internacional de Derechos Humanos, 9.4.2001

[4] "Tell BP Amoco to Stop Funding Destruction of Tibet!", llamamiento de Corporate Watch e International Campaign for Tibet, 9.6.2000

[5] "Erdöl, Menschenrechte und Geschäftsmoral", *Le Monde Diplomatique* 12/2000

Bristol-Myers Squibb Company

[1] http://www.bms.com/news/press/data/fg_press_release_1288.html
[2] Versión en español de la Declaración de Helsinki de la Asociación Médica Mundial, versión original de 1964, enmendada por la 52ª Asamblea General, Edimburgo, Escocia, octubre 2000

C&A

[1] Según http://www.c-and-a.com/euro/about/companyinfo/default.asp
[2] Jochen Overmayer (C&A Europe): Ethical Sourcing — Conditio sine qua non of a holistic approach in sustainable development. Berlín 1999
[3] Ingeborg Wick y otros: *Das Kreuz mit dem Faden. Indonesierinnen nähen für deutsche Modemultis*. Südwind-Institut, Siegburg 2000

Chicco (Artsana S. p. A.)

[1] http://www.artsana.com/ita/pdf/Artsana_2.pdf
[2] http://www.artsana.com/eng/html/home.htm

Chiquita Brands International Inc.

[1] Comunicado de prensa del 13.2.2001 (ventas en dólares estadounidenses: 2.300 millones)
[2] En http://www.newspoetry.com/1999/991226.html se ofrece un buen resumen de los hechos con la mención de numerosas fuentes
[3] *Wegweiser durch den Supermarkt*, publicación de la comunidad de trabajo Dritte Welt Läden, Darmstadt 1992, pág. 31
[4] "Chiquita im Brennpunkt: Gewerkschaften und IUL protestieren gegen Verletzung der Gewerkschaftsrechte in Costa Rica", http://www.iuf.org/german/agriculture/03.htm
[5] "Bittere Bananen - Auf Bananenplantagen in Costa Rica", *Matices* 18, Colonia 1998 (http://www.matices.de/18/18pcosta.htm)
[6] "Chiquita: Millionenklage gegen die EU", *Financial Times Deutschland*, 25.1.2001
[7] "Endlich alles Banane", *die tageszeitung*, 12.4.2001

Heinrich Deichmann-Schuhe GmbH & Co. KG

[1] Fuente: Deutsche Standards, http://www.deutsche-standards.de
[2] Cita extraída de "Gift ist im Schuh", *die tageszeitung*, 10.4.2001
[3] Ibídem
[4] "Fall Deichmann: Report Mainz verwendete kein falsches Bildmaterial", comunicado de prensa de la Südwestrundfunk, 19.4.2001
[5] "Deichmann weist Unterstellungen des SWR zurück", comunicado de prensa de Deichmann, 19.4.2001
[6] "Etikettenschwindel beim Schuhkauf", Norddeutscher Rundfunk, 26.2.1998

Fresh Del Monte Produce Inc.

[1] Según comunicado de prensa del 15.2.2001 (ventas en dólares estadounidenses: 1.859 millones)

[2] "USA: Going Bananas", AlterNet, 6.2.2001 (http://www.igc.org/trac/headlines/2001/0033.html)

[3] "Urgent Guatemala banana alert", comunicado de prensa de la U.S./Labor Education in the Americas Project, 21.10.1999, http://www.bananas.agoranet.be/News_991021.htm

[4] "Konflikt bei Del Monte Guatemala", http://www.iuf.org/german/agriculture/03.htm

Deutsche Bank AG

[1] Fuente: http://group.deutsche-bank.de/ir/deu/ir_annual_reports/ir_reports/ir_results2000

[2] Karin Astrid Siegmann: *Deutsche Großbanken entwicklungspolitisch in der Kreide?* Südwind e.V., Siegburg 2000, pág. 78

[3] http://ourworld.compuserve.com/homepages/critical_shareholders/deutsche.htm

The Walt Disney Company

[1] http://disney.go.com/investors/annual00/index.html

Dole Food Company Inc.

[1] Comunicado de prensa del 31.1.2001 (ventas en dólares estadounidenses: 4.763 millones)

[2] http://bananas.agoranet.be/Mitch.htm y http://www.iuf.org/german/bananas/01.htm

[3] *Wegweiser durch den Supermarkt*, publicación de la comunidad de trabajo Dritte Welt Läden, Darmstadt 1992, pág. 42

[4] "USA: Going Bananas", AlterNet, 6.2.2001 (http://www.igc.org/trac/headlines/2001/0033.html)

[5] Ver http://www.bananalink.org.uk/companies/companies/htm

Donna Karan International Inc.

[1] http://www.donnakaran.com/main.html

[2] Center for Economic & Social Rights (editor): "Treated like Slaves: Donna Karan Inc. Violates Women Workers' Rights", 12/1999, en http://www.cesr.org/dkny.htm

[3] http://www.nmass.org/Nmass1/htm/fight/stories.htm (puede encontrarse en el buscador Google)

[4] http://www.nmass.org/Nmass1/htm/fight/girlcott.htm

[5] Comparar nota 2

[6] http://www.cnn.com/2000/LAW/06/07/rights.dkny.02/

Dresdner Bank AG

[1] Según comunicado de prensa del 5.4.2001
[2] "Eine freundliche Übernahme", *die tageszeitung*, 30.3.2001
[3] Ibídem, pág. 97
[4] "Der Fluch des Goldes", *die tageszeitung*, 1.2.2001
[5] Comunicado de prensa de Fian, 16.2.2000
[6] Fuente: http://www.kritischeaktionaere.de/Kampagnen/BankenU/bankenu.html
[7] Karin Astrid Siegmann: *Deutsche Großbanken entwicklungspolitisch in der Kreide?* Südwind e.V., Siegburg 2000, pág. 93

Exxon Mobil Corporation

[1] Según el *Financial Times*, 10.5.2001
[2] Comunicado de prensa del 30.1.2001
[3] Información más detallada sobre el proyecto en http://www.esso.com/eaff/essochad
[4] "Indonesia: What did Mobil know?", *Business Week*, 28.12.1998
[5] "Mithilfe bei Folter", *die tageszeitung*, 23.6.2001
[6] Página web del lobby industrial Global Climate Coalition: http://www.globalclimate.org
[7] http://www.esso.de/umwelt/energiesteuer/index.html
[8] http://www.exxon.mobil.com/em newsrelease/bush response.html

Ford Motor Company

[1] http://www.ford.com/2000annualreport/consolidated1.html
[2] Ken Silverstein: "Ford and the Führer", *The Nation*, 24.1.2000, disponible en http://past.thenation.com/cgi-bin/framizer.cgi?url=http://past.thenation.com/issue/000124/0124silverstein.shtml
[3] Ibídem
[4] Multinational Monitor, julio/agosto 1998, disponible en http://www.essential.org/monitor/mm1998/98july-aug/names.html
[5] *Ethical Consumer*, abril/mayo de 2000
[6] *Frankfurter Allgemeine Zeitung*, 25.5.2001 y *Süddeutsche Zeitung*, 23./24.5.2001, pág. 30

Gap Inc.

[1] Según el *Financial Times*, 10.5.2001
[2] "Lives Held Cheap in Bangladesh Sweatshops", *New York Times*, 15.4.2001
[3] "Labor Standards Clash With Global Reality", *New York Times*, 24.4.2001

General Motors Corp.

[1] Según el *Financial Times*, 10.5.2001
[2] *Ethical Consumer*, abril/mayo de 2000
[3] Ibídem
[4] "Double Standards. U.S. Manufacturers Exploit Lax Occupational Safety and Health Enforcement in Mexico's Maquiladoras", Multinational Monitor, noviembre de 2000
[5] "Überwachen und Strafen", *die tageszeitung*, 18.7.2001

GlaxoSmithKline

[1] http://corp.gsk.com/about/about.htm
[2] Versión en español de la Declaración de Helsinki de la Asociación Médica Mundial, versión original de 1964, enmendada por la 52ª Asamblea General, Edimburgo, Escocia, octubre 2000
[3] *arznei-telegramm*, mayo de 2001, pág. 56
[4] *arznei-telegramm*, marzo de 2001, pág. 35

Hennes & Mauritz AB

[1] Según el *Financial Times*, 10.5.2001
[2] Comunicado de prensa del 25.1.2001
[3] "100 H&M-Kontrollore überwachen 1.600 Zulieferer", *Der Standard*, 18.5.2000
[4] http://www.cleanclothes.org/companies/henm.htm
[5] "Made in Eastern Europe", Clean Clothes Campaign, Amsterdam 1998
[6] "Tirupur exporters body flays European agent over labour standard remarks", *Indian Express*, 28.3.2000

Bayerische Hypo- und Vereinsbank AG

[1] Fuente: http://www.hypovereinsbank.de/?Category=/KonzernundKarriere/InvestorRelations/Zahlen/Geschaeftsbericht2000
[2] Karin Astrid Siegmann: *Deutsche Großbanken entwicklungspolitisch in der Kreide?* Südwind e.V., Siegburg 2000, pág. 110
[3] "Indische Banken helfen Siemens", *die tageszeitung*, 29.8.2000
[4] Entrevista de Klaus Werner con Knut Hansen, vocero de prensa del Hypo Vereinsbank, 26.4.2001

KarstadtQuelle AG

[1] Según el *Financial Times*, 10.5.2001
[2] Campaña Ropa Limpia, circular Nº 1/2001
[3] Campaña Ropa Limpia, circular Nº 3/2000

[4] Ingeborg Wick y otros: *Das Kreuz mit dem Faden. Indonesierinnen nähen für deutsche Modemultis.* Südwind-Institut, Siegburg 2000

Knoll GmbH

[1] http://abbott.com/investor/2000annualreport/index_flash.html
[2] Ver *arznei-telegramm* 4/99, pág. 41
[3] Ibídem, pág. 42

Kraft Foods International Inc.

[1] Según el *Financial Times*, 10.5.2001
[2] "Schutz vor Schleppern", Terre des Hommes, 9/2000
[3] Cita extraída de "Alles hört auf 'de Gaulles' Kommando", *Der Standard*, 7.10.2000
[4] "Cocoa Criteria and Conditions of Fairtrade Labelling Organizations International", ver http://www.fairtrade.net/cocoa.html
[5] Por cifra de ventas/producto nacional bruto

Levi Strauss & Co.

[1] Según comunicado de prensa de Levi's, 10.1.2001
[2] "Die Top-Marken in Deutschland", Young & Rubicam 2001
[3] "Die Arbeitskosten einer Jeans betragen im Schnitt ein Prozent", *Der Standard*, 18.5.2000
[4] http://www.cleanclothes.org/publications/jeans.htm

Maisto

[1] Según una investigación del Asia Monitor Resource Center (Hong Kong), correo electrónico enviado a Hans Weiss, 17.5.2001
[2] Chronology of Master Toy Campaign, en http://www.thailabor.org/campaigns/mastertoy

McDonald's Corporation

[1] http://www.mcdonalds.com/corporate/press/financial/2001/01242001/index.html
[2] Comunicado de prensa de Greenpeace, 14.11.2000

Mercedes-Benz

[1] Según el *Financial Times*, 10.5.2001
[2] Ver http://www.kritischeaktionaere.de/Konzernkritik/DaimlerChrysler/DCagb01/DCagb01f/dcagb01f.html
[3] *Frankfurter Rundschau*, 11.4.2001

Mitsubishi Corporation

[1] http://www.mitsubishi.co.jp/En/investor/results/r200003.html
[2] http://www.mitsubishi.co.jp/En/investor/fact.html
[3] Ethical Consumer, abril/mayo de 2000, Stichwort Mitsubishi Group/Environment
[4] http://www.euroburma.com/asia/euro-burma/action-alert/ct66d-4.html
[5] http://www.abcnews.go.com/sections/science
[6] http://www.greenpeace.org/~forests/forests_new/html/content/news/010402.html

Nestlé S.A.

[1] Según el *Financial Times*, 10.5.2001
[2] "Nestlé-Côte d'Ivoire: Le malaise... salarial", *Le Jour*, 6.10.1999, http://www.africaonline.co.ci/AfricaOnline/infos/lejour/1401SOC1.HTM

Nike Inc.

[1] Según el *Financial Times*, 4.5.2000
[2] Klein, *No logo*, capítulo 1
[3] Comprehensive Factory Evaluation Report, 5.7.2.2001
[4] Correo electrónico enviado a Klaus Werner, 19.1.2001
[5] "Nike's Indonesian workers 'encouraged to date bosses'", *Financial Times*, y "Nike Factory Report Cites Violations", *Wall Street Journal*, ambas referencias del 22.2.2001

Novartis

[1] http://www.novartis.com/annualreport2000/overview.html
[2] *Gesunde Geschäfte - Die Praktiken der Pharma-Industrie*, Kiepenheuer & Witsch, Colonia 1981
[3] Comunicado de prensa en la página web: http://www.novartis.com
[4] Versión en español de la Declaración de Helsinki de la Asociación Médica Mundial, versión original de 1964, enmendada por la 52ª Asamblea General, Edimburgo, Escocia, octubre 2000
[5] t. Medline Abstract for Iloperidone: Expert Opin Invest Drugs 2000 Dec; 9 (12): 2935-43

OMV AG

[1] Comunicado de prensa de OMV, 5.3.2001
[2] "Für den Westen ist Erdöl wichtiger als Menschenrechte", comunicado de prensa de la Sociedad Internacional de Derechos Humanos, 9.4.2001
[3] Declaración de la OMV AG, 30.3.2001

Otto-Versand

[1] Información de prensa de Otto, 29.3.2001
[2] Ingeborg Wick y otros: *Das Kreuz mit dem Faden. Indonesierinnen nähen für deutsche Modemultis.* Südwind-Institut, Siegburg 2000

Pfizer Inc.

[1] http://www.pfizer.com/pfizerinc/investing/annual/earnings/2000Q4earnpr.html
[2] *Journal of the American Medical Association*, 1999, Nov. 10, Vol. 282 (18), págs. 1752-9
[3] "Misleading Drug Research", *The New York Times*, 10 de noviembre de 1999
[4] Joe Stephens: "Where Profits and Lives Hang in Balance", *The Washington Post*, 17 de diciembre de 2000
[5] *arznei-telegramm* 7/99, pág. 77

Procter & Gamble Inc.

[1] Según el *Financial Times*, 10.5.2001
[2] "Social report spin attacked", *The Guardian*, 9.11.2000
[3] Fuente: *Ethical Consumer*, Research Supplement 66, 8/2000

Reebok International Ltd.

[1] Según comunicado de prensa de Reebok, 1.2.2001 (ventas en dólares estadounidenses: 2.870 millones)
[2] Naomi Klein: *No logo: el poder de las marcas.* Paidós, Buenos Aires 2002, Capítulo 18
[3] "Reebok admits problems at Indonesian factories", Associated Press, 18.10.1999
[4] http://www.corpwatch.org/trac/action/2000/1.html
[5] "A World of Sweatshops", *Business Week* 45/2000
[6] Naomi Klein: "Philippines: Trying to Feel Good About Nike", *Toronto Star*, 2.4.1999
[7] "Haider race to power was helped by Reebok", *The Guardian*, 10.2.2000
[8] Klein, *No logo*, capítulo 4

Samsung Group

[1] Fuente: http://www.samsung.com/about/financial/financial_data.html
[2] "The Tijuana triangle", *The Economist*, 20.6.1998
[3] Comunicado de prensa, 28.12.1998, http://www.hrw.org/hrw/press98/dec/mxwmn.htm

Schering AG

[1] http://www.schering.de/investorrelationsforum/datenundfakten/finanzdaten.htm
[2] *arznei-telegramm* 1/98, pág. 1; en relación con Femovan, ver http://ourworld.compuserve.com/homepages/critical_shareholders/schering.htm
[3] *arznei-telegramm* 12/2000, pág. 101

Royal Dutch/Shell

[1] Según el *Financial Times*, 10.5.2001
[2] Según datos propios, en: http://www.shell.com/de-de/content/0,4645,28510-53304,00.html

Siemens AG

[1] Según el *Financial Times*, 10.5.2001
[2] Fuente: http://w4.siemens.de/kwu/d/unternehmen/index.htm

Tommy Hilfiger Corporation

[1] http://www.tommy.com/media/downloads/TH00.pdf
[2] "Die Sklaven der Mode", revista *Stern* 21.10.1999, disponible en http://www.stern.de
[3] Ibídem
[4] http://www.tommy.com/media/downloads/TH00.pdf
[5] http://www.tommy.com/biz/pressDynamic_ind_idx.jhtml?announcementld=700918&categoryld=700045&section=statements

TotalFinaElf S.A.

[1] Según el *Financial Times*, 10.5.2001
[2] "Erdöl, Menschenrechte und Geschäftsmoral", *Le Monde Diplomatique* 12/2000

Triumph International

[1] Según el periódico *Schweizer Handelszeitung*, Swiss Top 500
[2] http://www.cleanclothes.ch/d/triumph.htm
[3] "NGOs fordern Rückzug von Triumph aus Burma", comunicado de prensa de la Declaración de Berna, 19.1.2001
[4] http://www.cleanclothes.ch/d/infotriumph.htm

Unilever Group

[1] Según el *Financial Times*, 10.5.2001
[2] *Wegweiser durch den Supermarkt*, publicación de la comunidad de trabajo Dritte Welt Läden, Darmstadt 1992, pág. 16
[3] http://www.corporatewatch.org.uk/magazine/issue9/cw9cm2.html
[4] *Wegweiser durch den Supermarkt*, pág. 16
[5] Comunicado de prensa de Greenpeace, 7.3.2001

Wal-Mart Stores Inc.

[1] http://www.walmartstores.com/newsstand/news spl ds.shtml
[2] http://www.labournet.de/diskussion/gewerkschaft/walmart-gew.html
[3] Según el National Labor Committee, ver http://www.nlcnet.org
[4] Ibídem
[5] Según *Fortune*/Banco Mundial, disponible en http://www.ips-dc.org/downloads/Top 200.pdf
[6] "NGOs fordern Rückzug von Triumph aus Burma", comunicado de prensa de la Declaración de Berna, 19.1.2001
[7] Ver Social Investment Solutions KLD&Co.Inc., http://www.kld.com/benchmarks/walmart.html
[8] http://www.maquilasolidarity.org/campaigns/wal-mart/index.htm
[9] Ibídem
[10] Ver National Labor Committee, http://www.nlcnet.org/sweatingforkohls/history.htm

ÍNDICE